COMO TUDO COMEÇOU

UMA INTRODUÇÃO
AO CRIACIONISMO

ADAUTO LOURENÇO

COMO TUDO COMEÇOU

UMA INTRODUÇÃO AO CRIACIONISMO

FIEL Editora

Dados Internacionais de Catalogação na publicação (CIP)
(Câmara Brasileira do Livro, SP, Brasil)

Lourenço, Adauto
    Como Tudo Começou - Uma introdução ao Criacionismo / Adauto Lourenço. - São José dos Campos, SP : Editora Fiel, 2007

ISBN: 978-85-99145-38-8

1. Criação 2. Criacionismo 3. Evolução

1. Título.

07-7693   CDD-231.7652

Índices para catálogo sistemático:
1. Criacionismo   231.7652

Copyright ©2007 Editora Fiel

■

1ª Edição em Português - 2007

■

Todos os direitos em língua portuguesa reservados por Editora Fiel

Nenhuma parte deste livro pode ser reproduzida ou transmitida em qualquer forma ou meio, eletrônico ou mecânico, inclusive fotocópia, gravação ou banco de dados, sem permissão escrita do autor.

■

Diretor: Tiago J. Santos Filho
Editor-chefe: Vinicius Musselman
Editor: Tiago J. Santos Filho
Revisão: Ana Paula Eusébio Pereira; Francisco Wellington Ferreira e Marilene Paschoal
Capa e Diagramação: Edvânio Silva

FIEL Editora
Caixa Postal 1601
CEP 12230-971
São José dos Campos-SP
PABX.: (12) 3919-9999
www.editorafiel.com.br

À minha esposa Sueli

A criação não seria completa sem você!
... e estudá-la sem te conhecer, seria como que, tentar imaginar um universo, repleto de galáxias, sem jamais ter visto uma única estrela.
Te amo!

Às minhas filhas, Quezia, Joyce e Sarah,

vocês fizeram com que a caminhada que me trouxe até aqui
fosse agradável e cheia de belas surpresas... Amo cada uma de vocês!

Aos meus pais, Jaime e Zoraide,

que me ensinaram desde os primeiros passos... quando tudo começou.
Não existem palavras adequadas para expressar a minha gratidão.

Aos muitos amigos e colaboradores,

este livro é o resultado daquilo que eu chamo de "trabalho de equipe".

A todos aqueles

que sem temor e preconceito, enveredam à procura da verdade,
independentemente do destino a que esta busca os leve,
apresento este livro como mais uma ferramenta para auxiliá-los nesta caminhada.

Ao Deus Criador,

que nos dotou com conhecimento e sabedoria
para estudar e conhecer as obras das Suas mãos.
A Ele honra, glória, louvor e adoração!

SUMÁRIO

PREFÁCIO - página ix

ESCLARECIMENTOS - página xi

INTRODUÇÃO - página xiii

CAPÍTULO 1 - página 19
A Origem das Teorias: Como Tudo Começou?

CAPÍTULO 2 - página 43
A Origem da Informação: Design Inteligente

CAPÍTULO 3 - página 63
A Origem do Universo: Astronomia e Cosmologia

CAPÍTULO 4 - página 105
A Origem da Vida: Biologia e Genética

CAPÍTULO 5 - página 139
A Origem dos Fósseis: Paleontologia e Geologia

CAPÍTULO 6 - página 159
A Origem dos Bilhões de Anos: Métodos de Datação

CAPÍTULO 7 - página 197
A Origem do Catastrofismo: Geofísica e Hidrodinâmica

CAPÍTULO 8 - página 227
Conclusões: Em Busca da Verdade

APÊNDICE - página 237
Um pouco de equações... para quem gosta.

GLOSSÁRIO - página 277
As palavras em outras palavras

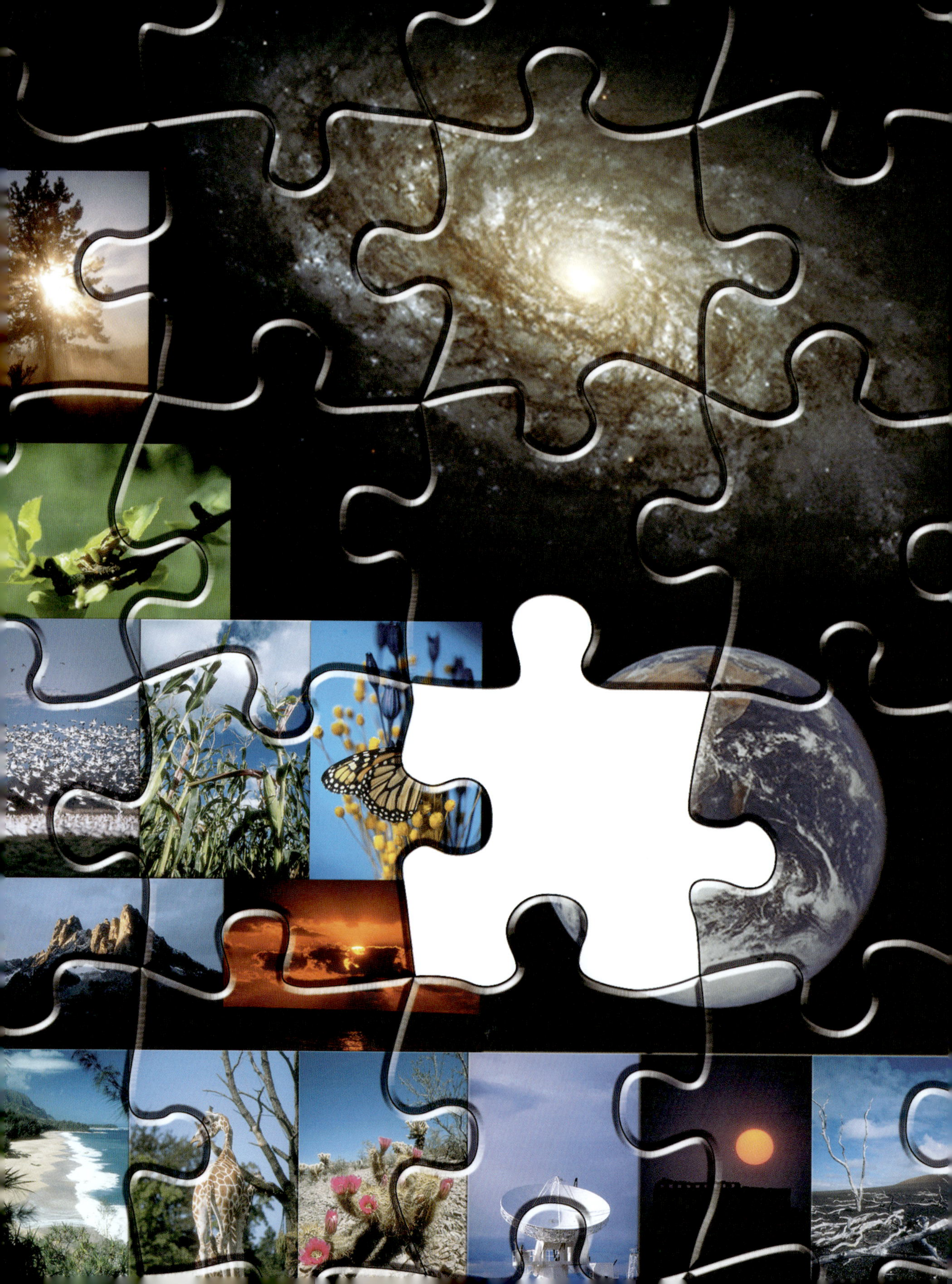

PREFÁCIO

O tema criação/evolução, muito além de fascinante e também controverso, é de grande importância, porque o assunto das origens nos diz afinal quem somos.

Este tema não é novo. Ele já foi debatido na Grécia antiga, por volta do século V a.C., nos tempos dos antigos filósofos gregos. Idéias sobre o universo ser eterno ou não, sobre a vida ter surgido espontaneamente ou ter sido criada já faziam parte das discussões acaloradas destas teorias desde então.

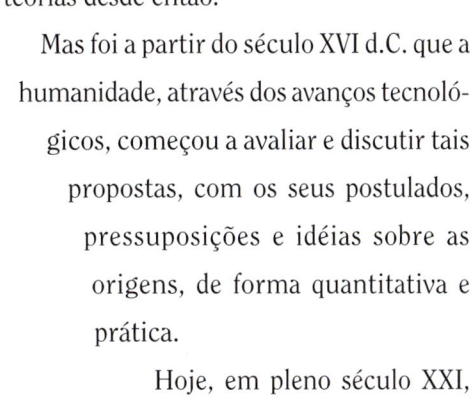

Mas foi a partir do século XVI d.C. que a humanidade, através dos avanços tecnológicos, começou a avaliar e discutir tais propostas, com os seus postulados, pressuposições e idéias sobre as origens, de forma quantitativa e prática.

Hoje, em pleno século XXI, nos vemos como que arrebatados ao passado, dentro das mesmas discussões que, por cerca de três milênios, têm produzido um desejo quase insaciável de saber e conhecer o grande mistério que ainda paira sobre nós: como tudo começou?

O objetivo maior deste livro é esclarecimento através da utilização de uma linguagem coloquial,

> "O MUNDO DA NATUREZA, O MUNDO DO HOMEM, O MUNDO DE DEUS: TODOS ELES SE ENCAIXAM."
>
> JOHANNES KEPLER
> (1571-1630)

mantendo, contudo, a consistência técnica do assunto.

Dos três grupos principais de criacionistas (ver introdução), somente a proposta da Criação Especial será abordada mais especificamente neste livro, devido ao tempo e ao espaço disponíveis. Apenas no capítulo 1, foi feita uma abordagem filosófico-teológica sobre o tema das origens. Este aspecto da discussão não poderia ser ignorado, pois a existência de uma Inteligência Criadora por trás dos maravilhosos e engenhosos mecanismos da vida e das leis científicas (indicada pela complexidade inigualável encontrada em toda a natureza) tem sido uma das peças centrais do pensamento e do questionamento humano, desde os primórdios da civilização até os dias de hoje.

Esclarecimentos

1. A notação das datas utilizada neste livro obedece o sistema a.C. (antes de Cristo) e d.C. (depois de Cristo) ou A.D. *(Anno Domini)*. A notação B.C.E. (*before common era* - antes da era comum) e C.E. (*common era* - era comum) não foi utilizada pelo fato do autor procurar manter uma terminologia simples e comumente conhecida pelos leitores.

2. No livro, usaremos várias vezes o termo "processos naturais". É importante entendermos que processos naturais são processos observados diretamente na natureza e descritos através de uma formulação científica apropriada. Alguns termos, falando cientificamente, são confundidos como sendo processos naturais, mas não o são. Tais termos representam conceitos e não fenômenos observados diretamente; e dependem de interpretações e não de formulações científicas rigorosas. Alguns exemplos de processos naturais são a divisão celular e as marés. *Evolução* não é um processo natural, pois é tratado por inferência e não por observação direta.

3. Neste livro, as abreviações usadas quanto às teorias são as seguintes:

TE: Teoria da Evolução
TEE: Teoria Especial da Evolução
TGE: Teoria Geral da Evolução
TC: Teoria da Criação ou Teoria Criacionista
TCE: Teoria da Criação Especial
TDI: Teoria do *Design* Inteligente
CR: Criacionismo Religioso
CB: Criacionismo Bíblico

Para obter a definição de cada uma delas, ver o Glossário.

Introdução

Este livro foi escrito com o propósito de oferecer uma breve, clara e simples introdução à **Teoria da Criação Especial**, geralmente conhecida como Criacionismo. Existe certa confusão sobre o significado dos termos usados nos estudos das origens. Portanto, algumas definições básicas são necessárias para melhor compreensão destes termos. Para obter definições mais abrangentes, ver Glossário.

Naturalismo: cosmovisão materialista que propõe que a natureza e os processos naturais correspondem a tudo o que existe, considerando como não existente e desconhecido tudo o que possa ser inerentemente diferente de um fenômeno natural.

Evolução: (biologia) teoria naturalista que propõe que mudanças das características hereditárias de uma população, através de sucessivas gerações, por longos períodos de tempo, teriam sido responsáveis pelo aparecimento das novas espécies.

Darwinismo: teoria evolucionista desenvolvida por Charles Darwin (e Alfred Russel Wallace), no século XIX, que propõe a seleção natural como a causa principal para a explicação da evolução. O livro "A Origem das Espécies", publicado por Darwin em 1859, popularizou a teoria.

Seleção Natural: é definida como processo pelo qual organismos com características favoráveis têm uma probabilidade maior de sobreviver e reproduzir.

Neo-Darwinismo: teoria evolucionista que combina a teoria da seleção natural, proposta por Darwin, com a teoria da hereditariedade, proposta por Gregor Mendel. Também conhecida como Teoria Sintética Moderna.

Evolucionismo Teísta: posição teológica onde Deus teria criado o universo e a vida e estes teriam evoluído segundo a explicação naturalista.

Criacionismo: cosmovisão que propõe que a origem do universo e da vida são resultados de um ato criador intencional.

Criacionismo Científico: propõe que a complexidade encontrada na natureza é resultante de um ato criador intencional.

Criacionismo Religioso: posição religiosa que aceita pela fé que certos escritos de determinada religião sobre a origem da vida e do universo são verdadeiros. Estas formas de criacionismo são geralmente confundidas com as propostas científicas.

Design Inteligente: estabelece que causas inteligentes detectáveis empiricamente são necessárias para explicar as estruturas biológicas ricas em informação e a complexidade encontrada na natureza.

Teoria Sintética Moderna: (também conhecida como Síntese Evolutiva Moderna) teoria naturalista que reúne as propostas do Darwinismo, do Neo-Darwinismo, da herança biológica proposta por Gregor Mendel e da genética populacional.

Teoria do Equilíbrio Pontuado: teoria em que a especiação acontece em pequenas populações separadas geograficamente de outras populações de suas espécies, onde a evolução, nestes pequenos grupos, teria ocorrido rapidamente.

    Jerry B. Marion e William F. Hornyak, físicos muito conhecidos nos Estados Unidos e autores de vários livros universitários, definem uma base importante para um estudo coerente e consistente do mundo que nos rodeia, da seguinte forma: "Para descrevermos o universo natural, nós utilizamos conceitos, teorias, modelos e leis. De forma geral, uma teoria tenta explicar por que a natureza se comporta de uma determinada maneira..."[1]

    Observa-se assim que toda teoria é na verdade uma "proposta" para explicar algum fenômeno. Ela é criada visando estabelecer os relacionamentos entre fatos observáveis e possíveis evidências. De uma forma geral, ela possui como base um caráter interpretativo das evidências. Esta compreensão é fundamental para o estudo das origens.

    Ao estudarmos o Criacionismo, veremos que algumas propostas criacionistas, por apresentarem o universo e a vida no planeta Terra como sendo recentes (de apenas milhares e não bilhões de anos), são consideradas por muitos como tentativas para provar a veracidade de textos sagrados como a Bíblia. Portanto, em muitos círculos, crê-se que o Criacionismo não passa de um ensino religioso.

    Também veremos que a Teoria do *Design* Inteligente, como é conhecida na língua portuguesa, encontra-se incorporada direta e indiretamente na maioria das posições criacionistas conhecidas. Ela não é um sinônimo de criacionismo, pois sua ênfase está na busca por sinais de inteligência na estrutura da vida e do universo, e não nas causas que teriam produzido esses sinais. A existência de um criador, quem seria ele e quais os seus propósitos na criação

---

[1] J. B. Marion e W. F. Hornyak, *Physics for Science and Engineering*, CBS College Publishing, Philadelphia, 1982, p. 1.

não fazem parte dos questionamentos da Teoria do *Design* Inteligente. Muitos ainda acreditam que a Teoria do *Design* Inteligente é uma forma disfarçada de proposta religiosa.

É preconceituoso e incorreto equiparar tanto a Teoria Criacionista quanto a Teoria do *Design* Inteligente como propostas religiosas. Dr. Michael Denton, biólogo molecular, faz a seguinte colocação quanto ao *design* inteligente e a religião: "Pelo contrário, a inferência de planejamento é uma indução puramente *a posteriori,* baseada numa aplicação inexoravelmente consistente da lógica e da analogia. A conclusão pode ter implicações religiosas, mas não depende de pressuposições religiosas".[2] Por outro lado, e erroneamente, muitos acreditam que a Teoria da Evolução já foi provada, tentando até mesmo elevá-la a uma posição de lei científica.

É importante esclarecer que tanto a impressão de que a Teoria Criacionista é religião quanto a afirmação de que a Teoria da Evolução já foi provada são percepções erradas e equivocadas. Portanto, as propostas do Criacionismo e do Naturalismo, quanto às origens, são como uma viagem de volta ao passado, oferecendo possíveis explicações sobre a origem do universo e da vida. Mas tanto uma quanto a outra oferecem apenas modelos distintos quanto às origens. São duas cosmovisões baseadas em interpretações científicas voltadas à procura das respostas para as grandes perguntas sobre a nossa existência. Aqui encontra-se o ponto central de toda a discussão sobre o tema das origens, pois é nesta busca que se encontram as pressuposições, os argumentos e as conjecturas de tudo o que se procura provar.

Na proposta criacionista, muitos levantam uma objeção sobre a existência de um *design* inteligente intencional na natureza e sobre a existência de uma Inteligência capaz de criar um mundo como o conhecemos. Estes acreditam que tais propostas apresentam uma formulação singela e infantil para um tema tão complexo. Dizem que a explicação criacionista para as origens seria como que se comparar a dança da chuva com os estudos das ciências atmosféricas. Mas não é este o caso. Considere a questão da relevância de um *design* inteligente.

Quando observamos um relógio, mesmo não sabendo nada sobre os processos através dos quais o relógio foi feito, ou mesmo não conhecendo quem fez o relógio, pela razão e pela experiência conseguimos pensar na existência do relojoeiro como uma possibilidade lógica. Esta consideração de que o relojoeiro existe não pode ser absurda, simplesmente pelo fato de que talvez nunca vimos o tal relojoeiro ou por que não possuímos nenhum conhecimento empírico sobre a sua existência. Ilógico seria acreditar que um "pseudo-relojoeiro cego" (como forças e processos aleatórios e probabilísticos, sem conhecimento de relógios ou mesmo como fazê-los, desprovido de propósito e objetividade) tivesse feito com que o relógio aparecesse. A existência do relógio implica, de forma racional e direta, a existência do relojoeiro.

Albert Einstein, compreendendo a complexidade e as leis que regem o universo, dizia que "... a coisa mais incompreensível sobre o universo é que ele é compreensível".[3] Tal complexidade aponta para uma origem caracterizada por uma causa volitiva, por um *designer* altamente inteligente, e não por causas e processos naturais e espontâneos. O mesmo se dá com as leis conhecidas que regem o universo.

---

2   Michael Denton, *Evolution, A Theory in Crisis,* Bethesda, MD, Adler and Adler, 1986, p. 341.
3   Banesh Hoffman, *Albert Einstein: Creator and Rebel,* Vicking, New York, 1972, p. 18.

Entendemos assim que tanto a questão da existência do relojoeiro como a de uma Inteligência na criação do universo são propostas racionais baseadas em um raciocínio lógico perfeitamente plausível, que pode ser sustentado por evidências científicas. Qualquer proposta contrária seria considerada oposição, por questão de preferência e não por falta de argumentos lógicos.

Como um simples exemplo, tomemos a questão da existência de Deus. Um cientista que tenha à sua disposição o melhor laboratório, com os equipamentos e recursos mais sofisticados e as técnicas mais avançadas, pelo que sabemos até agora, não conseguiria provar empiricamente a existência de Deus. Sendo assim, ele somente poderia aceitar a existência de Deus através do "crer". Isso também é verdadeiro para outro cientista que tentasse provar que Deus não existe, utilizando os mesmos recursos e o mesmo laboratório. Este também só poderia aceitar a inexistência de Deus através do "crer". Tanto para um quanto para o outro a questão está no crer, pois as duas propostas não podem ser provadas empiricamente.

Este exemplo é importante. A noção de que somente os cientistas que não estão propensos a aceitar um *design* inteligente na natureza ou a existência de um Ser superior podem fazer ciência de forma imparcial é contrária à evidência encontrada na história da ciência, a qual se acha repleta de exemplos de grandes cientistas que aceitavam e professavam sua fé não num mero "Relojoeiro Cósmico", mas em um Deus como o Criador de todas as coisas.

Dentre muitos, aparecem os nomes de Johannes Kepler, Isaac Newton, Leonard Euler, James Prescott Joule e James Clerk Maxwell. As pessoas que conhecem apenas as teorias e o valor do trabalho científico apresentado por estes homens, mas desconhecem o posicionamento pessoal de cada um deles quanto a existência de um Deus Criador, têm apenas uma visão parcial de quem na verdade foram estas mentes brilhantes que agraciaram a ciência e o mundo com as suas teorias, leis e formulações. Estão longe de compreender a profunda influência da fé destes homens e mulheres, manifesta na motivação que os levava a pesquisar.

Como exemplo, James P. Joule, considerado um dos pais da termodinâmica, referindo-se ao Criador, escreveu: "Após o conhecimento e a obediência da vontade de Deus, o próximo passo deve ser conhecer alguma coisa dos Seus atributos de sabedoria, poder e bondade evidenciados pelas Suas obras pessoais".[4]

Ainda uma consideração final. Referindo-se às implicações religiosas da ciência, o Dr. Chandra Wickramasinge, diretor do Centro de Astrobiologia de Cardiff, no país de Gales, disse: "Ao contrário da noção popular de que só o criacionismo se apóia no sobrenatural, o evolucionismo deve também apoiar-se, desde que as probabilidades da formação da vida ao acaso são tão pequenas, que exigem um 'milagre' de geração espontânea equivalente a um argumento teológico".[5]

Por crer que não há uma inteligência superior como causa primária do surgimento do universo e da vida, não estaria o naturalismo evolucionista sujeito ao mesmo criticismo religioso

---

[4] J. G. Crowther, *British Scientists of the Nineteenth Century*, Routledge & Kegan Paul, London, 1962, p. 138.
[5] Dr. Norman L. Geisler citado em *Creator in the Classroom – Scopes 2: The 1981 Arkansas Creation/Evolution Trial*, Miedford, MI, Mott Media, 1982, p. 151.

dirigido ao criacionismo? Creio, sem a menor sombra de dúvida, que este tema das origens será sempre um desafio, tanto para os que o estudam quanto para aqueles que lêem a respeito.

Portanto, para todos quantos têm sido expostos apenas à proposta naturalista, fica aqui o desafio de conhecer resumidamente a proposta criacionista e assim obter, através de uma base racional mais ampla (dentro do contexto das leis científicas conhecidas e das evidências existentes), uma avaliação mais equilibrada das propostas e dos modelos apresentados pelas duas teorias.

Creio ser também de grande importância mencionar aqui um texto antigo que descreve de forma simples e prática a atitude que uma pessoa deve ter, ao considerar as propostas que não lhe são familiares:

"Ora, estes de Beréia eram mais nobres que os de Tessalônica,
pois receberam a palavra com toda a avidez, examinando as
Escrituras todos os dias para ver se as coisas eram de fato assim."[6]

Adauto J. B. Lourenço
Limeira, 4 de setembro de 2007

---

6   Lucas, médico e historiador do século I, A.D., no livro de Atos dos Apóstolos da Bíblia Sagrada, capítulo 17, versículo 11.

Fractais - Conjunto de Mandelbrot

CAPÍTULO 1

A Origem das Teorias:

Como Tudo Começou?

*"O coração do entendido adquire o conhecimento,
e o ouvido dos sábios procura o saber."*

*"Aplica o teu coração ao ensino,
e os teus ouvidos às palavras de conhecimento."*

Rei Salomão, citado no livro de Provérbios, 18:15 e 23:12

A ORIGEM DAS COSMOVISÕES

Tanto o naturalismo evolucionista quanto o criacionismo não são cosmovisões modernas, propostas recentemente. Suas origens podem ser traçadas até os tempos dos filósofos gregos, a cerca de 2600 anos atrás, pelo menos.

Embora havendo muita mitologia envolvida na discussão das origens, um número de filósofos gregos tratou do assunto de forma sistemática e, dentro dos padrões da época, até mesmo científica. Destas discussões, dois grupos distintos emergiram, dando tanto a forma quanto a estrutura básica das cosmovisões atuais sobre as origens.

Um grupo defendia a tese de uma possível geração espontânea, em que tanto o universo quanto a vida teriam vindo à existência por meio de processos chamados naturais. Outro grupo defendia que o universo havia sido criado de acordo com um plano racional. Os raciocínios que motivaram os dois posicionamentos são, até certo ponto, os mesmos empregados ainda hoje. Obviamente, os avanços científicos dos últimos trezentos anos nos permitiram ver com maior clareza que muitas propostas, embora lógicas, encontravam-se desprovidas de um embasamento sólido sustentável.

DE VOLTA AO PASSADO

Uma retrospectiva das propostas encontradas na Grécia antiga pode ajudar na compreensão das duas posições atuais quanto às origens. Visto que o número de argumentos e a complexidade exigida para se estabelecer uma base racional lógica de uma origem espontânea é muito maior, e muitas vezes subjetiva, devemos citar aqui as principais propostas feitas pelos defensores, na Grécia antiga, da posição naturalista.

Tales de Mileto (621-543 a.C.) foi um dos primeiros conhecidos na história a propor que o mundo teria evoluído da água. Esta evolução teria se dado por meio de processos naturais.

Anaximandro de Mileto (610-547 a.C.) foi um dos discípulos de Tales. Segundo ele, tudo o que existe no universo seria proveniente de quatro substâncias básicas: água, ar, terra e fogo; estas substâncias seriam provenientes de um elemento chamado por ele de *apeiron*. Empédocles de Agrigento (492-430 a.C.) propôs que plantas e animais não teriam surgido simultaneamente. Foi ele quem também fez uma das propostas mais conhecidas dentro do posicionamento evolucionista, a "sobrevivência do que está melhor capacitado". Leucipo (século V a.C.) e Demócrito (460-370 a.C.) foram os pais da filosofia atomista e do atomismo, propondo que a realidade cósmica é representada por um vazio infinito e uma quantidade infinita de átomos. Embora tivesse uma posição naturalista, Leucipo acreditava que "nada acontece casualmente:

existe uma razão necessária para tudo"[1].

O modelo criacionista, por exigir uma base racional mais objetiva e de menor complexidade, pode ser resumido através das proposições de apenas dois filósofos, dentre os muitos que adotaram este posicionamento.

Platão (427-347 a.C.) propôs que, o universo, sendo regido pelas leis encontradas na natureza, principalmente as que na época eram conhecidas pela geometria, havia sido criado por um criador de acordo com um plano racional.

Aristóteles (384-322 a.C.) foi um discípulo de Platão. Aceitava também, pelas mesmas razões de Platão, que o universo havia sido criado. Platão foi um dos primeiros filósofos gregos a aceitar a redondeza da Terra.

Muito da posição criacionista original perdeu-se durante a Idade Média, no mundo ocidental, devido à perspectiva religiosa predominante daquela época. É importante ressaltar que esta perspectiva religiosa não refletia autenticamente a posição judeo-cristã tanto da origem de todas as coisas como de uma filosofia da ciência. Era uma visão específica de apenas um ramo do chamado cristianismo.

No final do século XV e começo do século XVI, o questionamento das antigas propostas filosóficas ganhou a perspectiva experimental. As antigas propostas passaram a ser avaliadas através de estudos e observações.

As duas posições, a naturalista e a criacionista, se mantiveram como centro tanto das discussões quanto das pesquisas. Uma vez que pouco tem sido dito sobre o posicionamento criacionista destes últimos cinco séculos, uma lista contendo alguns dos principais nomes de cientistas deste período pode ser encontrada no Apêndice A.

Dentre alguns deles, podem ser citados aqui os nomes de Francis Bacon, Galileu Galilei, Johannes Kepler, Blaise Pascal, Robert Boyle, Sir Isaac Newton, Carolus Linneaus, Leonhard Euler, William Herschel, James Parkinson, Jedidiah Morse, John Dalton, Michael Faraday, Joseph Henry, Richard Owen, James P. Joule, George Stokes, Gregor Mendel, Louis Pasteur, William Thompson (Lord Kelvin), Bernhard Riemann, James C. Maxwell, John Strutt (Lord Rayleigh), John A. Fleming, Ernest J. Mann, William Ramsay e Wernher von Braun.

Quais razões científicas teriam feito com que tantos nomes importantes da ciência tivessem optado pelo posicionamento criacionista e não pelo naturalismo?

A resposta encontra-se justamente na pesquisa científica. Ela é a maior fonte de recursos para o posicionamento criacionista.

---

1   H. A. Diels, *Die Fragmente der Vorsokratiker*, 6ª edição, rev. por Walther Kranz, Berlin, 1952, citando o fragmento 67 B1.

A ORIGEM DAS TEORIAS

Toda teoria tem sua origem na mente humana, no desejo de explicar o que aconteceu no passado ou de prever o que acontecerá no futuro. Ela está intimamente ligada à curiosidade, à percepção e ao raciocínio humano. Desde a antiguidade, o homem sempre buscou as causas de certas coisas que envolviam a realidade do seu dia-a-dia. Por falta de conhecimento científico, muitas delas receberam uma explicação sobrenatural e mística. Neste caso, tudo não passava de uma mera especulação ou de uma formulação de idéias sem ou com pouco embasamento científico.

Hoje, a ciência trata com dados (fenômenos observados) e teorias (idéias), usando os métodos de indução e dedução para estabelecer a sequência de eventos e as suas relações, procurando assim estabelecer a causa de certos fenômenos observados e fazer predições. A ciência, ao estudar o universo como ele é hoje, pergunta como ele era no início e o que aconteceu para que chegasse à forma atual.

Esta ciência das origens é conhecida como Cosmogonia (teorias que explicam a origem do universo). A ciência, nesta busca, faz uso das suas muitas áreas de estudo para encontrar nelas as evidências que serão utilizadas como base para as teorias a serem criadas.

Para mostrar o que está envolvido nesta busca pelas respostas, vamos exemplificar de forma prática. Tomemos quatro fenômenos naturais simples (estes serão os nossos dados ou evidências) e analisemos como eles estão interligados: o que é causa e o que é efeito. Os quatro são:

- **nuvens de chuva**
- **raio**
- **trovão**
- **relâmpago**

As nossas observações mostram que as nuvens de chuva produzem raios e relâmpagos. Os raios produzem trovões. Contudo, é possível ver relâmpagos no céu numa noite na qual não há nuvens de chuva. Por outro lado, não se vêem raios sem nuvens, e não se ouvem trovões sem haver raios.

Relacionando os fatos dentro da sequência natural em que eles aparecem, podemos descobrir como estes quatro fenômenos estão interligados: o que é causa e o que é efeito. Também podemos fazer algumas predições com certo grau de acerto, baseados numa teoria sobre como estes eventos se relacionam, como mostra a sequência abaixo.

Relâmpago
?
Nuvem ➡ Raio ➡ Trovão

TESTANDO TEORIAS COM LEIS

Para criarmos uma teoria, por exemplo, sobre a frequência de raios e trovões durante um tipo específico de tempestade, precisaríamos observar muitas tempestades com raios e trovões, para avaliarmos as condições e a frequência em que estes ocorrem. Precisaríamos também estudar e conhecer algumas leis e postulados científicos relacionados com o fenômeno da chuva (termodinâmica, hidrodinâmica, mecânica dos fluídos), das descargas elétricas (eletricidade) e do som (ondulatória). Após entendermos o fenômeno e as leis básicas que o controlam, poderemos, então, criar uma teoria (uma explicação de como este fenômeno acontece, quando acontece e por que acontece).

A ciência necessita de leis e evidências para que, através delas, uma teoria tenha base para ser desenvolvida. Um conceito científico não é uma lei. Uma teoria também não é uma lei, nem pode ser considerada lei ou mesmo fato científico, até que seja testada e comprovada.

Para que isto aconteça, fazemos uso das leis conhecidas (e de outras que poderão se tornar conhecidas no decorrer do processo de estudo, pesquisa e desenvolvimento da teoria). Contudo, há necessidade de um processo sistemático de avaliação. Não podemos usar leis e evidências que apenas favoreçam a teoria, sem considerar outras leis e evidências que sejam contrárias a ela.

Quando tratamos da origem do Universo, da vida e de tudo o que conhecemos, precisamos usar as leis da física, da química, da biologia, da matemática e outras que nos dão o embasamento necessário para desenvolvermos e testarmos tais teorias. Sem a utilização destas leis, qualquer teoria proposta seria apenas um conto mitológico ou até mesmo um dogma religioso, sem fundamentos científicos pelos quais a mesma poderia ser avaliada e até mesmo provada.

OS CINCO ELEMENTOS

Existem cinco elementos básicos na formulação de uma proposta científica. Após a observação e a coleta de informações sobre um fenômeno natural, estes cinco elementos são indispensáveis. É por meio deles que toda proposta científica é estabelecida. São eles:
- o cientista (o que quer compreender e explicar as observações)
- o raciocínio (o pensamento usado para relacionar as observações)
- a evidência (o número de observações)
- a teoria (a proposta para explicar as observações)
- a probabilidade (a possibilidade da proposta ser verdadeira)

Estes cinco elementos são de grande valia, se as informações sobre o fenômeno forem abrangentes e precisas, para formar um grupo de dados que representem fielmente o fenômeno em estudo. Caso contrário, pode-se incorrer no erro de se desenvolver uma teoria que explique apenas alguns aspectos do fenômeno. Tal teoria estaria incompleta e talvez poderia estar até mesmo errada. Contudo, apresentaria, em alguns pontos, certa correlação com os fenômenos naturais estudados.

Um exemplo deste fato poder ser encontrado no estudo da radiação do corpo negro, na chamada Lei de Rayleigh-Jeans. A expressão matemática desta "lei" procurava descrever a energia irradiada por um corpo negro. No entanto, ela somente produzia valores correspondentes aos observados para ondas de grande comprimento. A partir da radiação ultravioleta, os valores produzidos pela Lei de Rayleigh-Jeans não coincidiam com os resultados experimentais.

$$u(f,T) = \frac{8\pi f^2}{c^3} \frac{hf}{e^{hf/kT} - 1}$$

Lei de Planck para a radiação do corpo negro

Max Karl Planck foi quem, no ano 1900, resolveu o problema da radiação do corpo negro. Sua equação descreve integralmente o fenômeno.

O CIENTISTA

O primeiro elemento a ser considerado é o cientista. Existe uma concepção de que homens e mulheres que ocupam este cargo são perfeitos e que suas interpretações, conclusões e proposições são sempre verdadeiras e acima de qualquer contra-argumentação. Ao contrário, o cientista é uma pessoa normal, sujeito a cometer erros como qualquer outra pessoa.

Como seres humanos, os cientistas trazem para a ciência suas ambições pessoais, seus preconceitos e suas metodologias de trabalho, quer sejam boas, quer sejam más. Isto faz parte da essência do ser humano. Existe, então, uma grande diferença entre o cientista real e o cientista ideal, mas geralmente esta diferença não é entendida com clareza.

Por muito tempo, creu-se que a terra era o centro do sistema solar. Por muito tempo, creu-se que retirar sangue das pessoas iria curá-las. Por muito tempo, creu-se que o peixe celacanto era um elo perdido e extinto. Hoje a ciência não aceita mais estas proposições como verdadeiras. No entanto, basta procurar em alguns livros não muito antigos para encontrá-las. Por que elas foram ensinadas? Porque eram aceitas como corretas, embora hoje saibamos que estavam totalmente erradas.

É possível que cientistas estejam errados sobre certas teorias e que permaneçam no erro por muito tempo. É possível ainda que uma grande maioria dos cientistas creia numa teoria errada. A história está cheia de exemplos, bem como as estantes de livros científicos ultrapassados, os quais ainda existem nas bibliotecas e são provas claras deste fato. A interpretação errada da causa de um fenômeno natural pode levar a uma conclusão errada, que, por sua vez, pode levar a uma teoria errada.

O RACIOCÍNIO

O segundo elemento a ser considerado é o raciocínio. Aqui também há uma percepção errônea que merece consideração: a de que todo raciocínio lógico está correto.

Como ilustração, consideremos a seguinte forma de raciocínio apresentada pelo paradoxo (colocado aqui numa forma atual) criado por Zenão, um filósofo grego que viveu cerca de 450 a.C.: "É possível provar logicamente que você jamais conseguirá sair da sua casa e chegar ao seu emprego". Você vai dizer que isto é ridículo. Vejamos.

Imagine que a sua casa se localiza no ponto A do diagrama ao lado e o seu emprego no ponto Z. Portanto, para sair da sua casa e chegar ao seu emprego, você irá de A até Z. Mas, para ir de A a Z, você terá que passar pelo ponto B, que está bem na metade do caminho. Então, quando chegar ao ponto B, você terá percorrido metade do caminho, faltando apenas a outra

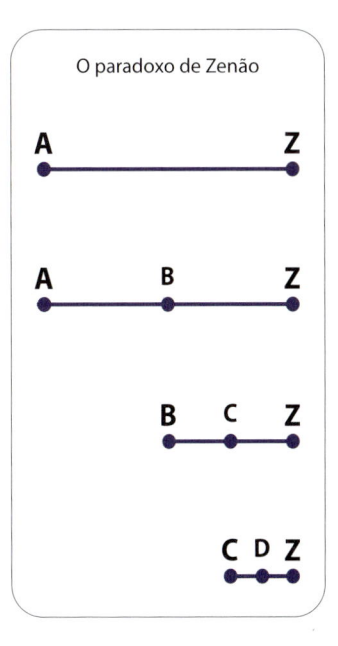

O paradoxo de Zenão

A ———————————— Z

A ——————— B ——————— Z

B ——— C ——— Z

C — D — Z

metade para percorrer. Mas, para ir de B até Z, você terá que passar pelo ponto C, que é a metade do caminho entre B e Z. Quando você chegar ao ponto C, terá percorrido a metade da metade que lhe faltava. Falta ainda a outra metade do caminho entre B e Z para percorrer. Mas, para ir de C a Z você terá que passar pelo ponto D, que é a metade entre C e Z. Vamos parar aqui, pois o raciocínio é este: para você percorrer qualquer distância, terá que andar um número infinito de metades, para chegar ao seu destino final. Sempre existirá, por menor que seja ela, uma metade do caminho a ser percorrido. Portanto, no nosso exemplo, você nunca chegará ao ponto Z que é o seu destino final.

Mas você pergunta: "Como é que eu consigo chegar ao meu emprego?" Note que o raciocínio apresentado faz sentido, ele é lógico. Todavia, ele nos leva a um final totalmente contrário à nossa experiência do dia-a-dia. Isto acontece porque o raciocínio, embora lógico, está errado.

Examinemos este problema de outro ângulo. Matematicamente, podemos escrever esta sequência de fatos na forma de uma soma de termos, designada Sn:

$$S_n = \frac{1}{2} + \frac{1}{4} + \frac{1}{8} + \frac{1}{16} \ldots + \frac{1}{2^{n-1}} + \frac{1}{2^n},$$

em que 1/2 é a distância de A a B, 1/4 de B a C, 1/8 de C a D e assim por diante, sendo Sn = a distância total percorrida.

Esta é uma série infinita que chamamos de convergente, pois o resultado final é um número, o número 1. A prova matemática está no Apêndice B. Portanto, podemos provar matematicamente que o raciocínio, embora seja lógico e faça sentido, está errado, pois a distância completa será finalmente percorrida. Se o raciocínio deste exemplo fosse correto, você jamais estaria lendo este livro, porque o mesmo nunca teria chegado até você! O exemplo nos mostra como um raciocínio lógico pode nos levar a uma conclusão ou previsão totalmente errada.

A mesma situação é encontrada no desenvolvimento de uma teoria que esteja relacionada com a origem de todas as coisas. Se colocarmos alguns elementos isolados numa ordem lógica, poderemos concluir que todos eles estão interligados. Esta conclusão, por outro lado, nos levaria a um certo número de predições que poderiam ser verificadas cientificamente. Se, todavia, pegássemos todos os elementos disponíveis, a conclusão continuaria sendo a mesma? Poderia haver outra explicação melhor e mais coerente? Poderia ser ela até mesmo contrária à primeira explicação dada? Trataremos, de forma prática, destas questões nos próximos capítulos.

Portanto, a lógica da interpretação de um grupo de evidências não é um fator conclusivo para a validação de uma teoria.

A matemática possui um campo de estudo específico sobre as chamadas séries infinitas (sequências infinitas), geralmente representadas pela expressão:

$a_1 + a_2 + a_3 + \ldots + a_n + \ldots$

O objetivo, ao se estudar estas séries, é justamente saber se elas convergem ou divergem. Por exemplo, se eu somar os números:

0,6 + 0,06 + 0,006 + 0,0006 +...

até um número infinito de zeros entre a vírgula e o número seis...

...o resultado será um número real que pode ser calculado?

A resposta é sim!

$\frac{2}{3} = 0,6666666666666\ldots$

A QUANTIDADE DE EVIDÊNCIA

A quantidade de evidência para desenvolver ou mesmo provar uma teoria é um outro ponto muito relevante. Vamos analisar este aspecto mais de perto através de um exemplo simples: o processo para se encontrar a raiz quadrada de um número.

Digamos que a nossa pesquisa esteja limitada a descobrir um processo que descreva como encontrar a raiz quadrada de um número de quatro algarismos, ou seja, números entre 1000 e 9999.

Este exemplo mostrará como um número pequeno de evidências, a princípio favoráveis, pode levar a uma conclusão final totalmente errada. Teorias e as evidências que lhes dão suporte, muitas vezes, passam pelo mesmo problema. Vejamos

Vamos analisar a raiz quadrada de alguns números:

2025, 3025 e 9801.

Observe um fato muito interessante na estrutura de cada um desses números apresentados e da relação que existe entre esta estrutura e a raiz quadrada de cada um.

Tomemos o número 2025 como o primeiro exemplo (evidência) para o nosso estudo. A raiz quadrada de 2025 é 45. Contudo, 45 também é o resultado da soma dos dois primeiros algarismos de 2025, no caso 20, com os dois últimos algarismos de 2025, 25.

$\sqrt{2025} = 45 \rightarrow 20 + 25 = 45$

Isto é algo fascinante! A soma das duas metades nos fornece o valor da raiz quadrada! Mas adotar um processo através de um único exemplo (evidência) seria algo que não pode ser aceito pela comunidade científica.

Vamos dar prosseguimento à nossa pesquisa.

Tomemos agora o número 3025. A raiz quadra de 3025 é 55. Neste caso também podemos verificar que 55 é a soma dos dois primeiros algarismos do número 3025, no caso 30, com os dois últimos, 25.

$\sqrt{3025} = 55 \rightarrow 30 + 25 = 55$

Visto que estes dois primeiros exemplos são múltiplos de 5, tomamos o número 9801, o qual não é um múltiplo de 5, para a nossa próxima análise.

A raiz quadrada de 9801 é 99. Também neste caso podemos verificar que 99 é o resultado da soma dos dois primeiros algarismos do número 9801, no caso 98, com os dois últimos, 01.

$\sqrt{9801} = 99 \rightarrow 98 + 01 = 99$

Baseados nestes três exemplos (evidências), poderemos, então, construir uma teoria sobre um método científico para se calcular a raiz quadrada de qualquer número com quatro algarismos.

A nossa teoria teria a seguinte formulação:

> "A raiz quadrada de qualquer número de quatro algarismos pode ser obtida através da soma dos dois primeiros algarismos desse número com os dois últimos."

Em notação matemática, a raiz quadrada do número abcd seria dada pela forma ab+cd,

$\sqrt{abcd} = ab + cd$.

Precisamos agora testar a teoria. Vamos tomar mais alguns exemplos (evidências) para validar o processo proposto pela teoria.

$\sqrt{1024} = 32 \neq 10 + 24 = 34$ (o sinal $\neq$ significa diferente)

$\sqrt{2500} = 50 \neq 25 + 00 = 25$

$\sqrt{5929} = 77 \neq 59 + 29 = 88$

$\sqrt{4040} = 63.56099433 \neq 40 + 40 = 80$

Como o número de elementos usados para o desenvolvimento da nossa teoria é limitado (números entre 1000 e 9999), podemos facilmente testar a teoria com todos os elementos deste grupo através de um programa no computador. O que encontraremos é que apenas os três números que tomamos como evidências, 2025, 3025 e 9801, obedecem à "teoria" que fizemos. Todos os demais não (note que alguns chegaram bem perto, como o caso da raiz quadrada de 1024).

Os números que não se "encaixam" em nossa teoria deveriam ser descartados ou considerados? São eles a regra ou a exceção?

É claro que estes números que não se encaixam são a regra e não podem ser considerados exceções. Em nosso exemplo, as nossas evidências não passariam de "grandes coincidências" que nos levariam à aceitação de uma teoria errada.

A TEORIA

Uma teoria nada mais é do que uma hipótese ou uma conjectura. Como já dissemos, a validade de uma teoria está ligada ao uso que ela faz das leis científicas conhecidas e da sua capacidade de fazer predições. Em outras palavras, ela deve ir além da especulação.

Como exemplo, vamos analisar as seguintes teorias sobre como um bolo de chocolate apareceu sobre uma mesa numa sala do corpo de bombeiros da cidade. Nelas, tomaremos como base alguns fatos preestabelecidos, como a existência dos elementos para se fazer o bolo, etc., e do leitor como sendo o pesquisador.

Teoria 1:
Uma dona de casa, mãe de um bombeiro, tinha conhecimento de como fazer bolos de chocolate e decidiu fazer um bolo para seu filho. Tendo obtido todos os ingredientes necessários, preparou a massa, colocando cada ingrediente na quantidade certa e na ordem certa, num recipiente. Após observar o tempo devido, a massa foi levada ao forno, em uma forma, para ser assada,

até que o bolo ficasse pronto. O padrão de qualidade do bolo ficou a critério da dona de casa que sabia como fazê-lo. Após o tempo apropriado, o bolo foi retirado do forno e da forma, levado pela mãe até o corpo de bombeiros e colocado sobre uma mesa. Assim seria a nossa teoria número um.

Teoria 2:

Um caminhão de supermercado, levando mercadoria para entrega, capotou numa curva. À medida que o caminhão capotava, pacotes de farinha, de fermento, de açúcar, de sal, de chocolate, de ovos, latas de óleo, etc., que estavam em sua carroceria, se romperam. Encontrava-se dentro do caminhão um cantil, que se partiu ao meio, devido ao capotamento. Um pouco dos ingredientes arremessados aleatoriamente se depositou em quantidade certa e na ordem certa em uma das metades do cantil. Devido ao movimento do capotamento, os elementos foram se misturando ali. Ao parar de capotar, o caminhão pegou fogo. Aquecidos pelo calor, os ingredientes dentro da metade do cantil começaram a se transformar pelos processos físico-químicos, num bolo de chocolate. Os bombeiros, que haviam sido chamados, conseguiram apagar o incêndio do caminhão de supermercado num tempo razoável. Nos escombros, eles encontraram o bolo de chocolate formado na metade do cantil, e o levaram e o colocaram sobre uma mesa, para celebrar a grande proeza do dia.

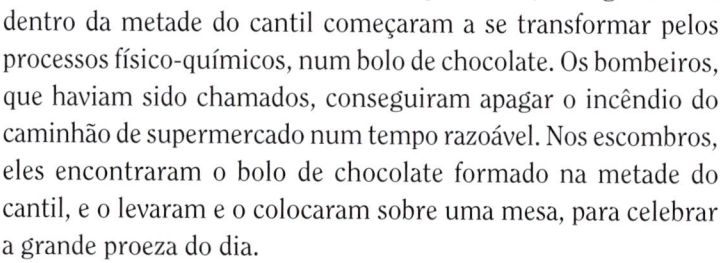

Nestes dois exemplos, você (o pesquisador) não estava presente para ver o que aconteceu. Você apenas vê o bolo colocado em cima da mesa. Em outras palavras, independentemente da sua resposta de qual das duas teorias pode explicar o evento, o fato é que você não presenciou o que aconteceu. Você só tem o bolo sobre a mesa para analisar.

Da mesma forma, o cientista só tem a natureza ao seu redor para analisar. E, baseado nas suas observações, ele tira as suas conclusões e deduções quanto ao passado.

No exemplo dado, qual das duas teorias explicaria de maneira mais convincente como o bolo de chocolate foi parar sobre a mesa? Qual das duas teorias você diria ser a mais lógica? Mais do que isso, qual das duas você diria ser científica?

As duas teorias não deixam de ser explicações de como o bolo foi parar em cima da mesa. As duas teorias também apresentam um argumento lógico. Baseado na sua experiência, qual seria, na sua opinião, a teoria mais próxima da realidade?

Quanto à primeira teoria, não há necessidade de se comentar muito, a não ser o fato de que admitimos que existe alguém capaz de fazer bolos de chocolate (no caso, a mãe de um dos bombeiros).

Vamos analisar a segunda. Quando falamos de probabilidade, vemos que o evento possui uma probabilidade muito pequena de ocorrer. Será que esta pequena probabilidade está dentro dos padrões científicos de que o evento poderia ter ocorrido? Outra questão é: ao analisarmos o bolo (quimicamente falando), encontraremos nele evidências que sustentariam esta teoria? Por exemplo, se o bolo foi assado devido ao calor produzido pelas chamas do caminhão incendiado, certos elementos químicos resultantes da queima das partes do caminhão deveriam ser também encontrados no bolo, a menos que este estivesse dentro de um sistema hermeticamente selado, o que é contrário ao que a teoria diz (dentro da metade do cantil quebrado). Caso estes elementos não estejam presentes, isso dificultaria ainda mais provar que o acidente do caminhão teria sido a causa do bolo ter aparecido. Outros fatores importantes também precisariam ser levados em conta para que o bolo, no seu estado final, tivesse uma textura homogênea. Por exemplo: como os ingredientes do bolo se misturaram homogeneamente dentro do cantil quebrado?

Muitas outras observações poderiam ser feitas. Mas as que foram citadas servem para mostrar como teorias sobre uma mesma observação podem ser desenvolvidas e como elas podem ser avaliadas.

A PROBABILIDADE

Usando ainda o exemplo das duas teorias sobre o bolo de chocolate, encontraríamos uma situação que exigiria uma análise das probabilidades envolvidas.

Vamos considerar na questão da probabilidade apenas o aspecto da combinação dos elementos que constituem o bolo de chocolate.

Como comparação, tomemos quatro letras diferentes, digamos, A, T, G e O. Quantas e quais seriam as combinações possíveis, sem que houvesse repetição de uma ou mais delas, ao combinarmos estas letras?

Isto pode ser facilmente calculado, usando as quatro letras que desejamos agrupar. Na linguagem da matemática tomamos este número quatro e o tornamos em "fatorial": 4! (um 4 com um ponto de exclamação). O fatorial significa que você deverá multiplicar este número por todos os anteriores a ele até o número 1, para se obter o número de combinações possíveis. Ou seja:

$4! = 4 \times 3 \times 2 \times 1 = 24.$

Fatoriais

multiplique o número fatorial por todos os demais números que o antecedem até o 1, para encontrar o seu valor.

$1! = 1$
$2! = 2$
$3! = 6$
$4! = 24$
$5! = 120$
$6! = 720$
$7! = 5.040$
$8! = 40.320$
$9! = 362.880$
$10! = 3.628.800$
$11! = 39.916.800$
$12! = 479.001.600$
$13! = 6.227.020.800$

Neste exemplo, teríamos 24 combinações. No caso do bolo de chocolate produzido pelo capotamento do caminhão, teríamos um pouco mais de elementos que entrariam em nossa consideração.

Vejamos as 24 combinações do exemplo:

TGAO	GTAO	AOTG	OTGA
TGOA	GTOA	AOGT	OTAG
TAOG	**GOTA**	AGOT	OATG
TAGO	**GOAT**	AGTO	OAGT
TOAG	**GATO**	ATGO	OGTA
TOGA	GAOT	ATOG	OGAT

Note que nem todas as combinações produzem uma palavra com significado. Apenas toga, gota, gato e goat (inglês) são palavras que fazem sentido. Pode ser que alguma outra palavra faça parte de uma língua que desconhecemos.

No caso das quatro letras produzirem uma palavra compreensível na língua portuguesa, seria 3 em 24 combinações. Ou seja, uma probabilidade de apenas 1 em 8.

No caso do bolo de chocolate, são necessários cerca de 12 ingredientes. Quantas e quais seriam as possibilidade de mistura da quantidade certa de cada ingrediente, para que o bolo se formasse, deixando sempre uma medida fixa e variando as outras 11? Para exemplificar, veja a figura abaixo. Quantas seriam as possibilidades de misturarmos as 12 letras da palavra "conquistável"?

$$12! = 12 \times 11 \times 10 \times 9 \times 8 \times 7 \times 6 \times 5 \times 4 \times 3 \times 2 \times 1 = 479.001.600$$

Qual seria a probabilidade de as doze letras que formam a palavra "conquistável" saírem numa rodada na ordem certa? Uma em 479.001.600! Considere agora o fator tempo no caso das possibilidades com as letras da palavra "conquistável". Coloque as bolinhas dentro do selecionador e retire-as uma de cada vez (como num sorteio). Imagine que, para cada doze bolinhas que você retirar, sem se importar com a ordem (isso seria uma possibilidade), você gastará um minuto. Considere que não haverá repetições. Para tentar todas as 479.001.600 possibilidades, nesta velocidade, você demoraria cerca de 911 anos! Quanto menor a probabilidade de um evento ocorrer, maior deve ser o tempo associado a ele, para que tenha a "oportunidade" de acontecer.

Quase 480 milhões de combinações!

Você pode perceber que uma única letra fora da sua posição, não permitiria que a palavra conquistável se formasse. Assim, a ordem das letras se torna um elemento fundamental.

No exemplo do bolo de chocolate, produzido aleatoriamente no caminhão que capotou, teríamos que levar em consideração não somente a quantidade que teria caído dentro do cantil, mas também a probabilidade daquela quantidade cair dentro da metade do cantil.

É muito importante que exista uma alta probabilidade para um evento acontecer, conforme o proposto por uma teoria. A própria ciência tem limites traçados para dizer quando é impossível que algo aconteça. Na linguagem da matemática, algo que jamais aconteceria ou teria acontecido tem uma probabilidade que se aproxima do zero.

Como exemplo, Carl Sagan, Francis Crick e L. M. Muchin calcularam a possibilidade do homem ter evoluído. O resultado foi de 1 em $10^{2.000.000.000}$.[2] Ou seja, a possibilidade é de uma entre um número com dois bilhões de zeros à direita. Emile Borel demonstrou que eventos com probabilidade de 1 entre 1.0^{50} simplesmente não ocorrem.[3]

Falando matematicamente, uma teoria que associasse a causa de um evento a uma probabilidade muito pequena seria uma teoria sem suporte científico. Seria apenas um mero exercício intelectual de ficção científica... um bolo de chocolate que surgiu do capotamento de um caminhão de supermercado.

Portanto, a compreensão de cada um desses cinco elementos deve nos auxiliar a avaliar as propostas científicas relacionadas com as teorias sobre a origem da vida e do universo, pois, afinal de contas, nenhum de nós esteve presente quando tudo começou.

---

2   Carl Sagan, F. H. C. Crick, L. M. Muchin, *Communication and Extraterrestrial Intelligence* (CETI) de Carl Sagan, ed. Cambridge, MA, MIT Press, p. 45-46.
3   Emile Borel, *Probabilities and Life*, New York, Dover, 1962, ver capítulos 1 a 3.

RECONSTRUINDO A HISTÓRIA DA NATUREZA: AS TEORIAS SOBRE AS ORIGENS

Voltando ao início: Como surgiu o universo? Como surgiu a vida? Estas perguntas são respondidas de maneiras diferentes pelo Naturalismo e pelo Criacionismo. Tanto um quanto o outro possuem pressuposições iniciais.

A Teoria da Criação Especial, por exemplo, atribui a causa primeira da existência do universo e da vida a uma origem volitiva (um Criador), tomando as evidências do *design* inteligente existentes na natureza. A Teoria da Evolução, por outro lado, admite uma origem não volitiva, através de processos "naturais" (espontâneos e não direcionados).

Dentro do contexto apresentado pelas duas teorias, a interpretação das evidências deve ser feita através do sistema "causa e efeito", baseando-se em leis científicas (da física, da química, da biologia, da genética, da informação) corretamente aplicadas.

Os desafios que cercam estas duas teorias encontram-se na ciência, e não nas suas implicações filosóficas ou religiosas. Para o modelo naturalista, o desafio é mostrar através de evidências e leis científicas, dentro de valores probabilísticos reais, como causas aleatórias teriam feito com que forças naturais e impessoais iniciassem espontaneamente os processos que deram origem à natureza e à ordem que nela existe, incluindo a permanência da atuação destas causas nas sequências dos processos envolvidos desde o início até o presente.

Para o modelo criacionista, o desafio é mostrar que a natureza exibe evidências de um *design* inteligente na complexidade tanto do universo quanto da vida, e que, por si mesma, e por forças naturais esta complexidade não teria se autoproduzido. A demonstração deve igualmente estar baseada em evidências, leis científicas e dentro de valores probabilísticos reais. Dessa forma, o modelo estará devidamente embasado e poderá ser cientificamente testado.

Proposta da evolução do homem, segundo a teoria da evolução (literatura dos anos 60)

É importante salientar que o fato de muitos criacionistas considerarem Deus como a causa primeira da origem do universo e da vida deixa em evidência a fé do cientista, não diminuindo a validade científica da teoria.

Da mesma forma como foi possível admitirmos haver alguém que saiba fazer bolos, como no exemplo da origem do bolo de chocolate, sem com isto comprometer a questão científica da analogia, também existe a possibilidade real de haver um Ser sobrenatural, transcendente à nossa realidade, que teria por vontade própria trazido o mundo à existência. Esta é também uma proposição plausível, racional e digna de consideração. Qualquer tentativa de excluir tal possibilidade representaria uma forma de dogmatismo.

DUAS TEORIAS, DOIS MODELOS

Tanto o Criacionismo quanto o Naturalismo apresentam modelos para a ciência e para a história. Na Teoria Naturalista[4], tudo é casual. Na Criacionista, tudo é proposital. O Naturalismo apresenta um modelo espontâneo. O Criacionismo apresenta um modelo planejado. O Naturalismo aponta para o ateísmo. O Criacionismo aponta para o teísmo.

Estas duas cosmovisões são, nas suas proposições básicas, irreconciliáveis cientificamente. Isto não significa que não existam elementos científicos comuns entre elas. Existem. Em algumas áreas, elas compartilham destes elementos. Um exemplo é o processo conhecido como microevolução, que veremos no Capítulo 4. Este é um processo aceito tanto pelos criacionistas quanto pelos evolucionistas.

A diferença central entre as duas cosmovisões está na interpretação das evidências apresentadas pelo Criacionismo e pelo Naturalismo.

Uma vez que as Teorias Naturalistas já são bem conhecidas, na página seguinte serão apresentadas as propostas básicas da Teoria da Criação Especial, em termos gerais.

---

4   O termo "Teoria Naturalista" será muitas vezes usado neste livro num sentido mais popular, abrangendo a posição da origem do universo e do aparecimento e continuidade da vida no planeta Terra, como a conhecemos hoje.

O Criacionismo Científico

Suas propostas são passíveis:
- de observações científicas
- de testes científicos
- de lógica científica
- de leis científicas

A Teoria da Criação Especial

1. Todas as coisas criadas constituem o produto de um ato único e soberano por parte de um Criador onisciente, onipotente e pessoal, o qual não depende da Sua criação para a Sua existência, nem é parte dela.

2. O universo foi criado do nada (criação *ex nihilo*), recentemente, completo, complexo, funcional e com uma idade aparente.

3. Todas as formas de vida foram criadas no princípio completas, complexas, com uma diversidade básica, uma capacidade de adaptação limitada, e simultaneamente.

4. O planeta Terra experimentou na sua existência uma catástrofe global recente (Catastrofismo), através da qual pode-se explicar cientificamente os muitos aspectos geológicos, como a formação dos continentes, da dorsal oceânica, da estratigrafia, da rápida formação dos fósseis e o posicionamento destes nas camadas estratigráficas.

5. Existem provas substanciais na biosfera, acima da biosfera e abaixo da biosfera que comprovam as quatro primeiras proposições da Teoria da Criação Especial.

Estas cinco propostas principais constituem um resumo básico da Teoria da Criação Especial. Como veremos nos demais capítulos, esta teoria se faz presente em todas as áreas do conhecimento e da pesquisa, apresentando soluções científicas relevantes para a questão das origens.

Como já mencionamos na introdução, as diferenças que existem, tanto entre o Criacionismo e o Naturalismo como também dentro do próprio posicionamento criacionista, são decorrentes do fato que nem todos os acontecimentos do passado podem ser compreendidos empiricamente. Diferentes pressuposições precisam ser feitas.

A RELEVANTE ORIGEM DA COMPLEXIDADE

Ainda antes de iniciarmos o nosso estudo, seguem algumas considerações importantes.

A complexidade que encontramos ao nosso redor não é aparente, mas real, seja ela na natureza ou nas invenções humanas. O simples vôo de uma ave implica uma enorme complexidade de atividades e recursos que a ave dispõe para voar, tais como a aerodinâmica da estrutura das suas asas e do formato e estrutura do seu próprio corpo, bem como os materiais utilizados nos seus ossos, músculos e penas, na física do seu sistema de propulsão, navegação, manutenção, pouso e muitos outros. Qual seria a origem de tal *design* e complexidade?

Seria ilógico pensar na existência de uma Inteligência que teria produzido tal complexidade? Seria irracional concluir que tal complexidade é resultado dessa Inteligência? Seria anticientífico aceitar uma criação intencional?

A RELEVÂNCIA NA CONSIDERAÇÃO DE DEUS

O conhecido escritor irlandês C.S. Lewis, no livro *God in the Dock* (Deus no Banco dos Réus), diz o seguinte: "Se o sistema solar veio a existir devido a uma colisão acidental, então, o aparecimento da vida orgânica neste planeta também foi acidental, e toda a evolução do homem foi acidental também. Se este é o caso, todos os nossos pensamentos presentes são meros acidentes – acidentes criados pelo movimento dos átomos. E isto é válido tanto para os pensamentos dos materialistas e astrônomos como para qualquer outra pessoa. Mas, se os seus pensamentos – isto é, do materialista e do astrônomo – são meramente produtos acidentais, por que deveríamos crer que eles são verdadeiros? Eu não vejo razão para crer que um acidente possa dar a explicação correta do porquê de todos os demais acidentes".[5] Segundo C.S. Lewis, todas as propostas consideradas devem ser levadas até as últimas consequências. Esta consideração está relacionada com a Teologia (estudo de Deus), uma área que produz ainda hoje doutores com diplomas reconhecidos na sociedade em que vivemos. A consideração sobre a existência de um Ser Superior é uma questão não somente religiosa, mas também filosófica, e relevante para a ciência (dentro das suas limitações).

A afirmação categórica da existência de Deus na Teologia pode ser também concluída, através da Filosofia, com cinco argumentos lógicos, apresentados pelo Dr. John MacArthur[6], sobre a relevância da existência de Deus.

1. **Argumento Teleológico** - Qualquer coisa completa e perfeita em si mesma é evidência de um criador (o universo, portanto, é uma evidência de que existe uma inteligência suprema que o tenha criado).
2. **Argumento Estético** - Por existir beleza e verdade, deve haver em algum lugar um Padrão no qual beleza e verdade estão baseados.
3. **Argumento Volitivo** - Pelo fato do ser humano viver face a face com um grande número de possibilidades e fazer escolhas orientadas pela sua própria vontade, deve haver em algum lugar uma Vontade infinita, sendo o universo a expressão dessa Vontade.
4. **Argumento Moral** - O próprio fato do conhecimento do certo e do errado sugere a necessidade de um padrão absoluto. Se alguma coisa é certa e outra é errada, é porque existe Alguém que fez esta determinação.
5. **Argumento Cosmológico** - Este é o argumento de causa e efeito. Com ele concluímos que Alguém deve ter feito o universo, pois todo efeito tem uma causa específica e primeira (ver página 38).

Criação do homem, por Michelangelo Buonarotti

---

5 C.S. Lewis, *God in the Dock, Essays on Theology and Ethics,* William B. Eerdmans Publishing Company, 1970, p. 52-53.
6 John MacArthur Jr., *The Ultimate Priority on Worship,* Moody Press, 1983, p. 37-39.

ALGUNS PONTOS FINAIS...

Mitologia não pode ser tratada como ciência. Quando tratamos de teorias, tratamos de causa e efeito, de evidências concretas que podem ser verificadas e analisadas.

A Teoria da Criação Especial não é mitologia, nem é uma forma alternativa de competição contra a Teoria da Evolução. Como já mencionamos, a posição científica criacionista tem sido a posição adotada por muitos cientistas do passado e do presente. Esta posição não é obsoleta, nem tampouco, irrelevante.

O preconceito maior quanto à Teoria Criacionista vem da separação que tanto tem sido promovida entre ciência e fé. Para muitos, estes elementos não podem ser consistentemente conciliados na vida do cientista moderno. Contudo, este não foi um fato predominante do passado. Muito pelo contrário, ciência e fé foram partes integrantes da vida dos maiores cientistas que o mundo já conheceu. A estes grandes homens que nos abriram as portas para tantas áreas do conhecimento humano tem sido creditada a origem de uma teoria centralizada num Criador.

PARA REFLEXÃO...

- Tanto o que crê que Deus existe quanto o ateu exercem fé, pois nenhum dos dois tem como provar empiricamente a sua posição. Cada um só pode aceitar a sua posição pela fé.
- Existem aqueles que dizem não haver absolutos (como um Criador). Contudo, esta afirmação não pode ser absolutamente provada. Se ela fosse provada, criar-se-ia o primeiro absoluto: absolutos não existem! A própria teoria da relatividade proposta por Albert Einstein diz que tudo é relativo em função da velocidade da luz, que é um absoluto proposto por ele.
- No exemplo da origem do bolo de chocolate, existe em nós a tendência de aceitarmos a primeira teoria como sendo normal e a segunda como sendo absurda. No entanto, as duas teorias são análogas às teorias das origens. A teoria que diz que o bolo foi feito por alguém é análoga à posição Criacionista. A teoria que diz que o bolo foi o resultado de um caminhão de supermercado que capotou e pegou fogo é análoga à posição Naturalista. Não é estranho dizer que o Criacionismo, que é o natural, é absurdo, e que o naturalismo, que é o absurdo, é natural?
- Todos os livros científicos passam por constantes atualizações. Se a Bíblia, que por muitos é considerada obsoleta e irrelevante, nunca precisou ser atualizada quanto ao seu conteúdo original, o que podemos dizer dos nossos livros científicos e da nossa ciência?

Argumento Cosmológico

A ciência e a filosofia procuram uma causa
para todo efeito...

A causa do sem fim é a existência do infinito...
    da eternidade é a existência do eterno...
    do espaço ilimitado é a onipresença...
    do poder é a onipotência...
    da sabedoria é a onisciência...
    da personalidade é o pessoal...
    das emoções é o emocional...
    da vontade é a volição...
    da ética é a moral...
    da espiritualidade é o espiritual...
    da beleza é a estética...
    da retidão é a santidade...
    do amar é o amor...
    da vida é a existência...

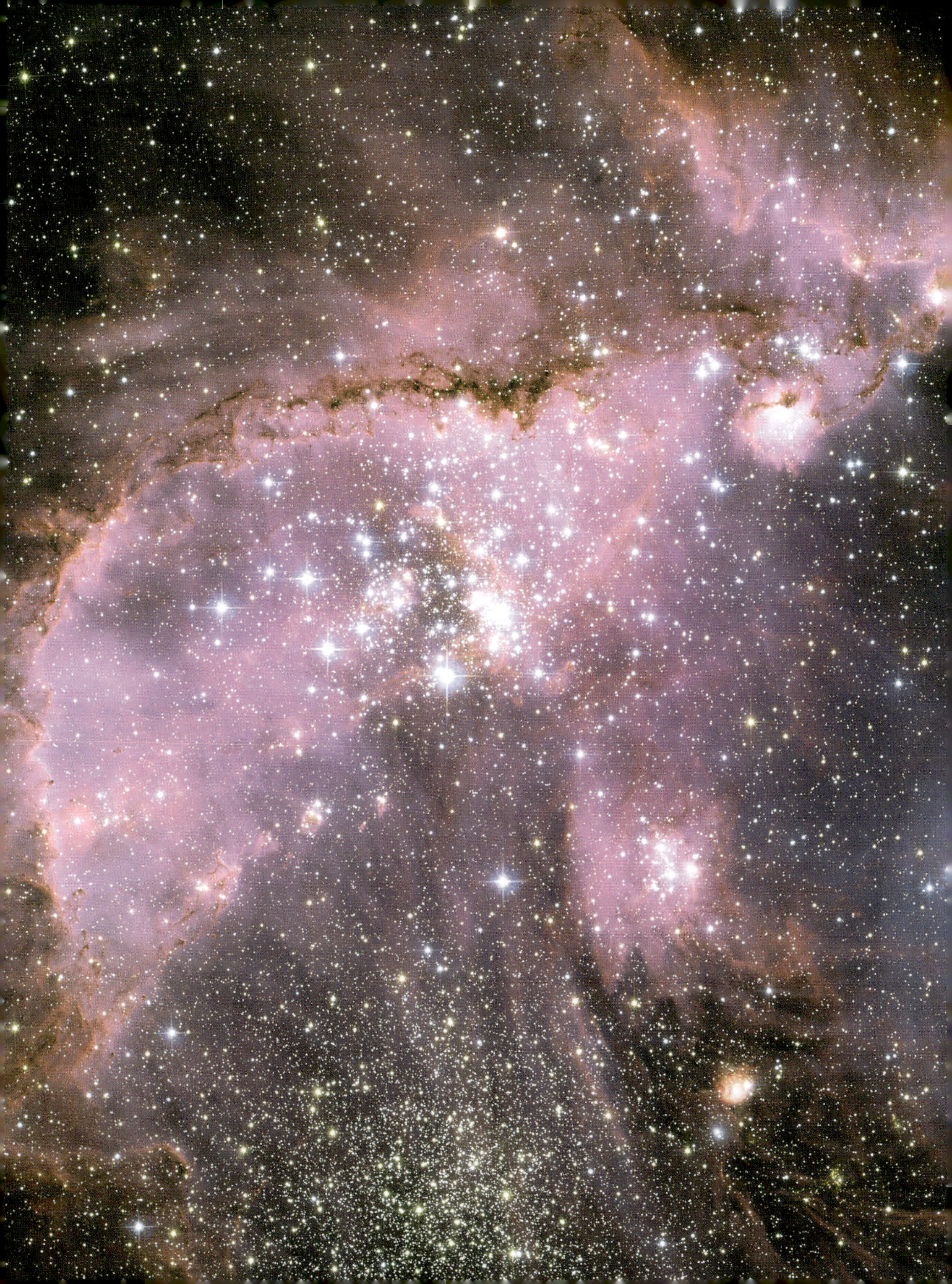

Relógio astronômico em Praga, República Tcheca

CAPÍTULO 2

A Origem da Informação:

Design Inteligente

"A mente que se abre para uma nova idéia jamais voltará ao seu tamanho original."
Albert Einstein

"É inútil lutarmos por uma boa idéia. Quando uma idéia é boa, ela segue o seu caminho sozinha."
Roger Fornier

O Que É a Teoria do Design Inteligente?

Primeiramente, o que significa a palavra *"design"*?

Design significa desenho, projeto, plano, tipo de construção ou planejamento. Basicamente, a Teoria do *Design* Inteligente (TDI) é uma teoria científica com consequências empíricas e desprovida de qualquer compromisso religioso. Ela se propõe a detectar empiricamente se o *design* observado na natureza é um *design* genuíno (produto de uma inteligência organizadora) ou um produto do acaso, necessidades e leis naturais.

A TDI pode também ser melhor descrita como uma *Teoria da Informação*, na qual a informação torna-se o indicador confiável do *design*, bem como o objeto da investigação científica. *Design* Inteligente, portanto, é a teoria destinada a detectar informação (informação encontrada no *design* da natureza) e a maneira como é transmitida. Na biologia, por exemplo, a TDI defende que, devido à complexidade, a vida não teria surgido através de processos naturais, espontaneamente. Portanto, a origem da informação contida na complexidade da vida não resulta de processos chamados naturais. É importante notar que a Teoria do *Design* Inteligente não identifica nem propõe a existência de um *designer* (o Criador).

A proposta da existência de um *design* na natureza vem desde os tempos dos antigos filósofos gregos. Platão (427-347 a.C.) acreditava que o universo havia sido criado de acordo com um plano racional.

A inferência de *design* ganhou espaço no pensamento humano através da famosa tese de William Paley (1743-1805), publicada em 1802, conhecida como a "tese do relojoeiro". Esta tese propõe que, assim como as partes de um relógio são perfeitamente construídas com o propósito de informar o tempo, assim também todas as partes do olho humano foram construídas com o propósito de enxergar. Nos dois exemplos, Paley argumentava que seria possível discernir as marcas de um *designer* inteligente.

Tomemos o exemplo do relógio. Imagine uma pessoa desmontando um relógio a fim de aprender tudo o que for possível sobre ele, sobre os materiais dos quais foi feito, sobre o seu funcionamento e sobre as partes que o compõem e que, interagindo entre si, fazem com que ele funcione. Essa pessoa poderia aprender o suficiente para até mesmo fazer outro relógio exatamente igual ao primeiro. Tudo isto seria um grande estudo científico.

No entanto, tal pessoa nunca chegou a incluir em seus estudos aquele que fez o relógio. A complexidade do objeto fez com que ela estudasse o relógio e admirasse o relojoeiro. O fato de não ser considerado quem fez o relógio não torna o seu estudo menos científico, no mais rigoroso uso da palavra. Assim também, a Teoria do *Design* Inteligente estuda o *design* encontrado na natureza, não levando em consideração se existe ou não um *designer*.

O retorno às propostas de um *design* na natureza ocorreu durante os anos da década de 80. Os avanços na biologia começaram a convencer um número cada vez maior de biólogos, químicos, matemáticos, filósofos da ciência e outros cientistas de que a teoria darwiniana era totalmente inadequada para explicar a complexidade impressionante encontrada nos seres vivos.

Essa nova ênfase na pesquisa científica tornou-se conhecida como *Intelligent Design* (*Design* Inteligente), nomenclatura esta que foi adotada para distingui-la das versões anteriores da teoria do *design*, bem como do uso naturalístico do termo *design*. Com essa ênfase, a pesquisa posicionou-se de forma a demonstrar que (1) causas inteligentes são necessárias para explicar as complexas estruturas biológicas totalmente cheias de informação e que (2) essas causas podem ser empiricamente detectáveis.[1]

Para entendermos melhor a Teoria do *Design* Inteligente, precisamos entender quais são as evidências com as quais ela trabalha e como estas evidências podem ser avaliadas. Para tanto, é necessário compreender dois conceitos utilizados pela Teoria do *Design* Inteligente. São eles: as evidências de complexidade especificada (CE) e de complexidade irredutível (CI).

Antes de explicarmos cada um deles, queremos explorar um pouco o ponto central da TDI, que é a *informação*.

O QUE É INFORMAÇÃO?

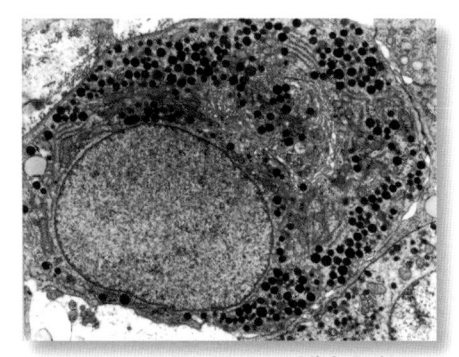

Informação não é algo material, mas requer um meio material para armazenamento e transmissão. Informação não é vida, mas a informação nas células é essencial para todas as formas de seres vivos. Informação é um pré-requisito necessário à vida.

Claude E. Shannon foi o primeiro pesquisador que procurou definir informação matematicamente. Sua teoria buscou descrever informação de um ponto de vista puramente estatístico. Seu trabalho tornou-se conhecido através da publicação "*A Mathematical Theory of Communication*" (Urbana (USA), University Press, 1949).

Célula Endócrina

Entretanto, a definição de informação dada por Shannon era abrangente apenas num pequeno aspecto da informação, que é o aspecto da estatística. Esta definição limitada não poderia servir de base para sustentar uma teoria sobre a origem da vida, mas foi um passo crucial.

Na informação, um aspecto importante a ser considerado é o seu conteúdo e não apenas a quantidade de símbolos utilizados. Se isso não

---

1 Ver na literatura os trabalhos de William A. Dembski.

fosse uma realidade, poderíamos dizer que as grandes obras literárias não passariam de misturas generalizadas de letras do alfabeto, o que obviamente não é verdade. Assim, fica claro que informação é muito mais que uma quantidade de símbolos e os meios onde estes símbolos são preservados. Em outras palavras, informação não é uma propriedade da matéria, pois na composição de uma mensagem o importante é o seu conteúdo, e não o meio onde a mensagem foi codificada.

A mensagem também não se preocupa se o seu conteúdo é importante ou não, valioso ou não, significativo ou não. Somente quem recebe a mensagem pode avaliá-la, depois de decodificá-la. Portanto, a informação, por si só, não tem valor.

Vejamos então o que faz com que a informação tenha valor. Existem cinco níveis do conceito de informação, a saber:

1. Estatística
2. Sintaxe
3. Semântica
4. Pragmática
5. Apobética

5 níveis

A Pedra de Rosetta, como é conhecida, foi uma peça de basalto negro descoberta pelos homens de Napoleão, perto de Rosette, um porto egípcio no Mediterrâneo, em julho de 1799. Vamos utilizá-la para exemplificar os cinco níveis de informação.

Pedra de Rosetta

Nível Um: Estatística

A Pedra de Rosetta possui inscrições em três escritas diferentes: 54 linhas em grego, 32 linhas em demótico (escrita egípcia cursiva) e 14 linhas em hieróglifos. São ao todo 1419 símbolos hieroglíficos (116 diferentes) e 468 palavras gregas. Este é o seu aspecto estatístico.

Se parássemos aqui, nada saberíamos sobre a informação contida na Pedra de Rosetta. Portanto, o aspecto estatístico da informação quase não tem vínculos com a informação propriamente dita (o Apêndice C mostra o estudo estatístico relacionado com a informação, bem como o exemplo estatístico da informação do código genético.)

Nível Dois: Sintaxe

Os símbolos hieroglíficos encontrados nos monumentos egípcios eram considerados, até então, puramente ornamentais. Mas com a Pedra de Rosetta foi possível concluir que os símbolos hieroglíficos não eram desenhos ornamentais, e sim símbolos organizados em forma gramatical, os quais se transformavam em orações que, por sua vez, formavam períodos e parágrafos.

A sintaxe trata com um número específico de símbolos e com as regras a eles relacionadas, para que a informação possa ser codificada. Portanto, sintaxe está relacionada com codificação (símbolos e regras utilizados para formatar informação).

Existem muitos sistemas de códigos conhecidos:
- binário: _____ 2 símbolos
- decimal: _____ 10 símbolos
- alfabeto: _____ 26 letras
- genético: _____ 4 letras químicas (ACTG)

O sistema de código a ser adotado depende em muito da maneira como o mesmo será utilizado.
- apelo visual _____ alfabeto para surdos
- poucos símbolos _____ binário
- transmissão _____ código Morse
- maximização _____ DNA

Mas depende também do modo de comunicação.
- eletroquímico _____ sistema nervoso
- bioquímico _____ DNA
- óptico _____ línguas escritas
- acústico _____ línguas faladas

Como poderíamos identificar um código?
Existem quatro condições necessárias:
- um grupo único e definido de símbolos.
    exemplo: *a,b,c,d,e,f,g,h,i,j,...?,!,...*
- uma sequência irregular de símbolos individuais.
    exemplo: *conquistável*
- uma estrutura clara onde os símbolos aparecem.
    exemplo: *eu e você pensamos igual*
- uma possível ocorrência de repetição de símbolos.
    exemplo: *o rato roeu a roupa do rei de Roma*

Existe uma quinta condição indispensável para a identificação:
- uma decodificação com sucesso e significado

A sintaxe, portanto, trata do nível dois da informação, no qual símbolos e regras são definidos para que a codificação da mensagem possa ocorrer.

Símbolos do alfabeto para surdos

Nível Três: Semântica

Os hieróglifos da Pedra de Rosetta passaram a ter significado depois de decifrados por Jean-François Champollion (1790-1832). Como os três textos eram iguais (apenas traduções), foi possível saber que o conteúdo da Pedra de Rosetta consistia numa homenagem ao rei Ptolomeu feita pelos sacerdotes de Mênfis, por volta do ano 196 a.C.

A semântica trata, portanto, do significado da estrutura apresentada pela sintaxe. Tanto a sequência dos símbolos quanto as regras são essenciais para a representação da informação, mas a característica mais importante da informação não está no tipo do código escolhido ou no seu tamanho, mas sim no significado do conteúdo.

Nível Quatro: Pragmática

Neste nível considera-se a intenção proposta pela informação transmitida através das instruções nela contidas. Toda informação é proposital. Toda instrução codificada visa produzir resultados específicos, após ter sido decodificada pela outra parte.

No caso da Pedra de Rosetta, a mensagem é um decreto. O texto fala das benfeitorias que o rei Ptolomeu fizera, e o que os sacerdotes de Mênfis desejaram fazer (instruções) para homenageá-lo. A própria Pedra de Rosetta é o produto de um dos decretos (instruções) propostos pelos sacerdotes.

Nível Cinco: Apobética

O termo apobética[2] significa resultado. Neste nível as considerações estão voltadas para os resultados para os quais a informação foi transmitida. Se existe informação é porque existe um propósito. Em outras palavras, todo e qualquer fragmento de informação tem um propósito.

Os sacerdotes de Mênfis queriam que o resultado (apobética) da homenagem por eles prestada permanecesse como um memorial diante das gerações futuras. O que aconteceu.

Informação e Vida

Todos esses cinco níveis de informação podem ser observados na linguagem, na escrita, enfim, nas atividades inteligentes de comunicação do ser

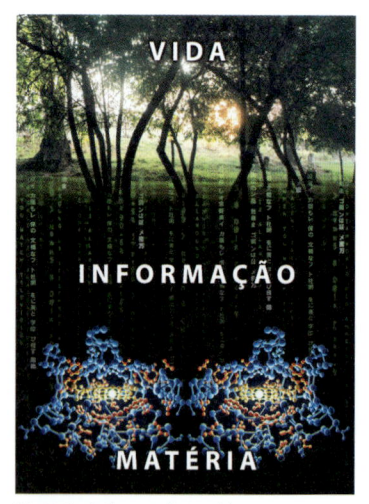

Matéria, informação e vida

---

2   O termo Apobética foi introduzido por Werner Gitt em 1981, em *Information und Entropie als Bindeglieder diverser Wissenschaftszweige*.

humano. Seriam esses conceitos válidos também para a ciência da computação, por exemplo? E, mais ainda, seriam esses conceitos válidos inclusive para a informação existente nos organismos vivos? A resposta é sim!

Manfred Eigen, vencedor do prêmio Nobel de Química (1967), identificou, em seus escritos, o que ele considerava o problema central das pesquisas relacionadas com a origem da vida e a informação: "Nossa tarefa principal é encontrar um algoritmo, uma lei natural que nos leve à origem da informação [contida nos seres vivos]".[3] Eigen identificou apenas parte do problema central.

Para se determinar como a vida começou, é absolutamente necessário entender a origem da informação nela contida, e não apenas como essa informação foi codificada. Em outras palavras, qual seria a origem da informação contida no código genético (DNA), sendo que nem algoritmos nem leis naturais são capazes de produzir tal informação?

A própria existência de um algoritmo que descrevesse o código genético implicaria numa inteligência capaz de compreender a informação contida neste código, para criar um algoritmo que a descrevesse. Atribuir o aparecimento da informação existente nos seres vivos a causas puramente naturais, sem uma origem volitiva como sendo a sua fonte, é o grande mito moderno das teorias naturalistas.

Dois Tipos de Complexidade

Voltemos agora aos dois conceitos já mencionados e que são utilizados pela Teoria do *Design* Inteligente: complexidade especificada e complexidade irredutível. Como complexidade e informação estariam relacionadas? O que seria informação complexa (IC) e como poderíamos detectá-la? Como distinguir entre complexidade especificada e não especificada?

Primeiramente, é necessário entender o conceito de informação dentro das propostas da TDI. Fred Dretske diz que "[...a] teoria da informação identifica a quantidade de informação associada com ou gerada pela ocorrência de um evento com a redução das incertezas, a eliminação de possibilidades, representada por aquele evento [...]".[4]

Informação pode ser definida como a atualização de uma possibilidade com a exclusão das demais. Esta definição inclui tanto a sintaxe quanto a

Flocos de neve

---

3 Manfred Eigen, *Steps Towards Life: A Perspective on Evolution*, Oxford University Press, 1992, p. 12.
4 Fred Dretske, *Knowledge and the Flow of Information*, Cambridge, Mass., MIT Press, 1981 p. 4. Citado também por William A. Dembski na obra *Intelligent Design as a Theory of Information*.

semântica. Dizendo-o de forma simples, a informação é algo mensurável, pois pressupõe possibilidades de algo ocorrer, e não simplesmente um meio de comunicação.

Para entendermos melhor a informação e como medi-la, façamos a distinção entre dois tipos de ordem (ou organização) que vemos ao nosso redor. Os flocos de neve da página anterior possuem uma estrutura cuja origem pode ser explicada por meio das leis da natureza que regem a cristalização da água, à medida que esta se congela. Os flocos de neve mostram que existe um nível de organização e complexidade cuja origem pode ser atribuída a causas naturais. Para muitos isto serviria para refutar a proposta do *design* inteligente, pois, se matéria pode dar origem a complexidade em certas circunstâncias, por que não o poderia fazê-lo em outras?

Deixe-me aprofundar este conceito um pouco mais. Imagine que você é um geólogo e está pesquisando várias formações rochosas diferentes. Pelos seus estudos, você entenderia que as formações rochosas resultam, principalmente, da composição mineral das rochas e da erosão provocada pela água e pelo vento. Muitas destas formações pareceriam ter sido esculpidas. Contudo, observando-as atenta e cuidadosamente, você perceberia que tal semelhança é apenas superficial. Forças da natureza teriam produzido o que você vê.

Deixe-me ilustrar agora outro tipo de ordem ou organização. Você, agora como um geólogo, resolve visitar o Monte Rushmore, nos Estados Unidos. Ali você encontra quatro faces de presidentes americanos esculpidas na rocha. Estas formas não se assemelham com nada que você já estudou como sendo resultado da erosão.

Neste caso, o formato que você vê nas rochas não seria o resultado de processos naturais. Como foi possível distinguir entre os dois tipos de formações rochosas, entre o que foi produzido pelas forças da natureza e o que foi produzido por inteligência? Obviamente a resposta está nos sinais de inteligência demonstrados no segundo tipo, inteligência esta que pode ser percebida através da quantidade de informação apresentada.

Se na natureza encontrássemos apenas o primeiro tipo de ordem, então, concluiríamos que causas naturais são plenamente suficientes para explicar o mundo ao nosso redor. Uma causa inteligente, caso existisse, seria apenas uma "Causa Primeira" distante e sem nenhum significado. Mas, se encontrássemos exemplos do segundo tipo, aquele produzido por inteligência, essas seriam evidências de atividade de uma origem inteligente. A ciência propriamente dita apontaria para uma origem inteligente, além do universo físico.

No exemplo do geólogo, foi encontrada complexidade nos dois tipos de formação rochosa. O que diferenciou um tipo do outro foram os sinais de inteligência detectados por meio da complexidade especificada que encontrou-se em uma e não na outra. A complexidade encontrada no Monte Rushmore, possui um objetivo e leva o observador a ter uma reação (cinco níveis do conceito de informação). Temos aqui a distinção.

Complexidade existe nas formações rochosas, mas é resultante dos processos de erosão. Complexidade existe nos flocos de neve, mas é resultante da temperatura, da umidade do ar e de outros fatores que determinam a forma da estrutura cristalina. Complexidade existe nas cores que aparecem na beleza de um pôr-do-sol que inspira tantos poetas, mas também neste caso ela é apenas resultante de fenômenos físicos conhecidos (condição atmosférica e a posição do sol).

Causas naturais são perfeitamente suficientes para explicar todos os fenômenos citados acima. Este livro, por outro lado, é um exemplo de informação em forma de complexidade especificada.[5] Ele não pode ser explicado através de causas naturais, como o posicionamento aleatório das letras do alfabeto. Os cinco níveis do conceito de informação encontram-se presentes aqui.

A complexidade especificada aparece sempre na forma de informação especificada e está diretamente relacionada com propósito. Quando a informação é especificada, como a que se faz necessária para que alguma função produza um padrão preexistente, dizemos que ela foi planejada. O modelo matemático de complexidade especificada é muito abrangente e tem sido apresentado na literatura.[6]

Vejamos agora o segundo conceito: complexidade irredutível. Michael Behe, no seu livro *A Caixa Preta de Darwin*,[7] define complexidade irredutível usando o seguinte exemplo: Um sistema que apresenta complexidade irredutível é um sistema que possui um subsistema de diversas partes inter-relacionadas de tal forma que, se uma delas for removida, a função básica do sistema é perdida. Em outras palavras, complexidade irredutível significa o concurso simultâneo do menor número de componentes independentes, precisamente sequenciados e ajustados para que o todo possa funcionar.

O reducionismo proposto por muitos biólogos do século passado, cujo alvo principal era explicar toda a biologia em termos físico-químicos, não possui qualquer conexão com o conceito de complexidade irredutível. Complexidade irredutível (CI) é um caso especial de complexidade especificada, ou seja, informação existente nos seus cinco níveis.

5 O termo, "complexidade especificada foi introduzido por Leslie Orgel, em 1973, na obra *The Origins of Life*, New York, John Wiley & Sons, 1973, p. 189.
6 Para uma avaliação detalhada ver William A. Dembski, *The Design Inference: Eliminating Chance Through Small Probabilities*, Cambridge University Press, 1998, cap. 4.
7 Michael Behe, *A Caixa Preta de Darwin*, Rio de Janeiro, Jorge Zahar Editor, 1998.

Projeto nanomáquina protônica, baseado nos motores protêicos das salmonelas (Escherichia coli e algumas Estreptococci).

ERATO - *Exploratory Research for Advanced Technology - Japão*.

Dr. Jónatas Machado, da Universidade de Coimbra, faz o seguinte comentário: "O *darwinismo*, com a sua ênfase nas mutações aleatórias desprovidas de qualquer propósito ou objetivo sistêmico, consegue explicar a complexidade cumulativa, mas não consegue explicar a complexidade irredutível de máquinas moleculares dotadas de múltiplas partes funcionalmente integradas e precisamente coordenadas".[8]

DESIGN NA NATUREZA: REAL OU APARENTE?

Percebemos que leis e fenômenos da natureza podem explicar um tipo de complexidade encontrada na natureza. Contudo, eles são incapazes de explicar a complexidade especificada encontrada também na natureza. Neste caso, como explicá-la?

William Dembski nos seus livros *No Free Lunch* e *The Design Inference* descreve o que ele chama de filtro explanatório para demonstrar a origem de um processo. Este filtro pode ser resumido em três perguntas feitas na seguinte ordem:

> (1) O processo pode ser explicado através de uma lei científica?
> (2) O processo pode ser explicado através de probabilidade?
> (3) O processo pode ser explicado através de design?

Coloquemos da seguinte forma: "O conteúdo da informação de uma estrutura é o número mínimo de instruções necessárias para definir a estrutura".[9] Quanto mais complexa for uma estrutura, maior o número de instruções necessárias para defini-la.

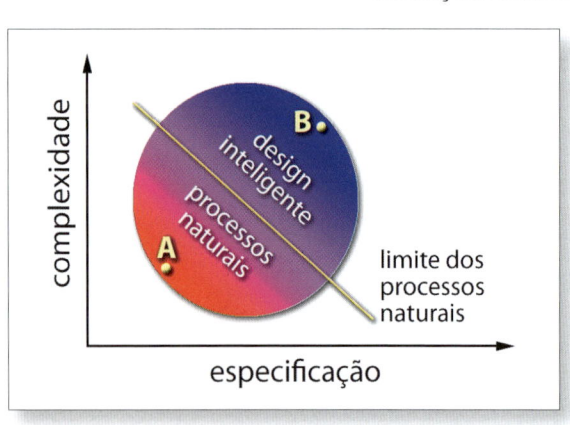

Somente um *design* inteligente pode explicar algo que apresente uma grande complexidade (grande quantidade de informação presente).

Portanto, a existência de *design* na natureza pode ser detectada. Mas como fazê-lo? O gráfico ao lado pode nos ajudar.

O ponto A representa algo feito por processos naturais. O ponto B representa algo criado por *design* inteligente. A linha ao centro representa o limite daquilo que processos naturais podem produzir. Este limite é muito importante. Processos naturais não são fontes de

---

8 Jónatas E. M. Machado, *Criacionismo Bíblico: A Origem e a Evolução da Vida*, Estudos, Revista do Centro Acadêmico de Democracia Cristã, Nova Série, Coimbra, junho de 2004, p. 136.
9 Leslie Orgel, *The Origins of Life*, New York, John Wiley & Sons, 1973, p. 190.

informação complexa especificada. Somente ao *design* inteligente pode ser atribuído o aparecimento de informação complexa especificada. Portanto, onde encontrarmos um grande acúmulo de informação, poderemos afirmar que processos naturais não foram a causa primária.

A biologia molecular nos tem mostrado como são complexas todas as formas de vida. Uma "simples" bactéria ou um ser humano, todos exibem alto grau de complexidade nos seus sistemas e na informação que produz e coordena estes sistemas.

A própria descoberta do código genético deu um novo argumento à Teoria do *Design* Inteligente. Visto que vida, na sua essência, é um código químico, a origem da vida deve estar associada à origem deste código e não dos elementos químicos que o preservam. E uma vez que o código é um tipo especial de ordem e organização, ele é um exemplo claro de complexidade especificada. No caso do DNA, podemos chamá-lo de *informação complexa especificada* (ICE).

Muitos cientistas discordam, dizendo que procurar algo como a existência de um planejamento nas formas de vida é puramente filosófico. Richard Dawkins, o conhecido zoólogo britânico, diz que "...a biologia é o estudo de coisas complicadas que dão a impressão de terem sido planejadas para um propósito".[10] A complexidade da informação encontrada em todas as formas de vida nos faz suspeitar que ela foi planejada, ou nos faz ter certeza disso? A implicação de um *design* inteligente é evidente.

Vejamos de outra forma. Todos nós começamos do tamanho de um ponto como o que vemos no final desta frase. Ali, dentro daquele pequeno "ponto", encontrava-se toda a informação sobre as nossas características físicas, como a cor dos nossos olhos, a cor do nosso cabelo, a cor da nossa pele, o tipo de estrutura óssea que haveríamos de ter e tudo o mais. Na verdade, esse ponto era um manual completo de como fazer alguém como eu ou você. Dentro desse "ponto", encontrava-se o código da vida, o DNA. Embora simples na sua estrutura básica, ele é extremamente complexo no seu conteúdo.

O DNA combina apenas as quatro letras do alfabeto genético, adenina (A), timina(T), guanina(G) e citosina (C), para formar palavras, sentenças e parágrafos genéticos. Estas estruturas formam a base sequencial de todas as instruções necessárias que orientam o funcionamento de cada célula dos seres vivos.

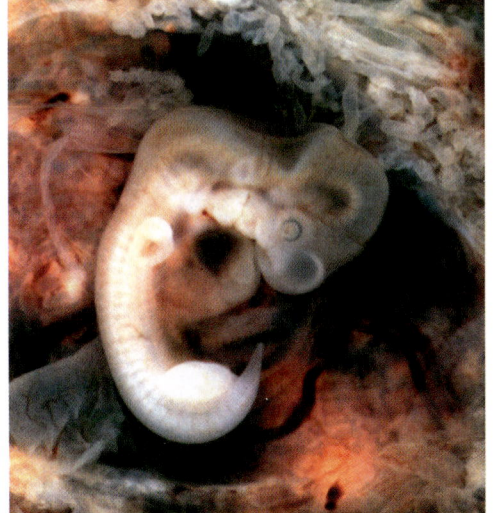

Feto humano com 10mm com cerca de 7 semanas.

Fotografado por Ed Uthman, MD.

---

10 Richard Dawkins, *The Blind Watchmaker*, [1986], Penguim, London, 1991, p. 6.

Este código genético e os processos por ele determinados são exemplos de uma complexidade especificada. Extremamente interessante é o fato de ele ser melhor entendido quando comparado com a linguagem humana. Por ser um código, o código genético é o sistema de comunicação molecular da célula.

Esta comparação do DNA com a linguagem humana é tão evidente, que Hubert P. Yockey disse que "é importante entender que não estamos arrazoando por analogia. A hipótese da sequência [ou seja, que a ordem exata dos símbolos grava a informação] aplica-se diretamente às proteínas e ao texto genético tanto quanto à linguagem escrita, recebendo, portanto, um tratamento matemático idêntico".[11]

Comparemos este fato com os avanços da ciência. Cientistas hoje têm a capacidade de sintetizar proteínas encontradas no código genético. A pergunta é *como* isto é feito. Obviamente não é por meio de processos que simulem chance ou acaso.

Estes compostos orgânicos somente podem ser reproduzidos quando são criadas restrições para os limites adotados nos experimentos (a isto chamamos de *design* ou planejamento). *Somente* através de escolhas inteligentes, feitas a cada passo do processo (*design*), é que o resultado final pode ser obtido.

Se procurarmos descobrir como as primeiras moléculas contendo informação surgiram, não seria o mais sensato considerar que alguma forma de inteligência esteve presente naquele tempo produzindo o *design* nelas encontrado?

Uma vez que a reprodução destas moléculas em laboratório *exige* uma origem inteligente, o *design* encontrado na natureza, evidenciado através da informação complexa especificada, igualmente demanda uma origem inteligente. O acaso não produz sinais de inteligência!

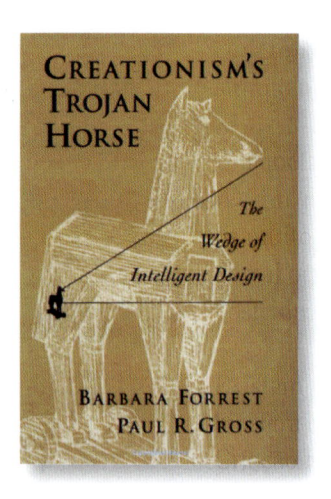

DESIGN INTELIGENTE E CRIACIONISMO

O livro *Creationism's Trojan Horse: The Wedge of Intelligent Design*, escrito por Barbara Forrest e Paul R. Gross, apresenta a Teoria do *Design* Inteligente como o *cavalo de Tróia* dos criacionistas. Em outras palavras, a TDI é uma versão disfarçada do Criacionismo (até o religioso).

A Teoria do *Design* Inteligente e a Teoria do Criacionismo podem ser interligadas mas não são sinônimas. A Teoria do *Design* Inteligente aponta para a informação existente na natureza e não para a origem desta informação, no sentido de um *designer*. Ela procura detectar e avaliar a informação existente na natureza. Já a Teoria da Criação Especial aponta para um Criador como a origem da informação existente no *design* encontrado na natureza.

---

11 Hubert P. Yockey, *Self Organization Origin of Life Scenarios and Information Theory*, Journal of Theoretical Biology, 91, p. 16.

É importante salientar que nem todo criacionista aceita e defende a Teoria do *Design* Inteligente, como também nem todo defensor da Teoria do *Design* Inteligente é criacionista. A diferença principal entre as duas teorias encontra-se nas suas propostas básicas quanto à origem da complexidade:

> **Teoria do *Design* Inteligente** - detectar e estudar os sinais de inteligência encontrados na natureza.

> **Teoria da Criação Especial** - detectar e estudar os sinais de inteligência, associando-os a um Criador como a origem da inteligência encontrada no *design* existente na natureza.

Sendo assim, pode haver criação sem *design* inteligente e *design* inteligente sem criação. Por exemplo: seria possível que o mundo viesse à existência de tal maneira que nada nele apontasse para um *design* intencional. Parece ser esta a posição de Richard Dawkins no seu livro *O Relojoeiro Cego*. Ainda que o universo não aponte para nenhuma evidência de *design* intencional, não se poderia afirmar que o mesmo não tenha sido criado. O oposto, dizer que o universo está repleto de sinais de inteligência, mas que não foi criado, seria o mesmo que tentar explicar como forças aleatórias e naturais teriam produzido os sinais de inteligência nas faces dos presidentes esculpidas no Monte Rushmore.

Estes sinais de inteligência encontrados na natureza em um *design* intencional seriam irrelevantes, se fosse removida a origem que os teria trazido à existência, pois inteligência e intenção são características de atividade mental e não de forças ou processos naturais.

Muitos defensores das teorias naturalistas fazem confusão quanto ao *design* inteligente como um pretexto criacionista, porque não entendem que:

> **Aceitar *a existência* de um criador é um ato racional.**
> (causa-efeito: método científico - ciência)
> **Aceitar *quem* é o criador é um ato de fé.**
> (religião)

Naturalismo

cosmovisão

pressupostos materialistas

PESQUISA CIENTÍFICA

---

aparecimento e desenvolvimento da vida

o que teria ocorrido
Evolucionismo
(probabilidade e chance)

---

seleção natural

o modo como teria ocorrido
Darwinismo
(variações aleatórias sem volição)

---

formas de seleção

o modo como teria ocorrido
Neo-Darwinismo
(variações dirigidas por combinações aleatórias)

---

seleção natural
+ recombinação genética
+ mutações
+ isolamento geográfico

o modo como teria ocorrido
Teoria Sintética Moderna
(variações aleatórias causadas por erros no DNA
+ eventualidades ambientais)

?

Criacionismo

cosmovisão

pressupostos volitivos

⬆

o que teria ocorrido
Teoria do *Design* Inteligente
(informação especificada e complexidade irredutível)

⬆

o modo como teria ocorrido
Teoria da Criação
(ato criador)

⬆

o modo como teria ocorrido
Teoria da Criação Especial
(Criador + ato criador)

⬆

Criacionismo Religioso
"quem é o criador"

divindade(s)

⬇ Criacionismo Judeo-Cristão   ⬇ Criacionismo Islâmico   ⬇ Outros

---

PESQUISA CIENTÍFICA

↰ a origem da informação e da complexidade da vida

↰ codificação complexa, especificada e proposital

↰ informação codificada resultante de volição

} **Religião**

Como as Teorias Estão Relacionadas

Tomemos como base a proposta evolucionista. A base da teoria da evolução é o naturalismo. Por naturalismo entende-se a posição puramente materialista, sem qualquer conexão com uma possível criação sobrenatural, afirmando não ter havido nenhuma ou qualquer inferência de volição no aparecimento da vida.

A teoria mais aceita que explica a evolução foi proposta por Darwin, sendo a seleção natural o principal mecanismo evolutivo.

O Neo-darwinismo (termo criado por George John Romanes) trata dos vários tipos possíveis de seleção, sendo a seleção natural e seleção sexual, exemplos de alguns deles.

A Teoria Sintética reúne as propostas do Darwinismo, Neo-darwinismo, da herança biológica proposta por Gregor Mendel, da genética populacional, e das mutações que através da mudança na frequência de alelos produziria especiação (biodiversidade).

As páginas anteriores mostram de forma simplificada como a proposta naturalista e a proposta criacionista estão relacionadas com as teorias existentes (maiores detalhes serão tratados no Capítulo 4).

Por Que Não Um Design Inteligente?

Nos Estados Unidos, como na maioria dos países ocidentais, até o início deste século, apenas a proposta naturalista é aceita como científica e ensinada nas escolas. Isto apresenta um fato muito curioso, quando observado à luz dos resultados das pesquisas feitas por revistas conceituadas em países com altos índices de educação e de pesquisa científica.

Nos Estados Unidos, por exemplo, uma pesquisa apresentada na revista *Nature*, revelou as seguintes porcentagens de adultos que acreditam que a evolução é uma teoria científica bem embasada por meio de evidências:[12]

20% dos que têm apenas o ensino médio

32% dos que têm um diploma universitário

52% dos que têm um mestrado

65% dos que têm um doutorado

Na revista *National Geographic Brasil*, no artigo da reportagem de capa sobre Darwin, David Quammen, menciona que nas pesquisas feitas pelo Instituto Gallup, também nos Estados Unidos, em 1982, 1993, 1997 e

---

[12] Geoff Brumffel, *Who Has Design On Your Students' Mind?*, Nature, vol. 434, 28 de abril de 2005, p. 1063.

1999, a porcentagem dos que aceitam o criacionismo nunca ficou abaixo de 44%, quase a metade dos americanos![13]

Muitos consideram estes números como uma expressão a favor do ensino exclusivo do evolucionismo, mas não o são. O surpreendente é que no país mais avançado do mundo atual, onde tanto o criacionismo quanto o *design* inteligente não são aceitos como propostas científicas nem ensinados nas escolas, apenas 65% dos que têm um doutorado, segundo a revista *Nature*, acreditam que a evolução seja uma teoria científica bem embasada por meio de evidências!

Por que será que 35% dos entrevistados que possuem um doutorado e que durante toda a sua vida acadêmica foram expostos apenas ao evolucionismo não acreditam que a evolução seja uma teoria científica bem embasada por meio de evidências? Seria por questões religiosas ou científicas?

Durante a vida de Charles Darwin e dos seus contemporâneos, até aos dias que antecederam Watson e Francis Crick (que descobriram a estrutura do DNA), aceitava-se que as células eram feitas de uma substância chamada protoplasma. Acreditava-se que o protoplasma nada mais era do que o resultado das leis e das forças descritas pela química e pela física (tal como as estruturas dos flocos de neve ou até mesmo a do sal de cozinha), deixando claro que não havia necessidade de uma racionalidade superior para explicar a sua existência.

Hoje nós sabemos que uma simples célula não é o produto de uma simples reação química. Até mesmo a menor de todas elas apresenta um maquinário molecular assombrosamente perfeito, altamente complexo e interdependente, a tal ponto que, se uma das suas partes parar de funcionar, toda a célula morre.

Como já foi mencionado, numa célula, o DNA especifica a construção desse poderoso equipamento protéico e o seu funcionamento. Transferência de uma grande quantidade de informação acontece na célula o tempo todo, por meio da sequência específica das quatro bases de nucleotídeos (A,C,T,G). Esta informação é responsável por toda a diversidade e complexidade encontrada em todas as formas de vida.

Sabemos que este sequenciamento não é o resultado de leis e forças físico-químicas, pois qualquer um dos nucleotídeos pode ser conectado com a mesma facilidade em qualquer ponto do DNA (ver Apêndice B para um tratamento

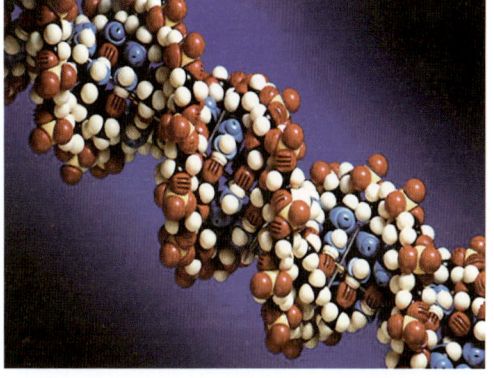

modelo do DNA

---

13 David Quammen, *Darwin Estava Errado?*, National Geographic Brasil, ano 5, nº 55, novembro de 2004, p. 42.

quantitativo da informação no DNA). Todos esses argumentos são relevantes, quando se apresenta a Teoria do *Design* Inteligente e a Teoria Criacionista.

Devido ao conteúdo riquíssimo de informação e de complexidade especificada, somente uma inteligência poderia produzir uma frase. Uma frase com origem naturalista seria altamente improvável. Chegamos exatamente a esta mesma conclusão ao observarmos o DNA.

Visto que a "máquina da vida" demonstra claramente ter sido projetada, por que não admitir a Teoria do *Design* Inteligente como uma hipótese provável e submetê-la aos rigorosos testes científicos?[14] Por que não aceitar a possibilidade de um Criador ser a causa primeira da existência do *design*?

Veja a resposta na próxima página

---

14 De forma geral, aqueles que abraçaram o evolucionismo tendem a considerar qualquer outra explicação científica para o aparecimento e o desenvolvimento da vida como sendo teologia. Ao falar sobre o design inteligente, a revista Nature, Vol. 434, 28 de abril de 2005, p. 1062-1065, trouxe o artigo *Who has designs on your student's minds?*, mostrando claramente essa tendência.

A ORIGEM DA INFORMAÇÃO

Talvez porque para muitos
sem a devida informação
ou ainda movidos por preconceitos,
a Teoria do *Design* Inteligente
e a Teoria da Criação Especial
não passam de discussão religiosa!

Galáxia Espiral M51
(NGC5194)

CAPÍTULO 3

A Origem do Universo:

Astronomia e Cosmologia

"O fato mais incompreensível a respeito do universo
é que ele é compreensível."
Albert Einstein

"Este belíssimo sistema do Sol, planetas e cometas poderia somente
proceder do conselho e domínio de um Ser inteligente e poderoso."
Sir Isaac Newton

Para que se possa afirmar que a vida evoluiu durante bilhões de anos na Terra, duas perguntas precisariam ser respondidas: quando e como surgiu o universo? Se o universo não for velho o suficiente, a vida não teve o tempo necessário para evoluir. Portanto, como saber qual é a idade do universo e como ele surgiu? Ele é velho por ter evoluído em bilhões de anos ou ainda jovem por ter sido criado recentemente?

É óbvio que, nenhum ser humano esteve presente quando o universo começou. Apenas hoje, ao contemplarmos a sua estrutura pronta, funcional e complexa, procuramos uma resposta para a sua origem.

Não é uma tarefa fácil, mas temos muitas evidências para estudar e analisar. E, antes de procurarmos uma explicação sobre a origem do universo, procuraremos conhecê-lo um pouco melhor.

O Que Vemos E O Que Na Verdade É...

Quando olhamos para o céu sem o auxílio de uma luneta ou telescópio, vemos a imagem de uma pequena parte daquilo que é o universo. Seria como olhar para uma pequena folha e tentar imaginar todas as plantas de todas as florestas de todos os continentes do planeta Terra. O céu que observamos a olho nu seria comparado assim com a pequena folha em nossas mãos.

Um exemplo disso são as estrelas da constelação de Órion. Entre nós, três delas são conhecidas como as Três Marias (denominadas na astronomia de Alnitak ou Zeta Orionis, Alnilam ou Epsilon Orionis e Mintaka ou Delta Orionis). Aqui no hemisfério sul, é muito fácil avistá-las durante os meses de novembro a abril. Outras duas estrelas da constelação de Órion são menos conhecidas, mas são muito importantes: Betelgeuse e Rigel.

Betelgeuse é uma supergigante vermelha, sendo uma das maiores estrelas conhecidas da nossa galáxia. Seu volume é cerca de 160 milhões de vezes o volume do nosso Sol. No entanto, sua massa é 20 vezes maior que a massa do Sol, fazendo com que Betelgeuse tenha uma densidade equivalente a dez milésimos da densidade do ar que respiramos. Sua temperatura tem sido calculada em cerca de 3.100K. Ela também é uma das estrelas mais luminosas dentre as estrelas da sua categoria, cerca de 10 mil vezes a luminosidade do Sol.

Rigel, a outra, é considerada a sétima estrela mais brilhante no céu (magnitude 0.14). Sua luminosidade é aproximadamente 57.000 vezes a luminosidade do nosso Sol, o seu diâmetro é apenas cinquenta vezes maior que o diâmetro do Sol. Sua temperatura tem sido calculada em cerca de 12.000K. A temperatura do nosso Sol é de 5770K.

Mas as estrelas popularmente chamadas de Três Marias (também co-

Nuvem de estrelas em Sagitário.

(Foto NASA/HST)

Constelação de Órion

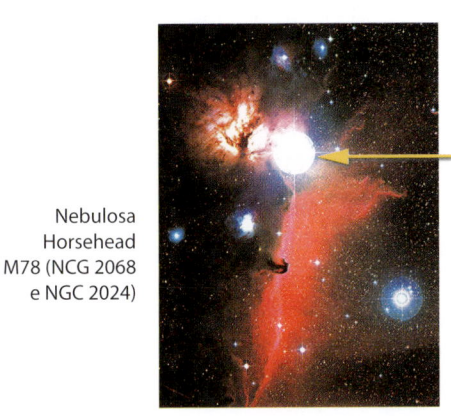

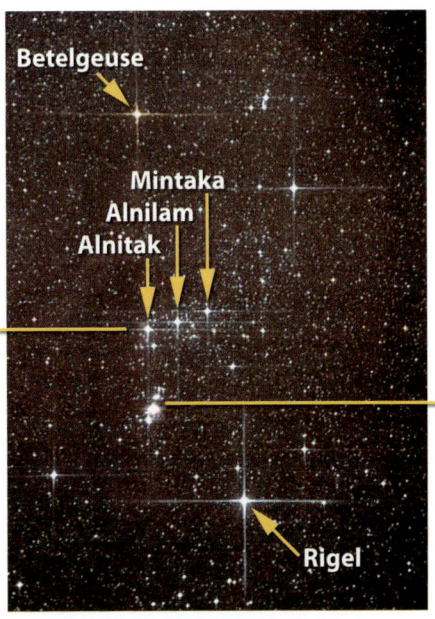

Nebulosa Horsehead M78 (NCG 2068 e NGC 2024)

Nebulosa Orion M43 e M42 (NGC 1976)

A imagem central foi obtida por meio de um telescópio de 8 polegadas com sistema *"tracking"*. As fotos laterais mostram objetos que não são visíveis a olho nu. Elas foram obtidas pelo HST, Hubble Space Telescope. As setas apontam para a localização desses objetos. A imagem central mostra as Três Marias num ângulo diferente daquele no qual normalmente elas são vistas no céu.

nhecidas como o Cinturão de Órion) guardam uma grande surpresa, quando observadas por telescópios possantes. Perto da estrela Alnitak (Zeta Orionis) fica a conhecida nebulosa Horsehead (cabeça-de-cavalo), M78 (NGC 2068 e NGC 2024).[1] Um pouco mais abaixo, fica a nebulosa de Órion, M42 (NGC 1976) juntamente com a M43 (NGC 1982).

Estes objetos não são visíveis a olho nu, mas estão aí presentes. Todos eles fazem parte daquilo que a ciência chama de universo visível. Quantos outros objetos como estes existem no universo? Sextilhões!

Nós vemos apenas o que está próximo e ainda assim não conseguimos ver muito claramente. Quando olhamos para uma estrela, não vemos a estrela propriamente dita, mas sim a luz que saiu da superfície dela e chegou até nós. Entretanto, para a luz chegar até os nossos olhos, ela viajou pelo espaço sideral e passou pela atmosfera da Terra. Na atmosfera existem partículas de pó, camadas de ar em movimento e outros elementos que dificultam uma observação direta. Por exemplo, uma estrela que está sendo observada daqui da Terra parece "piscar". Esta flutuação do brilho da estrela, na verdade não existe. A estrela parece "piscar" por causa da movimentação das camadas de ar da nossa atmosfera. A mesma estrela, observada pelo telescópio de Hubble (que fica em órbita no espaço), não "piscaria".

---

1 O catálogo Messier foi o primeiro catálogo de nebulosas e agrupamentos de estrelas significante para a astronomia. Charles Messier (1730-1817) compilou uma lista de 103 desses objetos. A designação M 42, por exemplo, diz respeito ao objeto de número 42 no catálogo Messier. Outro sistema mais detalhado e mais completo foi adotado posteriormente, o NGC (New General Catalogue). Outras terminologias são também adotadas e encontradas na astronomia, tais como o IC (Index Catalogues). O NGC e o IC fazem parte das publicações de J. L. E. Dreyer (1888) que juntas listavam mais de 13 mil galáxias.

Grande galáxia espiral de Andrômeda M31 (NGC 224) localizada entre 2,4 e 2,9 milhões de anos-luz da Terra.

(Foto NASA/HST)

Galáxia M33 (NGC 598) pertencente ao chamado grupo local, localizada a cerca de 3 milhões de anos-luz da Terra. Segundo cálculos ela está se aproximando do sistema solar a uma velocidade de 180 km/s. A esta velocidade ela se chocará com a nossa galáxia em 5 bilhões de anos.

(Foto NASA/HST)

MUITOS MUNDOS AGRUPADOS

Também, quando olhamos para o céu, numa noite muito clara e sem nuvens, observamos algo que se parece com uma nuvem branca que corta o céu. É uma parte da Via Láctea. Ela se parece com uma nuvem branca, porque comporta bilhões de estrelas.

Entre cerca de 200 bilhões de estrelas da Via Láctea, existe uma que é de quinta grandeza, a qual é conhecida pelo nome de Sol. Esta é a nossa estrela com os seus planetas. Portanto, o Sol é a estrela mais próxima da Terra.

No entanto, a nossa galáxia não é a única. Existem bilhões de outras galáxias como a nossa espalhadas pelo universo, as quais apresentam, na sua maioria, uma estrutura espiral ou elíptica.

A galáxia mais próxima da nossa é a grande galáxia espiral de Andrômeda, conhecida como M31 (NGC 224). Ela fica a cerca de 2,5 milhões de anos-luz da Terra (cerca de 25 milhões de trilhões de quilômetros).

A galáxia de Andrômeda, juntamente com a Via Láctea e a galáxia M33 (NGC 598), constitui o que os astrônomos chamam de Grupo Local de galáxias. Este Grupo Local é apenas um dos 160 outros grupos locais (número aproximado) que formam o Supergrupo de Virgo. E o Supergrupo de Virgo é apenas um dos mais de 270 mil supergrupos conhecidos atualmente, existentes no universo visível. Assim, as estrelas estão agrupadas primeiramente em galáxias, as galáxias, em grupos locais, e os grupos locais em supergrupos.

Comparação dos diâmetros da Terra, da Lua, e de outros corpos celestes que orbitam o Sol. Plutão, juntamente com Eris e o até então asteróide Ceres tornaram-se, em Agosto de 2006, os três primeiros corpos celestes de uma nova categoria criada: "planetas anões". Outros objetos descobertos e que encontram-se muito distantes do Sol estão relacionados na categoria de "objetos do cinturão de Kuiper".

O Tamanho do Universo

Para falarmos do tamanho do universo visível conhecido hoje, precisaremos adotar uma escala de fácil utilização para medir tais distâncias. No nosso sistema convencional de medidas, usamos o metro como a unidade. No sistema astronômico, usamos a Unidade Astronômica, o Ano-Luz e o Parsec como unidades para medir distâncias no universo.

A luz possui uma velocidade e esta é muito alta, cerca de 300 mil quilômetros por segundo no vácuo. Por isso não conseguimos vê-la "se movendo", mas ela se "move".

Por exemplo, a luz do Sol que é refletida na superfície da Lua demora um pouco mais de um segundo para percorrer a distância entre a Lua e a Terra (cerca de 384.400 km). Se acontecesse uma grande explosão na superfície da Lua, nós, aqui da Terra, a contemplaríamos somente depois de um segundo.

Mas se a luz percorre 300 mil quilômetros em um segundo, quantos quilômetros ela percorreria em um ano? Essa distância é o que os cientistas chamam de um ano-luz: cerca de 9,46 trilhões de quilômetros. Portanto, quando falarmos de 1 ano-luz, estamos nos referindo a esta quantidade de quilômetros. A outra unidade, o parsec, equivale a aproximadamente 30 trilhões de quilômetros, ou 3,26 anos-luz. Pensemos sobre o tamanho do universo, levando em consideração o tamanho do nosso sistema solar.

No dia 14 de novembro de 2003, cientistas do CALTECH e NASA anunciaram a descoberta de um planetóide[2] no sistema solar: Sedna. Mas, antes, no dia 7 de outubro de 2002, outro planetóide havia sido descoberto:

Medidas aproximadas...

1 unidade astronômica (ua)
= 150 milhões de km

1 ano-luz (al)
= 9,5 trilhões de km

1 parsec (pc)
= 30 trilhões de km

---

2   O termo adotado para estes corpos celestes em agosto de 2006 foi *"dwarf planet* ou planeta anão.

Quaoar, localizado a cerca de 6,4 bilhões de quilômetros do Sol. Tomemos a distância entre o Sol e Quaoar (média de 6,4 bilhões de quilômetros) em termos do tempo para percorrê-la (só de ida):

Nave Interestelar
Velocidade: 300.000 km/s (*velocidade da luz*)
Duração da viagem: 5 horas e 55 minutos

Ônibus Espacial
Velocidade: 25.000 km/h
Duração da viagem: 29 anos

Jato Supersônico
Velocidade: 2.200 km/h
Duração da viagem: 332 anos

Jato Comercial
Velocidade: 800 km/h
Duração da viagem: 913 anos

Carro de Fórmula 1
Velocidade: 300 km/h
Duração da viagem: 2.434 anos

Carro Convencional
Velocidade: 100 km/h
Duração da viagem: 7.300 anos

Esta distância do Sol até Quaoar, 6,4 bilhões de quilômetros, representa apenas sete décimos de um milésimo de um ano-luz! A estrela mais próxima do Sol, a Próxima-Centauri, está a cerca de 4,3 anos-luz de distância!

A galáxia mais próxima, a Andrômeda, está a pelo menos 2,5 milhões de anos-luz de distância! O universo é imenso! Fala-se de 10 a 15 bilhões de anos-luz em cada direção (30 bilhões de anos-luz de uma extremidade à outra).

A Cosmologia Dos Povos Antigos...

Os povos antigos demonstraram um grande interesse pelo universo. Eles estudaram as estrelas, o movimento dos planetas, desenharam as constelações, criaram calendários, aprenderam sobre as estações do ano, estudaram o movimento da Lua ao redor da Terra e muitas outras coisas

Stonehenge

Planície de Salisbury
Wiltshire, Inglaterra
(2000 a.C.)

Observatório Maia

Chichén Itzá
Península de Yucatan, México
(1000 d.C.)

interessantes. Para eles, tudo fazia parte de um grande "todo" em que a Terra era o centro de todas as coisas.

Estes povos construíram verdadeiros observatórios para aprender mais sobre os mistérios do céu. Na própria estrutura destes observatórios imensos, já havia indicações do quanto esses povos conheciam. Por exemplo, o chamado Monumento de Stonehenge, na Inglaterra, e o Observatório Chichén Itzá, no México, foram construídos para indicar onde o Sol se põe tanto no equinócio[3] quanto no solstício[4].

Os Maias, enquanto a Europa passava pela idade média, já haviam desenvolvido um calendário que é exatamente como o nosso calendário atual, com um ano de 365 dias.

A história, com seus documentos antigos, nos mostra que os babilônicos criaram o zodíaco, os egípcios alinhavam as suas pirâmides e templos com as estrelas do céu, os gregos estudavam as órbitas dos planetas e as constelações, e os árabes enumeravam as estrelas e lhes davam nomes específicos.

Mas, para todos eles, o universo se limitava apenas a um mundo com um Sol, alguns planetas, muitas estrelas e tudo girando em torno da Terra. A idéia do universo ter sido criado era aceita pela grande maioria dos pensadores antigos, com a exceção de alguns filósofos gregos, por volta do quinto século antes de Cristo.[5]

Aristóteles, o grande pensador grego (350 a.C.), desenvolveu a teoria epicíclica, a qual procurava demonstrar como os planetas orbitavam ao redor da Terra (a Terra era tomada como o centro do sistema solar). Claudius Ptolomeu (150 d.C.) deu continuidade a esta teoria desenvolvendo um sistema de cálculos para se estabelecer a órbita dos planetas ao redor da Terra. Este sistema completo consistia de 40 epiciclos. Mesmo sendo relativamente preciso, o modelo de Ptolomeu não dava nenhuma explicação física do porquê do movimento dos planetas.

---

3   Equinócio é representado pelos dois dias do ano, um no outono (21 de março) e outro na primavera (23 de setembro), nos quais a duração do dia e da noite são exatamente iguais (no hemisfério norte seria o oposto). Em astronomia, dizemos que são as épocas em que o Sol atravessa o equador celestial.
4   Solstício é representado por dois dias do ano, um no verão (22 de dezembro), o dia mais longo com a noite mais curta; e o outro no inverno (21 de junho), o dia mais curto com a noite mais longa (no hemisfério norte seria o oposto).
5   Tales de Mileto, Anaximandro, Empédocles, Leucipo e Demócrito foram alguns dos filósofos gregos que acreditavam num universo não criado.

A Divina Comédia | Liber Chronicarum

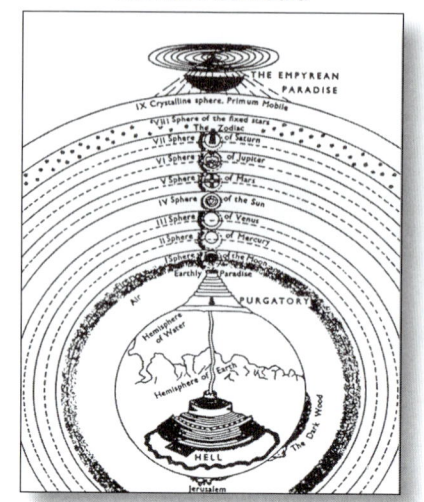

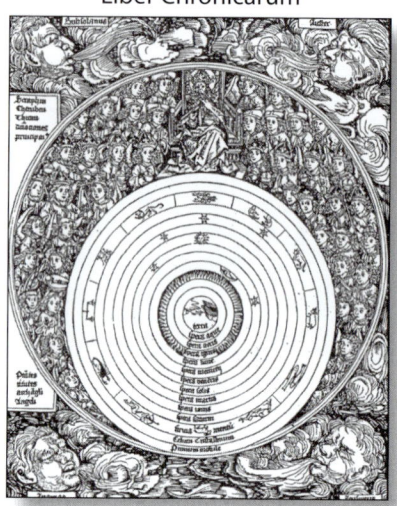

O Sistema Heliocêntrico de Copérnico

A Cosmologia Da Idade Média

A visão cosmológica durante a Idade Média tornou-se uma mistura de ciência e religião. Pouco avanço científico aconteceu dentro do continente europeu. Alguns exemplos do pensamento da época são retratados por Dante Alighieri (1265-1321), em seu livro *A Divina Comédia,* e por Hartmann Schedel (1440-1514), em seu livro *Liber Chronicarum* (Livro das Crônicas), publicado em 1493. Para eles, céu e inferno, bem como a Terra, os planetas, o Sol, e as estrelas estavam todos entrelaçados. Esta visão permaneceu até os anos 1500.

A cosmologia predominante sobre a origem do universo era o criacionismo religioso, principalmente na Europa, por ser esta a posição da Igreja Católica Apostólica Romana sobre o universo.

A cosmologia criacionista dos povos árabes produziu um grande número de descobertas importantes durante este mesmo período. Um dos maiores astrônomos árabes, al-Battani, conhecido como Albategnius, produziu muitas tabelas astronômicas. No século XIV, um observatório no Iran possuía 400 mil manuscritos astronômicos.

A Cosmologia Pré-Moderna

Os anos após 1500 foram de grande euforia devido às muitas descobertas. Dentro da teologia, o cristianismo europeu foi confrontado pela reforma protestante. O mesmo começou a ocorrer dentro das demais áreas do conhecimento humano, produzindo um profundo questionamento das idéias e pensamentos aceitos até então.

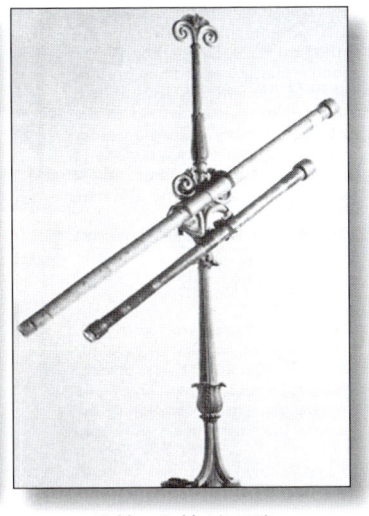

Exemplos de telescópios antigos

Sir Isaac Newton (1668)

Galileu Galilei (1609)

Na astronomia, Nicolau Copérnico (1473-1543) propôs um sistema heliocêntrico (a Terra e os demais planetas orbitando o Sol). A idéia de Copérnico parecia ter como base as idéias de Aristarco de Samos (310-230 a.C.), um astrônomo grego que também considerava a possibilidade de um sistema heliocêntrico.

Tycho Brahe (1546-1601) compilou a mais precisa quantidade de informação astronômica feita até os seus dias. Em 1572, ele observou uma "nova estrela" (o que atualmente chamamos de supernova). Esta descoberta derrubou a antiga posição de um universo estático, imutável.

Galileu Galilei (1564-1642) foi o astrônomo que em 1616 desafiou a posição da Igreja Católica Apostólica Romana, afirmando que a Terra girava em torno do Sol. Seu telescópio feito em 1609 abriu as portas para um universo nunca visto antes.

Johannes Kepler (1571-1630) acreditava que o mundo, pelo fato de ter sido feito por um Criador inteligente, deveria funcionar dentro de um padrão lógico. Trabalhando em conjunto com Tycho Brahe e os dados por ele compilados, Kepler desenvolveu as suas três leis de movimento planetário, sendo as duas primeiras publicadas em 1609, num livro intitulado *A Nova Astronomia*, e a terceira dez anos mais tarde, em 1619, no livro *A Harmonia dos Mundos*. Neste livro, Kepler registrou as seguintes palavras: "Grande é o Senhor nosso Deus, grande é o seu poder e a sua sabedoria não tem fim".

Sir Isaac Newton (1642-1727) desenvolveu a chamada física clássica, mostrando através da gravidade a causa pela qual a Lua gira em torno da Terra, e a Terra e os planetas, em torno do Sol. Em 1668, Newton inventou

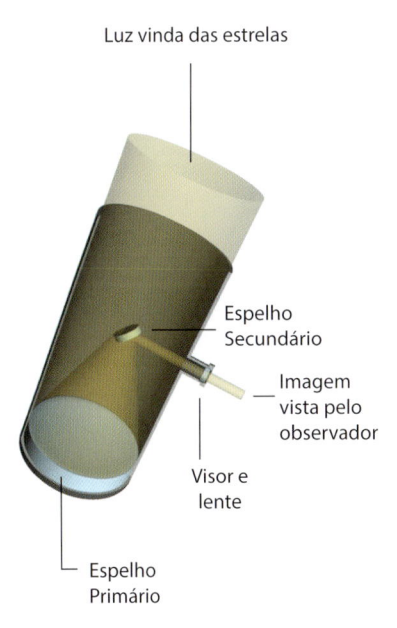

Luz vinda das estrelas

Espelho Secundário

Imagem vista pelo observador

Visor e lente

Espelho Primário

Telescópio Newtoniano (refletivo)

Nebulosa Keyhole
(NGC 3372)

(Foto NASA/HST)

o telescópio refletivo, chamado newtoniano.

Tanto Newton quanto Kepler afirmavam explicitamente que o mundo não tinha mais que seis mil anos e criam no Deus da Bíblia.[6]

A Cosmologia Do Universo Dinâmico

O universo proposto por Newton era um universo praticamente estático, com pequenas variações, quando comparadas com o tamanho do mesmo.

Thomas Wright (1711-1786) considerava a possibilidade de a Via Láctea ser um disco ou uma esfera de estrelas girando ao redor de um centro. Foi ele também quem levantou a hipótese de as nebulosas[7] serem agrupamentos de estrelas que estavam muito distantes e que pareciam com a Via Láctea.

Immanuel Kant (1724-1804), filósofo alemão, sugeriu que, no princípio o universo era constituído por uma distribuição infinita e uniforme de gás, o qual, através da atração gravitacional, formou a matéria. Esta matéria, movimentando-se pelo espaço de forma randômica, começou a se agrupar, formando pequenos aglomerados, com pequenos movimentos de rotação. À medida que estes aglomerados se tornavam mais densos, suas rotações aumentavam, e assim teriam nascido as galáxias. De acordo com esta teoria, conhecida como "hipótese nebular", processos semelhantes a este teriam

---

6   Artigo publicado na *Bibliotheca Sacra*, 1890, p. 285-303.
7   Nebulosas são áreas no céu parecidas com nuvens. No passado elas eram vistas como referência para todos os objetos no céu que não possuíam uma forma definida. As galáxias, por exemplo, foram chamadas de nebulosas. Isto aconteceu porque os telescópios da época não eram possantes o suficiente para mostrar uma estrutura definida. Atualmente as nebulosas são classificadas em três categorias: nebulosa difusa (possui condensação de gases e partículas cósmicas), planetária (esfera de gás que envolve algumas estrelas, dando-lhes a aparência de um planeta), e remanescente de supernova (ou o que sobra de uma estrela que explodiu).

dado origem também ao sistema solar. No entanto, esta teoria propunha que todo o universo girava em torno do centro da Via Láctea.

Essas idéias[8] de Wright e Kant, embora opostas, e, por causa de um elemento comum, começaram a dar forma a uma nova visão cosmológica: a de um universo em evolução.

Por volta da metade do século XIX, a proposta do modelo evolutivo do universo tornava-se a visão predominante, sendo impulsionada pelas publicações dos escritos de Charles Darwin (*A Origem das Espécies*, 1859, e *A Descendência do Homem*, 1871). Uma grande revolução se desencadeou contra a noção de um universo criado. Teorias e formulações foram feitas para mostrar que o universo aparecera espontaneamente.

A Cosmologia Da Morte Do Universo

Contudo, essas teorias não estavam isentas de grandes problemas científicos. Experiências desenvolvidas por Nicolas Léonard Sadi Carnot (1796-1832), James P. Joule (1818-1889), Rudolf Clausius (1822-1888), William Thomson - Lord Kelvin (1824-1907) e outros, abriram as portas para um novo ramo da ciência chamado termodinâmica. Esta nova ciência trouxe uma nova visão quanto à origem do universo.

Duas leis de grande importância surgiram dos estudos da termodinâmica.

> **Primeira Lei da Termodinâmica:**
> "Em qualquer processo, a energia final produzida não pode exceder a energia inicial utilizada."

> **Segunda Lei da Termodinâmica:**
> "A energia utilizável produzida será sempre menor que a energia inicial utilizada."

A segunda lei da termodinâmica é também conhecida como lei da entropia. Na linguagem popular, entropia é a explicação do porquê as coisas normalmente vão do organizado para o desorganizado; do complexo para o simples. Num conceito científico, entropia é o que se usa para medir se um processo é espontâneo ou não.

Primeira Lei

$\Delta E_{sistema} = q + w$, em que

ΔE: energia do sistema
q: calor que entra ou sai do sistema
w: trabalho produzido ou absorvido pelo sistema

Segunda Lei

$\Delta S = \int_{inicial}^{final} \frac{dq_{rev}}{T}$, em que

ΔS: entropia do sistema
dq_{rev}: variação da quantidade de calor que entra ou sai de um sistema reversível
T: temperatura

---

[8] Duas escolas de pensamento sobre a questão da constituição das nebulosas se originaram das idéias de Wright e Kant. Somente em 1920, quando este assunto foi debatido por Harlow Shapley (*Harvard*) e Heber D. Curtis (*Lick Observatory*) na *National Academy of Sciences*, em Washington, é que a questão foi decidida, baseada em novas observações: o universo é constituído de múltiplas galáxias.

NGC 2207 e IC 2163

(Foto NASA/HST)

Duas coisas são muito importantes aqui:
1. Se a energia é constante, a entropia tende para um máximo.
2. Se a entropia é constante, a energia tende para um mínimo.

Pensando nestes dois aspectos da entropia, Rudolf Clausius e Hermann L. F. von Helmholtz (1821-1894) chegaram a uma mesma conclusão: que a energia do universo, por ser constante, faz com que a entropia do mesmo tenda para um máximo.

Em termos práticos, eles entenderam que o universo não pode evoluir, pois o mesmo já "nasceu morrendo". Esta "morte" do universo é conhecida nos meios científicos como "morte pelo calor" (*heat death*).

Helmholtz chegou a outra conclusão ainda mais interessante. Imagine o universo como sendo um relógio de dar corda. Quando a corda acaba, o relógio pára. Assim também, o universo. Quando a energia não existir mais numa forma disponível que possa ser reaproveitada, o universo também irá parar. As estrelas morrerão, e a vida desaparecerá. Mas isto é uma das extremidades: o fim. E a outra extremidade: o começo? Aqui entra a conclusão à qual Helmholtz chegou. Assim como alguém, no início, teve de dar corda no relógio, assim também o universo teve de "ser energizado" num tempo finito no passado, violando a segunda lei da termodinâmica. Em outras palavras, pela proposição de Helmholtz, o universo não é eterno e teve de ser criado, não sendo possível cientificamente um aparecimento espontâneo.

Esta visão, no entanto, de um universo que está morrendo não era coerente com a teoria da evolução proposta por Darwin. Tudo deveria melhorar e não piorar. Tudo deveria ser progresso em direção à perfeição.[9]

---

9   Charles Darwin, *A Origem das Espécies*.

A Cosmologia do *Big Bang*

Novas descobertas fizeram com que um livro publicado em 1848 tivesse a sua idéia principal compartilhada com a ciência. Edgar Allan Poe (1809-1849), no seu livro *Eureka*, foi o primeiro a sugerir que o universo havia sido criado por Deus, do nada, através de uma gigantesca explosão de uma partícula primordial. Nascia o *big bang*.

Em 1917, Albert Einstein (1879-1955) estabeleceu, com a sua teoria geral da relatividade, uma constante cosmológica (também conhecida por Lâmbda), através da qual um universo estático, não expansivo, poderia ser obtido como solução das suas equações. Einstein concluiu que o universo era "fechado", isto é, não possuía extremidades (como uma esfera que não possui extremidade, apenas a parte de dentro e a parte de fora).

Edwin Hubble (1889-1953), usando o telescópio de 100 polegadas (2,5 metros) do Observatório do Monte Wilson, provou que o universo é repleto de galáxias e que as galáxias são aglomerados de estrelas. Mais ainda, Hubble propôs que as galáxias não estavam paradas. Esta proposta feita por ele, está relacionada com o desvio espectrográfico da luz das galáxias para o vermelho (na linguagem científica, este fenômeno é chamado de *redshift* ou desvio da luz para o vermelho). Desta interpretação, ele concluiu que o universo está em expansão.

George Gamow (1904-1968) fez vários estudos relacionados com a hipótese da grande explosão inicial do *big bang*. De acordo com os seus cálculos, esta explosão deveria ter produzido hidrogênio, hélio e os demais elementos encontrados no universo, como também deveria ter deixado uma radiação de fundo. Esta radiação de fundo seria semelhante ao calor que uma pessoa sentiria ao entrar, à noite num cômodo da casa que ficara exposto ao sol o dia todo. Gamow concluiu que, se houve uma grande explosão no passado, hoje deveríamos encontrar ainda um pouco do "calor" produzido por esta explosão. Seus cálculos davam um valor de aproximadamente 30 Kelvins (cerca de 240°C abaixo de zero).

Arno Penzias e Robert W. Wilson encontraram em 1965 uma radiação de fundo. Através dos seus trabalhos com uma antena do centro de pesquisas para comunicações espaciais dos Laboratórios Bell, eles encontraram muito mais sinal de rádio do que o esperado. Após analisarem os dados, chegaram ao resultado de uma radiação de fundo da ordem de 3 Kelvins (270°C abaixo de zero). Esta observação foi considerada como o "eco do *big bang*".

A NASA pesquisou esta radiação de fundo por meio de dois satélites desenvolvidos especificamente para este propósito: o COBE (Cosmic Background Radiation, 1989) e o WMAP (Wilkinson Microwave Anisotropic Probe, 2001).

As Bases do *Big Bang*

Evidência observacional	Desvio espectográfico das galáxias para o vermelho	Abundância de elementos	Radiação de fundo (CBR)	Explicação das observações
	Universo em expansão	Matéria criada	Brilho remanescente da explosão	

A Teoria Naturalista da Origem do Universo

Segundo a *Enciclopédia Britânica*, o *big bang* é uma "...teoria da evolução do universo amplamente aceita. Sua característica principal é a aparição do universo a partir de um estado de temperatura e densidade extremos – chamado *big bang* – que ocorreu no mínimo a 10.000.000.000 de anos atrás..."[10]

Por mais de três quartos de século a teoria do *big bang* tem sido a teoria aceita pela grande maioria dos cientistas nas áreas de cosmologia, astronomia e astrofísica (ver Apêndice E).

A teoria do *big bang* possui duas pressuposições básicas: (1) a teoria geral da relatividade, proposta por Albert Einstein, que descreve a realidade da atração gravitacional de toda a matéria, e (2) o princípio cosmológico que diz que praticamente qualquer região do universo parece exatamente igual a qualquer outra. Isto implica que o *big bang* não teria ocorrido num ponto especial do espaço, mas através dele, ao mesmo tempo. Utilizando estas duas pressuposições, tornou-se possível calcular a idade do universo a partir de uma certa época chamada tempo de Planck (o tempo que a luz demora para percorrer cerca de 10^{-37} metro, que é o tamanho de uma corda típica na teoria das cordas, equivalente a 10^{-43} segundo).

Destas duas pressuposições, a primeira é científica, não podendo ser contestada como filosófica. A segunda pressuposição, no entanto, é completamente filosófica (também conhecida como "Princípio de Copérnico"). Tanto é o caso, que o próprio Edwin Hubble, que desenvolveu a proporcionalidade entre *redshift* e distância de objetos celestes, admitiu que "a condição [dos *redshifts*] implicaria que nós ocupamos uma posição única no universo... Contudo, a suposição incômoda de uma localização favorecida deve ser evitada a todo o custo... é intolerável... Além disso,

---

10 *Big Bang Model*, The New Encyclopaedia Britannica, 15ª edição, 2:205, 1992.

ela representa uma discrepância com a teoria, porque esta postula uma homogeneidade".[11]

Se existem incompatibilidades e dificuldades, devemos examiná-las. Como já foi dito no primeiro capítulo, toda teoria é essencialmente interpretativa. Fazem-se observações e dá-se uma interpretação. A teoria do *big bang* também se encaixa nestes moldes. Portanto, devemos analisar as bases desta teoria através de um estudo dos seus pontos principais, juntamente com outras possíveis interpretações das observações.

A teoria do *big bang* possui três pontos fundamentais que são considerados como evidências principais. São eles:

- Desvio espectrográfico das galáxias para o vermelho
    (Um universo em expansão)
- Abundância de elementos existentes no universo
    (Quantidade de matéria criada)
- Radiação de fundo
    (Temperatura residual da explosão inicial)

Cada um desses pontos faz parte de um grupo de fenômenos observados, geralmente interpretados à luz das proposições da teoria.[12]

E, para facilitar o nosso entendimento sobre estas áreas do *big bang*, vamos compará-las ao resultado da explosão de uma bomba. Quando uma bomba explode, ela produz uma grande quantidade de calor, bem como uma grande quantidade de partículas que são lançadas em alta velocidade em todas as direções. Ao observarmos estes resultados da explosão de uma bomba, poderemos aprender muito sobre a bomba. Este é o raciocínio comparativo com a teoria do *big bang*: a "explosão" primordial semelhante à explosão de uma bomba.

Explosão de uma bomba atômica

A interpretação dessas três observações, seguindo este raciocínio, está aberta para muito debate, visto que as três "evidências" não são bem compreendidas ainda. É importante saber que existem outras explicações para os mesmos fenômenos considerados pela teoria do *big bang* (ver Apêndice D sobre a temperatura equivalente à radiação de fundo).

Um Universo Em Expansão...?

Quando uma bomba explode, ela produz o deslocamento de um grande número de partículas. Muitas dessas partículas, ao se deslocarem, se tornam

---
11 E. P. Hubble, *The Observational Approach to Cosmology*, Oxford, Clarendon, 1937, p. 50-51.
12 Para uma exposição mais detalhada sobre a teoria do big bang, veja o livro *O Universo Numa Casca de Noz*, por Stephen Hawking, editora Mandarin.

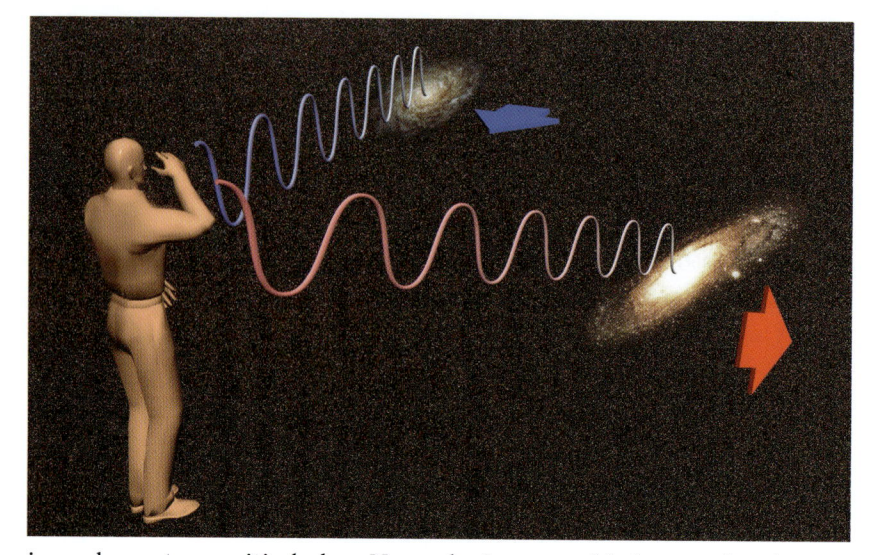

Quando uma galáxia está se afastando do observador, a sua luz parece mais "avermelhada" que o normal. Caso ela esteja se aproximando, a sua luz parecerá mais "azulada" que o normal. Isto é conhecido como efeito *Doppler*.

Onda emitida por uma fonte

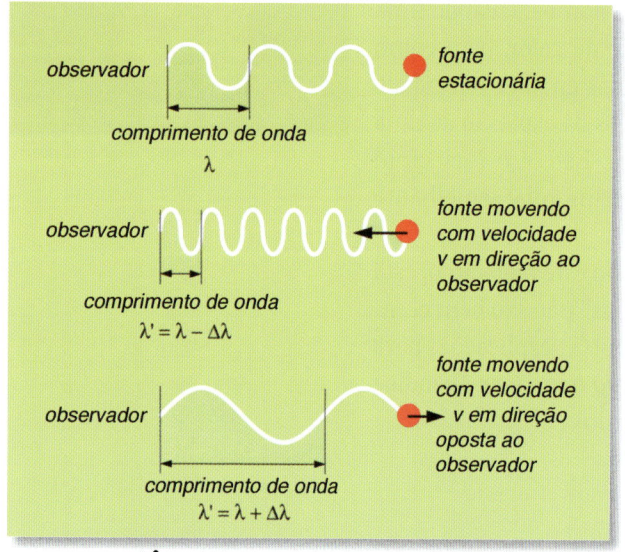

observador — comprimento de onda λ — fonte estacionária

observador — comprimento de onda $\lambda' = \lambda - \Delta\lambda$ — fonte movendo com velocidade v em direção ao observador

observador — comprimento de onda $\lambda' = \lambda + \Delta\lambda$ — fonte movendo com velocidade v em direção oposta ao observador

$$z = \frac{\Delta\lambda}{\lambda} \approx \frac{v}{c}$$

z = *redshift* (desvio)
λ = comprimento de onda
v = velocidade do objeto
c = velocidade da luz

incandescentes, emitindo luz. Na analogia com o *big bang*, a luz de uma dessas pequenas partículas aparentaria ter uma cor diferente dependendo da posição do observador em relação ao movimento da partícula observada. Isto é análogo ao desvio espectrográfico da luz das galáxias para a cor vermelha ou para a azul.

Em 1913, Melvin Slipher, um astrônomo americano, anunciou que um estudo feito em cerca de doze nebulosas mostrava que a maioria delas estava se afastando da Terra em velocidades de milhões de quilômetros por hora. Slipher foi um dos primeiros pesquisadores a usar o efeito *Doppler* para medir sistematicamente as velocidades de grandes objetos celestiais. Edwin Hubble observou esta mudança da cor do espectro das galáxias. A esta mudança foi dada a interpretação de que o universo estaria em expansão. As galáxias, ao se distanciarem ou se aproximarem da nossa galáxia, teriam a sua "cor" alterada. Esta mudança é observada através das alterações das linhas do espectro de elementos como o sódio, o potássio e o hidrogênio (ver ilustração na página ao lado). Isto funciona de maneira análoga ao som da sirene de uma ambulância. Quando a ambulância está se aproximando, o som é mais agudo. Depois que ela passa, o som fica mais grave. Para uma pessoa dentro da ambulância o som não muda.

Essa interpretação do desvio espectrográfico tem enfrentado dificuldades relacionadas com outras observações:

1. Galáxias interconectadas possuem desvios espectrográficos diferentes.[13] Isto significa que galáxias que estão interconectadas possuem velocidades diferentes.
2. Desvios que se agrupam em valores específicos. Esses valores são indicados pelo símbolo z. Por exemplo, para um desvio (*redshift*) de z=1, temos a indicação de que o comprimento da onda dobrou desde a sua emissão até chegar ao observador. Os valores de z que as galáxias tendem a assumir são 0,06; 0,3; 0,6; 0,9; 1,4 e 1,96. Isto traz consigo duas importantes conclusões: (1) que as galáxias possuem velocidades preferidas, o que, em se tratando de galáxias, não faz sentido, e (2) esta recessão implica que a Terra está numa posição única. Uma posição que não fosse única poderia explicar a recessão observada, mas os valores de z apareceriam de forma contínua e não em intervalos distintos como foi observado. Isto implica diretamente que nossa galáxia estava no centro ou muito perto do centro do universo.[14]
3. O desvio para o vermelho implica também uma diminuição da frequência. Uma vez que a energia da luz é proporcional à sua frequência, isto pode implicar numa perda de energia. Até o momento, a teoria do *big bang* não oferece explicações para esta possível perda de energia.[15]

É importante salientar que existem outras explicações para o fenômeno do desvio espectrográfico da luz para o vermelho, as quais são de grande importância e relevância. Todas elas têm um sólido embasamento científico e oferecem respostas igualmente compatíveis com a evidência. Apenas algumas delas estão relacionadas a seguir.

O astrônomo Fritz Zwicky já havia proposto, em 1929, que o desvio para o vermelho seria causado pela perda de energia da luz, ao viajar pelo espaço. Esta proposta ficou conhecida como a "teoria da luz cansada". Esta teoria continua sendo estudada e pesquisada ainda hoje, por ser uma forte alternativa.[16] Outra cosmologia estática, proposta por I. E. Segal, apresenta o desvio para o vermelho diretamente proporcional à curvatura do espaço.[17]

Desvios espectrográficos para o vermelho
(*redshifts*)

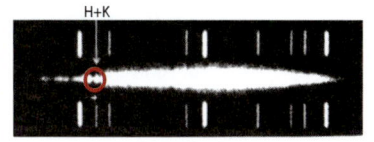

1.200 km/s

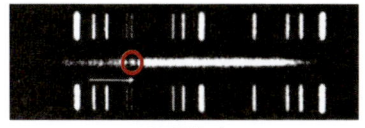

15.000 km/s

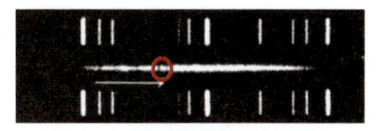

22.000 km/s

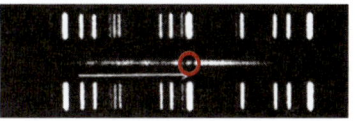

39.000 km/s

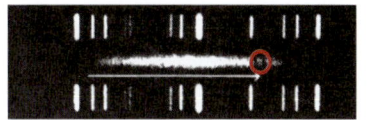

61.000 km/s

Desvio espectrográfico das linhas do Hidrogênio e do Potássio observado em cinco galáxias com as suas respectivas velocidades de afastamento. A calibragem feita em laboratório aparece acima e abaixo do espectro de cada galáxia.

---

13 Halton M. Arp, *Seeing Red*, Montreal, Apeiron, 1998. Ver também do mesmo autor, *Quasars, Redshifts, and Controversies,* Berkeley, CA, Interstellar Media, 1987.
14 William G. Tifft, *Global Redshift Periodicities and Periodicity Variability*, Astrophysical Journal, 1997, p. 485, 465-483. Ver também, do mesmo autor, *Properties of the Redshift*, The Astrophysical Journal, Vol 382, dezembro de 1991, p. 396-415, e *Redshift Quantization in the Cosmic Background Rest Frame*, Journal of Astrophysics and Astronomy, 18(4):415-433, 1977.
15 P. J.E. Peebles, *Principles of Physical Cosmology*, Princeton, The University Press, 1993, p. 138.
16 A. Gosh, *Velocity-dependent Inertial Induction: a Possible Tired-Light Mechanism,* Apeiron, 1991, 9-10, p. 35-44.
17 I. E. Segal e Zhou Z., *Maxwell's Equations in the Einstein Universe and Chronometric Cosmology*, Astrophysical Journal Supplement, 1995, 100, p. 307.

A energia de um fóton de luz é dada pela equação:

$E = hf$, em que

E = energia
$h = 6{,}63 \cdot 10^{-34}$ J/s / (constante de Planck)
f = frequência do fóton

Representação do que seria a expansão do universo. Assim como uma bexiga se expande quando inflada, o desenho na sua superfície também "aumenta". Teoricamente, um universo que estivesse em expansão faria com que as distâncias entre os objetos nele contidos também aumentassem.

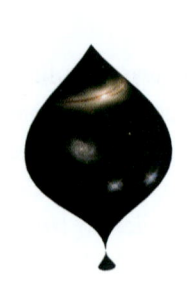

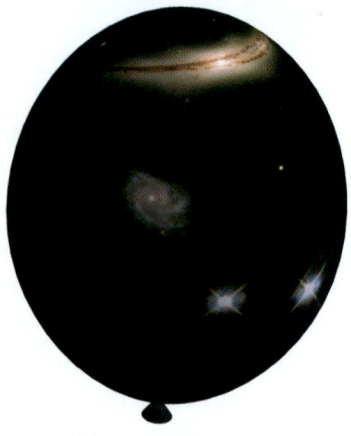

V. S. Troitskii desenvolveu um modelo cosmológico no qual ele interpretou o desvio para o vermelho como consequência da diminuição da velocidade da luz.[18]

Todas estas propostas mostram que a interpretação de um universo em expansão não é a única interpretação científica para o fenômeno do desvio espectrográfico da luz. Mais sobre isto será tratado adiante. Também é importante notar que a visão moderna não é a de expansão de objetos no espaço, mas sim a de expansão do próprio espaço, o que faz os objetos serem "carregados" por esta expansão. Seria como o aumento de um desenho numa bexiga, à medida que esta é inflada.

Esta idéia de uma expansão súbita foi necessária para que a teoria do *big bang* pudesse ser adaptada à observação. Foi uma solução *ad hoc*. A proposta foi feita por Alan Guth. Nesta proposta, o universo teria passado por um período de crescimento rápido (período inflacionário) num curtíssimo espaço de tempo. Em outras palavras, ele teria expandido por um fator de 10^{25} em apenas 10^{-35} segundo. Isto seria como transformar uma ervilha numa galáxia como a nossa (100.000 anos-luz de diâmetro) em 0,00000000000000000000000000000001 segundo!

Hoje, segundo os adeptos do *big bang*, a expansão continua acontecendo, mas numa velocidade quase que infinitamente menor.

UM UNIVERSO COM MASSA CORRETA...?

No nosso exemplo da explosão da bomba, ao ser detonada, ela produziria muitos fragmentos. Assim também, um *big bang*. Comparativamente, os estudos dos "fragmentos" produzidos pelo *big bang* (elementos químicos) e a interação destes elementos deveriam fornecer uma noção melhor sobre esse suposto evento.

---

18   V. S. Troitskii, *Physical Constants and Evolution of the Universe,* Astrophysics and Space Science, 1987, 139, p. 389-411. Sobre a velocidade da luz ter sido maior no passado, ver também S. Adams, *The Speed of Light,* Inside Science 147:4, New Scientist 173(2326), 19 de janeiro de 2002.

Basicamente, a matéria conhecida existente no universo se encontra nas estrelas, nas galáxias; e estas, em grupos locais de galáxias; e estes em supergrupos, como já vimos. Existe assim uma grande organização de matéria no universo. A quantidade desta matéria existente e como se encontra distribuída são fatores muito importantes nos estudos da formação e da idade do universo.

Os cosmólogos atuais acreditam que o *big bang* produziu somente os elementos mais leves, a saber, hidrogênio e hélio. Os demais elementos da tabela periódica, até o ferro, foram produzidos pelas estrelas através do processo de fusão nuclear. Elementos da tabela periódica acima do ferro teriam sido produzidos nas explosões das supernovas. A soma de todos estes elementos (matéria) é o que chamamos de massa do universo.

Sabemos que matéria interage com matéria através da gravidade (força de atração das massas). Este conceito é muito conhecido e solidamente estabelecido. Portanto, visto que matéria atrai matéria, para se provar que o Universo está expandindo, é necessário que se prove quais são as forças que atuam no sentido contrário ao da força da gravidade. Por exemplo: o que faria com que duas galáxias se afastassem uma da outra, quando a força da gravidade entre elas as aproximaria uma da outra? Portanto, teoricamente deve existir uma força maior que a força de atração entre elas, para que tal processo aconteça.

A busca por esta força tem sido uma das principais áreas de estudo da astrofísica no campo da energia negra ou energia do vácuo. A energia negra apareceu primeiramente numa das equações de Einstein como uma constante que contrabalanceava a força da gravidade, produzindo uma solução estática para o universo. O próprio Einstein, na época, concluiu ter sido um erro a utilização desta constante cosmológica que deformava o espaço e o tempo.

Para que o universo tivesse a forma e a estabilidade que encontramos nele hoje, dados os bilhões de anos propostos pela teoria do *big bang*, muito mais matéria deveria existir.[19] Este fator importante relacionado com a massa total do universo ficou conhecido como a massa faltante. Esta massa faltante, também conhecida como matéria exótica ou matéria escura e fria, não tem sido observada. Para corrigir este problema, inicialmente foram propostos buracos negros, cometas escuros, a existência de muitos sistemas

Imagem do grupo de galáxias Abell 2029, um dos 26 grupos de galáxias estudados pelo CHANDRA Observatory sobre a possível existência e os efeitos da energia negra.

Força devido a atração gravitacional

$$F = G \frac{m_1 \, m_2}{r^2}$$

---

[19] Peter Coles, *The End of the Old Model Universe*, Nature, 1998, 393, 25 de junho de 1998, p.741. Uma explicação detalhada de forma mais simples aparece no livro por John Byl, *Deus e Cosmos*, Editora PES, 2003, p. 98-100.

Imagens do Universo "Infantil"

A imagem superior foi produzida pelo satélite COBE. A inferior pelo satélite WMAP. A resolução da imagem produzida pelo WMAP é 35 vezes mais detalhada que a do COBE. Baseados na interpretação dos dados da figura produzida pelo WMAP, cientistas calcularam a idade do universo em 13,7 bilhões de anos, ± 1%, admitindo que a radiação de fundo é resultante de uma explosão inicial.

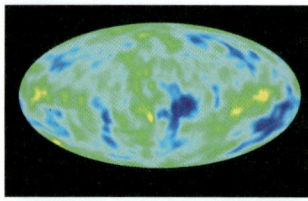

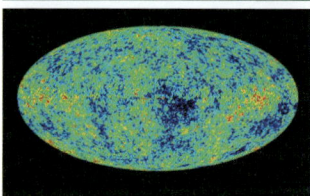

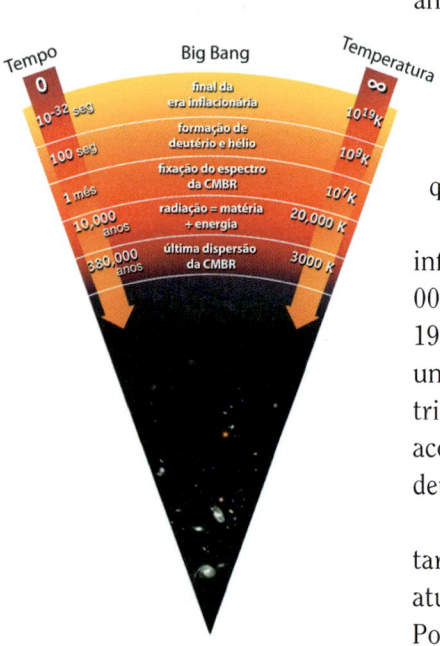

13,7 bilhões de anos desde o *big bang*

solares com planetas, até mesmo estrelas, galáxias e poeira cósmica como a matéria necessária para suprir a quantidade que não está presente.

UM UNIVERSO ESFRIANDO...?

Voltando ao nosso exemplo da bomba, quando ela explode, produz muito calor. Com o passar do tempo, esse calor produzido inicialmente se dissipa, ficando apenas um pequeno calor residual. Esta temperatura residual encontrada no Universo tem sido utilizada para calcular a sua idade.

Em 1965, Arno Penzias e Robert Wilson detectaram um sinal vindo de todas as direções do espaço. Este sinal, observado no comprimento de onda de 7,35 cm, possuía um espectro de radiação idêntico ao de um corpo negro. A temperatura correspondente a esta radiação era de 2,726 Kelvins (aproximadamente 270° Celsius abaixo de zero).

Baseada nesta descoberta, a temperatura do espaço tem sido medida pelos dois satélites já mencionados, COBE e WMAP. Este último produziu uma imagem com precisão 35 vezes maior que a produzida pelo COBE e com temperaturas avaliadas entre 2,7249 Kelvins a 2,7251 Kelvins.

Atualmente, esta radiação de fundo não é mais considerada como luz vinda diretamente do *big bang*, mas sim luz proveniente do universo quando este já havia esfriado a uma temperatura de 3.000°C, cerca de 300.000 anos após o *big bang*. Numa temperatura como esta, átomos são formados a partir de um estágio inicial de partículas subatômicas carregadas numa forma de plasma. Esta temperatura se faz crucial para a teoria pelo fato de a luz ser radiação eletromagnética e o plasma ser um meio opaco. Haveria necessidade de este plasma se condensar em matéria para que o universo se tornasse "transparente".

Segundo esse modelo cosmológico, a temperatura durante o período inflacionário (que durou aproximadamente 10^{-32} segundo, ou 0,00000000 00000000000000000000001 segundo) foi de 10^{19} Kelvins (ou 1 com mais 19 zeros). 100 segundos após o período inflacionário, a temperatura do universo teria caído para 10^9 Kelvins. Isto é um esfriamento de 100.000 trilhões de graus por segundo! Durante estes 100 segundos iniciais, de acordo com a teoria, teria ocorrido a formação dos elementos químicos deutério (^2_1H) e hélio (^4_2He).

No final do período da fixação da radiação de fundo, o universo estaria com uma temperatura de 10^7 Kelvins. Sabemos que a temperatura atual é de aproximadamente 3 Kelvins, medida pela radiação de fundo. Portanto, o universo teria experimentado um processo de resfriamento extremamente acentuado nos seus primeiros 10 mil anos de existência, segundo esta teoria (temperatura inicial superior a 10^{19} Kelvins caindo para 10^4 Kelvins em 10.000 anos). Isto significa uma dispersão de calor da ordem de 10^{15} Kelvins em média, por ano, durante os primeiros 10.000 anos de vida do universo!

Qual, Então, É a Origem do Universo?

Depois de toda esta informação sobre o *big bang*, alguém poderia até se perguntar se ainda existem dúvidas sobre a origem e a idade do universo. Na verdade, apenas foi descrito de uma forma simplificada o que a teoria do *big bang* diz. Somente alguns problemas foram abordados. Agora é hora de verificarmos as evidências sobre a origem e a idade do universo, do Sol e da Terra. Para fazermos isso, o nosso ponto de partida será uma pesquisa sobre a origem das galáxias e a origem das estrelas.

Para esclarecimento, queremos dizer que a teoria criacionista propõe que o universo foi criado do nada (criação *ex nihilo*), recentemente, completo, complexo, funcional e com uma possível idade aparente. Observa-se de imediato que, na maioria das suas proposições, as duas teorias não podem ser reconciliadas. Quais seriam, então, as evidências a favor do criacionismo?

A Origem das Galáxias

A existência das galáxias e das chamadas superestruturas (aglomerados de galáxias) são grandes mistérios que a ciência procura compreender. Estas estruturas são tão gigantescas, que ultrapassam qualquer limite da experiência humana no que diz respeito à compreensão da dimensão espacial.

Estudos voltados para a origem das galáxias utilizam-se da sua morfologia (se são espirais, ou elípticas, ou irregulares), massa e rotação.

Segundo a teoria do *big bang*, para que galáxias viessem a existir, pequenas variações numa nuvem primordial de gás deveriam ter ocorrido. Não poderia haver homogeneidade, caso contrário nem as estrelas se formariam. Essas pequenas variações teriam produzido microcampos gravitacionais, os quais fariam com que os átomos desta nuvem primordial começassem a se agrupar, dando origem assim às pequenas estruturas básicas. Estas estruturas continuariam a crescer dando origem às estrelas, e estas, agrupando-se, dariam origem às galáxias.

Se tivesse acontecido assim, o universo não estaria tão bem estruturado como ele é, pois em vez de as galáxias

Galáxia Sombrero
(M104 ou NGC4594)

Foto: Nasa/HST/ESA

Área visualizada na constelação de Fornax. Esta imagem com mais de 10.000 galáxias necessitou de 800 exposições ao longo de 400 órbitas do telescópio de Hubble ao redor da Terra. O tempo total, somando-se todas as exposições, foi de 11,3 dias, entre os meses de setembro de 2003 a janeiro de 2004.

(Foto NASA/HST)

estarem espalhadas randomicamente pelo universo, elas se encontram em agrupamentos definidos.[20]

As pequenas flutuações encontradas na radiação de fundo jamais teriam dado origem às estruturas que hoje observamos no espaço. Em outras palavras, a ciência sabe que pela cosmologia do *big bang* não deveria existir nenhuma galáxia no espaço, pois nenhuma delas jamais poderia ter se formado.[21]

Mesmo com todo o equipamento sofisticado que os astrônomos possuem à sua disposição, o Telescópio Hubble, o Telescópio Spitzer, o WMAP e muitos outros, ainda não foi encontrada nenhuma galáxia em formação. Todas as galáxias estudadas até o momento não mostram estrelas sendo formadas, e sim estruturas prontas e funcionais.[22]

Outro mistério do universo é a chamada "Grande Muralha". Ela é composta de dezenas de milhares de galáxias todas alinhadas. M. Mitchell Waldrop disse: "...ela é muito grande e muito maciça para ter se formado através da atração gravitacional das galáxias que a compõem".[23]

Exemplos como este mostram que a presente estrutura que encontramos no universo, tanto de galáxias quanto de grupos e supergrupos, não pode ser explicada através de um plano de referência oferecido por um aparecimento puramente naturalista. As pequenas variações e flutuações da radiação de fundo, encontradas pela ciência de hoje não poderiam ter trazido à existência um universo com as características que ele possui.

---

20 *Deepest Infrared View of the Universe: VLT Images Progenitors of Today's Large Galaxies,* ESO press release 23/02, 11 de dezembro de 2002.

21 P. de Bernardis et al., *A Flat Universe from High-resolution Maps of the Cosmic Microwave Background Radiation,* Nature, 2000, 404:955-959. Ver também James Trefil, *The Dark Side of the Universe,* New York, Charles Scribner's Sons, 1988, cap. 4, intitulado *Five Reasons Why Galaxies Can't Exist.*

22 A.M. MacRobert, *Mapping the Big Bang,* Sky and Telescope, 11 de fevereiro de 2003; ver também A. McIntosh and C. Wieland, *Early Galaxies Don't Fit,* Creation 25(3):28-30, junho a agosto de 2003, e Michael Rowan-Robinson, *Review of the Accidental Universe,* New Scientist, Vol. 97, 20 de janeiro de 1983, p. 186.

23 M. Mitchell Waldrop, *Astronomers Go Up Against the Great Wall,* Science Vol 246, 17 de novembro de 1989, p. 885. Ver ainda, no mesmo exemplar Margaret J. Geller e John P. Huchra, *Mapping the Universe,* Science, Vol. 246, 17 de novembro de 1989, p. 897-903. Ver também J. Einasto et al., *A 120-Mpc Periodicity in the Three-dimensional Distribution of Galaxy Superclusters,* Nature, 1997, 385, 139.

A Formação de Estrelas

Walter Baade classificou as estrelas em dois grupos principais: população I e população II. O grupo população I é formado de estrelas que incorporam todas as classes do espectro, incluindo as chamadas azuis muito quentes que queimam intensamente o seu combustível estelar. As estrelas deste grupo são geralmente consideradas "jovens". As estrelas do grupo população II são consideradas "velhas", pois não possuem as azuis que queimam rapidamente.

Um outro grupo, população III, foi criado posteriormente com o propósito de agrupar as estrelas formadas logo após o *big bang*. Sendo que no *big bang* não houve praticamente produção de nenhum metal (elemento químico), as estrelas da população III seriam de fácil identificação pois nas linhas de absorção nenhum metal seria detectado. No entanto, não existe nenhuma evidência observacional, nem mesmo em nossa galáxia, que tais estrelas jamais existiram.[24]

Um fenômeno específico que mostra quão pouco conhecemos sobre as estrelas ocorreu em fevereiro de 1996. Yukio Sakurai descobriu, na constelação de Sagitário, uma estranha estrela que recebeu o nome de Objeto de Sakurai (hoje conhecida como V4334 Sagittarii). Em 1994, esta estrela era provavelmente uma anã branca, com um diâmetro aproximadamente igual ao da Terra. Em 1996, ela já havia se tornado uma gigante amarela brilhante, com aproximadamente 70.000.000 km de diâmetro (80 vezes o diâmetro do Sol). Isto significou um aumento de 8.000 vezes no seu diâmetro (cerca de 500 bilhões de vezes no seu volume). Em 1998, ela havia crescido ainda mais e se tornado numa supergigante, com um diâmetro de 210.000.000 km (150 vezes o diâmetro do Sol). Em 2002, a estrela havia encolhido a tal ponto que já não podia ser detectada mesmo pelos mais possantes telescópios ópticos (frequências da luz visível), embora possa ainda ser detectada na frequência do infravermelho. Este tipo de objeto é conhecido pelos astrônomos como uma estrela que "nasceu de novo". A teoria afirmava que este fenômeno ocorreria num período entre 10 e 100 anos, e não em apenas alguns meses.[25]

Outro exemplo é a estrela FG Sagittae que passou de uma estrela azul (com uma temperatura de 12.000 Kelvins) para uma estrela amarela (com uma temperatura de 5.000 Kelvins) em apenas 36 anos de observação.

Vemos, com os exemplos acima, o quão pouco se conhece sobre as estrelas e os seus mecanismos de funcionamento. Muito menos é conhecido sobre qual seria a origem das estrelas.

Objeto de Sakurai

(Dutch 0.9-m Telescope - ESO La Silla Observatory)

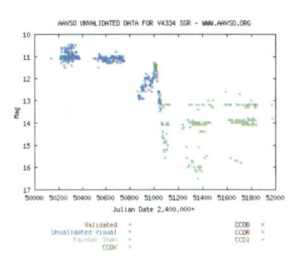

Magnitude x Tempo

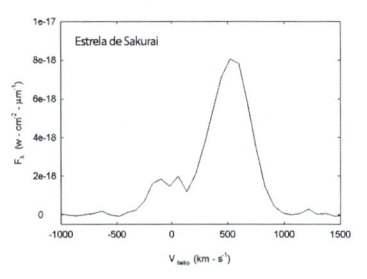

Linhas de emissão de He I no Objeto de Sakurai, obtidas com CRSP no Kitt Peak National Observatory (2,1 m), em 2000.

(Richard R. Joyce - Tucson Nightime Scientific Staff).

---

24 J.P. Ostriker e N.Y. Gnedin, *Reheating of the Universe and Population III*, Astrophysical Journal Letters, 1996, 472:L63.
25 H. Muir, *Back from the Dead*, New Scientist 177(2384):28-31, 1º de março de 2003.

A Origem do Sistema Solar

O Sol, por ser uma estrela muito próxima da Terra, pode ser estudado de maneira muito mais minuciosa do que qualquer outra estrela no universo. Sua origem não deve ter sido diferente da origem das demais estrelas. Portanto, o Sol é a melhor candidata para entendermos a origem das estrelas.

A explicação da origem do Sol e o seu funcionamento são ainda um grande desafio para a ciência. Sabemos que o Sol converte cerca de 4 milhões de toneladas de matéria em energia por segundo! Esta quantidade é muito pequena quando comparada com a massa total que o Sol possui, que é de aproximadamente 1.989.000.000.000.000.000.000.000.000 de toneladas.

Como o Sol e os demais planetas do sistema solar teriam se formado? Mais uma vez, a explicação naturalista faz uso da teoria nebular, onde uma nuvem de gases teria se condensado, por meio da gravidade, formando o Sol e os planetas. Novamente, precisamos comparar a teoria com as evidências.

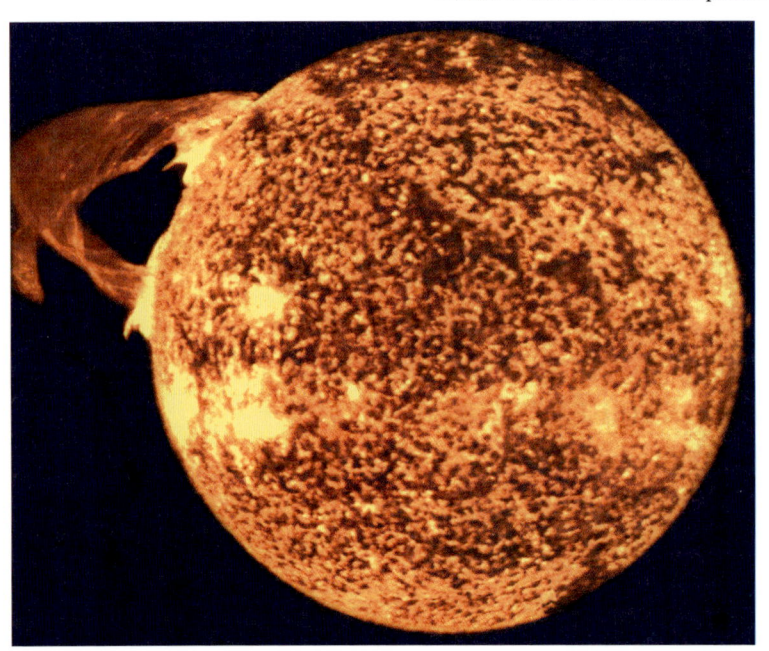

De acordo com a teoria nebular, o Sol passou por uma fase conhecida como *Fase T-Tauri*, onde teria produzido um intenso vento solar,[26] muito superior ao observado atualmente. Devido à intensidade deste vento solar, poeira cósmica e excesso de gases teriam sido carregados para longe da área de formação do sistema solar, não deixando matéria suficiente (gases leves) para a formação de planetas gasosos como Júpiter, Saturno, Urano e Netuno.

Também segundo a teoria nebular, o Sol não apresentaria nenhuma inclinação em relação ao plano do sistema solar. No entanto, ele possui uma inclinação de aproximadamente 7,25°.

Uma outra inconsistência da teoria está relacionada com o momento angular do sistema solar, o qual é calculado multiplicando-se a massa pela velocidade e pela distância. Num sistema isolado, como o sistema solar, a *lei da conservação do momento angular* é válida. Esta quantidade pode

---

Período de Rotação:

Sol .... 25,4 dias
Júpiter .... 9,9 horas
Saturno .... 10,2 horas
Urano .... 17,2 horas
Netuno .... 18,4 horas

(Foto NASA/SOHO)

---

[26] Vento solar é um fluxo de prótons e elétrons que são lançados do Sol em direção ao espaço interplanetário. Efeitos do vento solar podem ser vistos na cauda dos cometas.

ser obtida através de observação direta, fazendo-se as medições das distâncias e massas dos corpos celestes do sistema solar.

Se o sistema solar tivesse sido formado através do processo nebular, os gases, ao se acumularem no centro devido ao processo rotacional, produziriam um sol com uma rotação alta. A rotação do Sol é de 25,4 dias na região do equador. Além disso, o Sol possui cerca 99% de toda a massa do sistema solar e somente 2% do momento angular total.

Se os planetas tivessem sido formados pelo mesmo processo, haveria uma uniformidade de estrutura entre eles, bem como uma uniformidade de movimento. Esta uniformidade não existe em nenhum dos dois casos. David Stevenson, professor de ciência planetária do Califórnia Institute of Technology, disse: "O resultado mais fantástico da exploração planetária é a diversidade dos planetas... Eu quisera que não fosse assim, mas, de certa forma, não creio que nós aprenderemos muito sobre a Terra apenas observando os demais planetas. Quanto mais os observamos, mais nos conscientizamos de que cada um deles parece ser único".[27]

O planeta Vênus, por exemplo, devido às suas muitas características peculiares, apresenta um grande e fascinante problema para a solução da origem do sistema solar. Sua rotação é retrógrada, girando no sentido contrário à rotação dos demais planetas. Também a sua superfície, exposta pela sonda Magellan, possui montanhas como o Monte Maxwell, com 11.000 metros e desfiladeiros com mais de 9.000 km, apresentando pouquíssima erosão, o que implica um planeta jovem, e não de bilhões de anos. Acreditava-se que, por ser muito semelhante à Terra, Vênus teria um campo magnético parecido com o do nosso planeta. Mais uma vez a sonda Magellan, que possui equipamento sensível o suficiente para detectar um campo magnético 25.000 vezes menor que o campo magnético da Terra, não registrou a existência de um campo magnético pelo menos parecido com o da Terra.

Marte tem um campo magnético 10.000 vezes menor que o da Terra. Urano está inclinado quase 98° em relação ao plano do sistema solar. Não existem dois planetas no sistema solar que compartilham de pelo menos um pequeno número de similaridades.

Os cientistas que aceitam uma origem naturalista do sistema solar sentem grande frustração ao se depararem com a incrível diversidade dos planetas. Por isso, o astrônomo Thomas Clarke, da University of Central Florida, acredita

---

27 Richard A. Kerr, *The Solar System's New Diversity*, Science, Vol. 265, 2 de setembro de 1994, p. 1360.

Sistema Solar: Completo, Complexo e Diversificado

Rotação: ← → →

Planeta	Vênus	Terra	Marte
Diâmetro	12.104 km	12.756 km	6.787 km
Distância do Sol	108.200.00 km	149.600.00 km	227.900.00 km
Dia	243,01 dias (R)	23,934 horas	24,623 horas
Ano	224,701 dias	365,25 dias	686,980 dias

Vênus

Terra

Marte

Galáxia NGC 3370, localizada a cerca de 98 milhões de anos-luz

(Foto NASA/HST)

que é pouco provável o descobrimento, fora do sistema solar, de planetas que sejam rochosos como a Terra, Vênus, Mercúrio e Marte: "Causa um pouco de depressão pensar que planetas do tipo da Terra são tão especiais".[28]

A Luz das Galáxias e a Idade do Universo

Como já foi mencionado, observar o céu é como olhar por uma janela do tempo. Olhando o céu, nós vemos o passado e não o presente. Um astrônomo, ao fotografar o Sol neste instante, estaria fotografando-o como ele era há cerca de 8 minutos e 20 segundos. Este é o tempo que a luz demora para percorrer a distância de 149.600.000 km entre o Sol e a Terra. Portanto, ao olharmos para uma galáxia ou uma estrela, estamos observando estes corpos celestes como eram quando a luz foi emitida.

Isto causa dois problemas. O primeiro é teórico para os criacionistas: (1) se a luz gastou milhões ou bilhões de anos para chegar até aqui, como pode o universo ser recente? O segundo é um problema prático para os naturalistas: (2) Por que, ao observarmos o universo, não encontramos galáxias em formação ou galáxias ainda jovens? (Independentemente das distâncias de bilhões de anos-luz, encontramos sempre galáxias já formadas e estruturadas, organizadas em grupos.) Esses dois problemas estão interligados pela velocidade da luz. Esta, no vácuo é de 299.792,456 km/s (quase 300 mil quilômetros por segundo!).

O primeiro problema geralmente é discutido da seguinte forma: se um corpo celeste está a dois milhões de anos-luz, então, a luz demorou dois milhões de anos para chegar até aqui. Como poderia o universo ter apenas alguns milhares de anos? Tal questionamento está embasado em dois fatos: que a distância real é conhecida e que a velocidade da luz é constante. A constância da velocidade da luz foi um postulado de Albert Einstein.

> As grandes distâncias espaciais não podem ser medidas de maneira precisa diretamente. Pode-se medir a distância de estrelas que estejam até 200 anos-luz da Terra, por meio da técnica chamada paralaxe (parallax). Distâncias superiores a esta são determinadas pelos tamanhos presumidos e pelas intensidades das estrelas, pelo desvio espectrográfico da luz para o vermelho e por outros fatores questionáveis, que na maioria das vezes não estão diretamente relacionados com os aspectos de distância.

---

28   H. Muir, *Earth Was a Freak,* New Scientist 177(2388):24, 29 de março de 2003.

Existem vários cientistas que acreditam que a velocidade da luz não é constante.[29] A ciência não sabe se a velocidade da luz é constante no espaço interestelar e no espaço intergaláctico. Assim, se a velocidade da luz fosse muito maior no passado e tivesse diminuído até chegar ao valor presente, o tempo gasto para percorrer a distância entre uma estrela ou galáxia e a Terra teria sido muito menor, dependendo do valor da velocidade.

A questão da velocidade da luz também é importante para os adeptos da teoria do *big bang*. Durante o período chamado inflacionário, o universo teria se expandido a partir do tamanho de uma ervilha (aproximadamente 5mm) até o tamanho da nossa galáxia (100.000 anos-luz) num tempo de 10^{-43} segundo. Isto significa que a radiação eletromagnética (por exemplo, luz) teria de "viajar" a uma velocidade de aproximadamente 5×10^{60} km/s! Para todos os efeitos, isto significa que a luz chegaria a todos os lugares instantaneamente!

Ainda na questão do tempo gasto para a luz chegar até aqui, existe a dilatação do tempo, segundo a teoria geral da relatividade.[30] Neste caso, um relógio na Terra marcaria o tempo de forma mais lenta que outro relógio que estivesse em outro lugar do universo. Isso daria a impressão de que a luz demorou muito mais para chegar aqui do que na realidade teria demorado.

A questão da distância percorrida está relacionada com o conhecimento da curvatura do tempo e do espaço.[31] Geralmente considera-se a distância das estrelas e das galáxias até nós como num espaço plano ou euclidiano. Mas existe também a possibilidade de a distância estar num espaço hiperbólico ou riemanniano, o que faria com que objetos parecessem muito mais distantes do que na realidade estão (veja exemplo destes cálculos ao lado).

Portanto, antes de afirmar que o universo não poderia ser jovem, tendo como base o argumento da luz proveniente das estrelas e das galáxias, é necessário provar que a distância medida é real e que se encaixa perfeita-

Equação para conversão do espaço euclidiano em espaço riemanniano:

$$S = 2R \tan^{-1}\left[\frac{d}{2R}\right]$$, onde

d é a distância euclidiana (reta) e R é o raio da curvatura.

A tabela abaixo exemplifica a utilização desta fórmula (valor arbitrário para o raio de curvatura igual a 3.183 anos-luz).

Distância de uma estrela ou galáxia (euclidiana) (anos-luz)	Tempo gasto pela luz (riemanniano) (anos)
1	1
4	4
30	30
100	100
1.000	992
10.000	6.391
100.000	9.595
1.000.000	9.959
10.000.000	9.996
100.000.000	9.999
1.000.000.000	10.000
10.000.000.000	10.000

A luz de uma galáxia a dez bilhões de anos-luz (espaço euclidiano) levaria apenas dez mil anos (espaço riemanniano) para chegar até nós, caso o universo tivesse uma curvatura riemanniana de 3.183 anos-luz.

---

29 Barry Setterfield, *The Velocity of Light and the Age of the Universe*, Ex Nihilo, 1981, 4, Nº 1, p. 38-48 e Nº 3, p. 56-81. Ver também V.S. Troitskii, *Physical Constants and Evolution of the Universe*, Astrophysics and Space Science, 1987, 139, p. 389-411; e R. Humphrey, *Starlight and Time*, Green Forest, AR, Master Books, 1994.

30 Roy E. Peacock, *A Brief History of Eternity*, Wheaton, Crossway Books, 1990, p. 111. Ver também R. Humphreys, *Starlight and Time*, Green Forest, AR, Master Books, 1994. Ver ainda John Byl, *On Time Dilation in Cosmology*, Creation Research Society Quarterly, 1997, 34, p. 26-32.

31 John Byl, *On Small Curved-Space Models of the Universe*, Creation Research Society Quarterly, 1988, 25, p. 138-40.

Próxima Distante

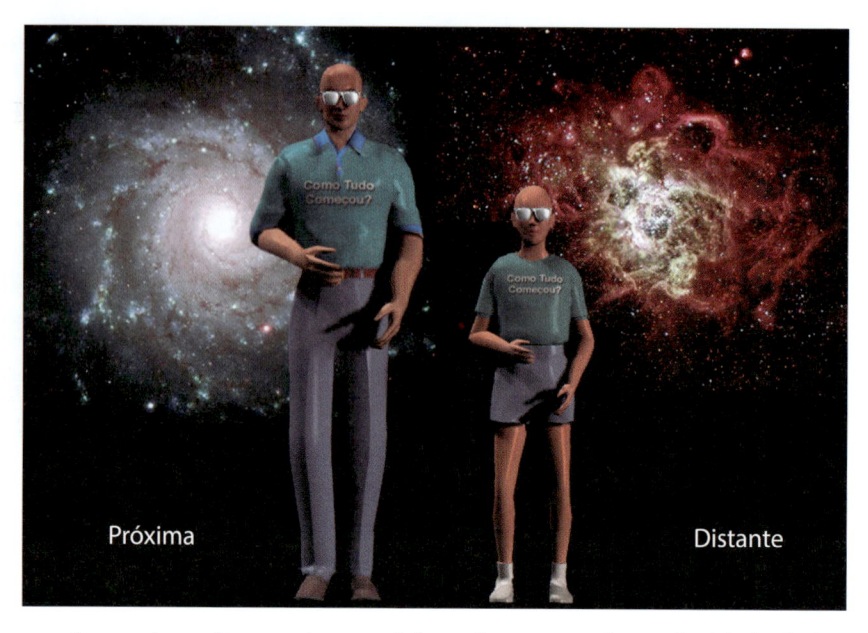

mente no plano de curvatura real do universo, sendo a velocidade da luz constante em todos os pontos do universo.

São científicas e relevantes as considerações sobre o curto tempo gasto pela luz para chegar até nós: milhares e não bilhões de anos, mesmo tendo vindo das regiões mais distantes do universo. Porém, essas propostas nada falam sobre como as estrelas e as galáxias teriam aparecido. A chave para solucionar o mistério pode encontrar-se justamente na resposta do segundo problema: galáxias agrupadas e envelhecidas, quando deveriam ser ainda jovens e não agrupadas em estruturas definidas. Como já foi mencionado, os dois problemas estão interligados.

Quando observamos galáxias com um alto valor de *redshift*, que teoricamente significa que elas estão muito distantes, deveríamos vê-las num estado ainda jovem ou em alguns casos até mesmo em estágios de formação. O raciocínio segue o pensamento do primeiro problema. Se uma galáxia está a bilhões de anos-luz da Terra, então deveríamos vê-la, pelo menos teoricamente, como ela era há bilhões de anos, quando a luz partiu da galáxia. Sendo que todas as galáxias surgiram teoricamente na mesma época, seria, portanto, possível comparar uma galáxia distante (a bilhões de anos-luz) com as outras galáxias mais próximas (a milhões de anos-luz). Teoricamente, a razão da diferença da idade é que a luz da galáxia distante teria viajado bilhões de anos para chegar até aqui, tendo partido quando a galáxia era ainda muito jovem. Já a luz das galáxias vizinhas teria viajado apenas alguns milhões de anos, tendo partido quando estas galáxias já tinham existido por vários bilhões de anos. Assim, uma galáxia distante mostraria o que as galáxias vizinhas teriam sido num passado de bilhões de anos atrás.

Mas, surpreendentemente, tanto as galáxias que estão próximas (vizinhas) quanto as que estão distantes aparentam ter a mesma idade, quando comparadas. As suas estruturas, quando comparadas, deveriam mostrar que bilhões de anos de *evolução* teriam se passado. No entanto, não é isso o que se observa: "As galáxias distantes são surpreendentemente semelhantes em muitos aspectos às suas descendentes consideravelmente mais próximas".[32] É como se esse fenômeno testemunhasse que as galáxias "apareceram" num certo estágio de desenvolvimento e permaneceram ali até hoje. É como se o tempo tivesse parado por bilhões de anos (ver foto ao lado).

Uma possível solução oferecida para resolver os dois problemas simultaneamente vem através do conceito de uma criação com uma *idade aparente*. Isto significa que as estrelas, as galáxias e os grupos de galáxias já teriam sido criados prontos, com uma aparência de "terem evoluído" por bilhões de anos.

O cosmólogo George F. R. Ellis coloca a questão da idade aparente da seguinte forma: "...um Deus benevolente poderia, com facilidade organizar a criação do universo... de tal maneira que radiação suficiente pudesse viajar em nossa direção, das extremidades do universo, para nos dar a ilusão de um universo imenso, muito antigo e em expansão. Seria impossível para qualquer outro cientista na Terra refutar esta visão do universo de forma experimental ou mesmo observacional. Tudo o que ele poderia fazer é discordar da premissa cosmológica do autor".[33]

O falecido professor e físico Herbert Dingle, comentando sobre a teoria da criação com uma idade aparente, disse: "Não há nenhuma dúvida de que esta teoria está livre de autocontradição e é consistente com todos os fatos de experiências que temos a explicar. Ela certamente não multiplica hipóteses além da necessidade, mas invoca apenas uma; e está evidentemente acima de qualquer refutação futura".[34]

Para alguns esta explicação é simples demais. No entanto, ela é coerente e consistente com as observações. Um universo criado pronto daria a impressão de ter passado por um longo período de desenvolvimento e evolução, quando, na verdade, este período de tempo jamais teria existido.

Foto de um agrupamento de galáxias distantes tirada pelo Telescópio Hubble usando o sistema NICMOS

(Foto NASA/HST)

---

32 NASA, *Hubble Takes Faintest Spectroscopic Survey of Distant Galaxies,* http://hubblesite.org/newscenter/newsdesk/archive/releases/2004/49/text; e NASA, *Hubble Uncovers New Clues to Galaxy Formation,* http://opposite.stsci.edu, 1994. Ver também G. Schilling, *Galaxies Seen at the Universe's Dawn,* Science, 1999, 283, p. 21.
33 G.F.R. Ellis, *Cosmology and Verifiability,* Quarterly Journal of the Royal Astronomical Society, 1975, 16, p. 246.
34 Herbert Dingle, *Philosofical Aspects of Cosmology,* Vistas in Astronomy, 1960, 1, p. 166.

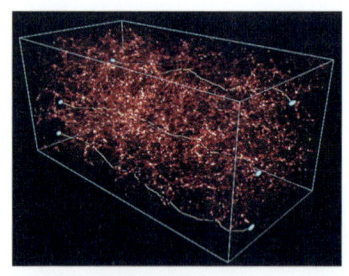

Estudos teóricos sobre matéria escura.

Imagem gerada por computador mostrando uma distribuição simulada de matéria escura num agrupamento de galáxias formada por energia negra (a qual age contra a gravidade).

Então, Quanto Tempo Se Passou?

Esta questão ainda não foi respondida. Vimos até aqui que a possibilidade de um universo que foi criado recentemente possui embasamento científico. Mas, existem evidências que possam oferecer um limite para uma idade do universo, das galáxias, do sistema solar, do planeta Terra e da vida aqui no nosso planeta? Vejamos.

No dia 11 de fevereiro de 2003, foi publicado um artigo por um grupo de cientistas, afirmando terem calculado a idade do universo. A idade apresentada foi 13,7 bilhões de anos ± 200 milhões de anos.[35]

Os pesquisadores levaram em consideração fatores como a composição *teórica* do universo (4% de matéria bariônica, como átomos e partículas, 22% de matéria escura e fria e 74% de energia negra exótica), mais a temperatura indicada pela radiação de fundo. Na conclusão do artigo aparecem as seguintes perguntas: "O que é energia negra? O que é matéria escura? Qual é o modelo físico por trás do período inflacionário (ou semelhante ao que chamamos de inflacionário)?"[36] As respostas não nos são dadas, pois todas as perguntas são propostas teóricas.

É importante mencionar a ênfase dada por estes pesquisadores na certeza da idade do universo, quando nem ao menos se sabe se os parâmetros utilizados para os cálculos existem! Para esclarecermos a possibilidade de um universo jovem queremos fazer as seguintes considerações:

1. Organização e Estrutura

A termodinâmica é uma ciência bem estabelecida, possuindo leis bem definidas. A primeira das suas leis, como já vimos, diz respeito à conservação da energia. Esta lei diz que embora energia possa ser transformada de uma forma para outra, ela não pode ser criada nem destruída. Deste princípio segue-se a segunda lei da termodinâmica (a entropia), a qual diz que em qualquer processo físico energia útil é sempre dissipada. De uma forma geral, ela nos diz que a tendência natural do calor é sempre ir em direção a um equilíbrio térmico (calor passando de um corpo quente para um frio, até que os dois tenham a mesma temperatura). De um modo mais concreto, a tendência normal de qualquer sistema seria a de se desorganizar. Entropia, de uma certa forma, significa medir a quantidade de desorganização de um sistema.

A implicação destas duas leis, quanto à origem do universo, é imensa,

---

35 D.N. Spergel et al, *First Year Wilkinson Microwave Anisotropy Probe (WMAP) Observations: Determination of Cosmological Parameters*, Astrophysics Journal Supplement 148, 2003, p. 175.
36 Ibid. As perguntas são encontradas na página 26 da publicação disponibilizada no site http://map.gsfc.nasa.gov/m_mm/pub_papers/firstyear.html

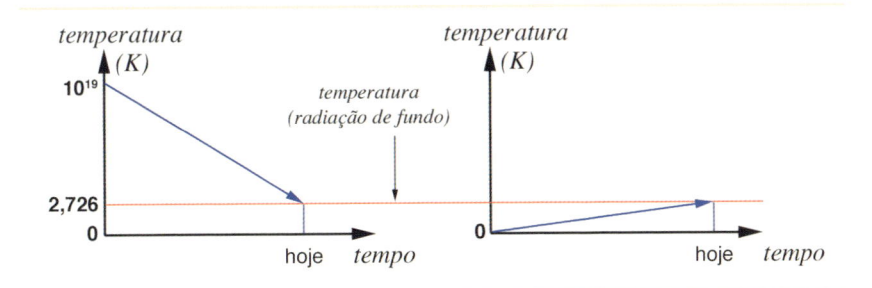

pois elas estabelecem que *a energia do universo, sendo constante, faz com que a sua entropia tenda sempre para um máximo*. Em outras palavras, ao aplicarmos estas duas leis, veremos que a energia total do universo, por ser constante (não pode ser criada nem destruída), faz com que a energia que existe em forma utilizável diminua (o universo está se desorganizando).

Esta foi a conclusão de Rudolf Clausius e Hermann L. F. von Helmholtz: para que o universo tenha a ordem que ele apresenta hoje, deve ter possuído no passado uma organização maior do que a de hoje, tendo sido energizado num passado finito. Esta conclusão tem implicações científicas profundas para o criacionismo. A teoria naturalista do *big bang* diz exatamente o oposto.

Pelo alto grau de organização que encontramos no universo é possível concluir que o mesmo é recente. Pois um universo cuja tendência normal é a deterioração, hoje, caso ele tivesse bilhões de anos, seria um sistema totalmente caótico e não organizado, como o vemos.

2. Um Início Frio

Na cosmologia atual, a temperatura do universo (radiação de fundo) tem sido outro fator fundamental na avaliação da sua idade. A questão de como foi o início do universo, se extremamente quente ou se extremamente frio, implica diretamente o cálculo da sua idade.

Nos gráficos acima, podemos visualizar as duas propostas quanto à origem do universo, sendo que as linhas retas dos gráficos são para ilustrar a direção da alteração da temperatura e não para sugerir uma linearidade de processo. No gráfico da esquerda, temos a proposta da teoria do *big bang*, e no da direita, uma das propostas criacionistas.[37]

A cosmologia do *big bang* diz que o calor referente à temperatura inicial (início com calor extremo) foi dissipado durante aproximadamente os últimos 14 bilhões de anos, atingindo uma temperatura atual de cerca de 3 Kelvins. Portanto, a temperatura do universo teria passado por uma alteração.

Esta alteração da temperatura também aparece na cosmologia criacionista, a qual propõe que o universo foi criado num elevado estado energético,

---

[37] Proposta sugerida pelo autor.

altamente estruturado e organizado, porém frio.

A proposta do universo ter sido criado altamente estruturado e organizado é o mesmo que dizer que o universo foi criado com uma idade aparente, com estrelas e galáxias "prontas" e em pleno funcionamento, dando uma aparência de que muito tempo havia se passado. Esta proposta possui evidência científica, como foi visto na seção anterior.

A baixa temperatura inicial também vem das considerações da termodinâmica, que propõe baixas temperaturas no início de um processo, até que este atinja uma temperatura de equilíbrio com o meio ou uma temperatura de equilíbrio de funcionamento.

Uma analogia seria comparar o universo com um motor a explosão. A partir do momento que o motor começa a funcionar, sua temperatura aumenta. Conhecendo a variação da temperatura (e outros fatores relacionados), seria possível calcular a quanto tempo o motor estaria em funcionamento. A analogia com o motor é muito apropriada, pois o universo assemelha-se a um motor gigantesco. Como num motor a explosão, a temperatura inicial seria inferior a uma outra temperatura após o motor ter sido acionado, assim também o universo teria uma temperatura inicial inferior à temperatura encontrada hoje.

Motor à explosão

Se soubermos qual era a temperatura inicial e a taxa de aquecimento, poderemos calcular a quanto tempo o universo está "funcionando". Se o universo foi criado pronto e funcional, como já discutimos, então, o tempo de funcionamento seria igual ao tempo de existência, pelo menos em teoria.

Neste caso, a temperatura inicial que teria sido registrada pela radiação de fundo no instante t_o da criação seria de 0 Kelvin. No instante $t_o + t$, a temperatura já não seria de 0 Kelvin.

O cálculo da idade do universo, nesta proposta criacionista, também está relacionado com o tempo envolvido para que a temperatura do universo se alterasse de um valor inicial até o valor de 3 Kelvins medidos hoje. Em outras palavras, quanto tempo demorou para que o universo aquecesse 3 Kelvins desde a sua criação? Obviamente não teriam sido os bilhões de anos propostos pela teoria do *big bang*.

A temperatura e o estado de organização no instante do surgimento do universo são diferenças cruciais dos dois modelos cosmológicos, com resultados diametralmente opostos.

O calor medido no universo através da radiação de fundo pode, assim, ter duas interpretações distintas. Em ambas, o universo atua como um corpo negro. (1) O universo começou extremamente quente e está esfriando (devido ao *big bang*) ou (2) o universo começou extremamente frio e está esquentando (devido à quantidade de energia dissipada pelas estrelas, galáxias e matéria-gases superaquecidos).

Para o cálculo da idade do universo no modelo criacionista proposto, a temperatura hipotética inicial é de 0 Kelvin e não haveria necessidade de incluir matéria escura e fria, nem energia negra.

A exclusão desses elementos hipotéticos tem um aspecto de grande importância. A necessidade encontrada pela cosmologia do *big bang* da chamada massa faltante está num universo que supostamente teria bilhões de anos. Num período tão longo de tempo como este, os efeitos decorrentes da gravidade atuando na massa visível (galáxias e grupos de galáxias) teria produzido uma distorção tal, que o universo não teria mais a estrutura organizada que ele apresenta. Daí a necessidade de uma grande quantidade de massa não visível que pudesse, mesmo com os bilhões de anos, ainda ter mantido o universo com uma distorção tão pequena.

Mas, se o universo tiver apenas alguns milhares de anos, como o calculado, a sua estrutura observada é perfeitamente coerente com a idade. Não teria havido tempo suficiente para que forças e campos gravitacionais produzissem uma distorção no universo, desestruturando-o. Como exemplo, podemos mencionar as galáxias espirais. Devido à rotação que elas apresentam, os "braços" de estrelas já deveriam ter desaparecido há muito tempo por conta da atuação das forças centrípeta e gravitacional exercidas em cada estrela. Em outras palavras, as estrelas, devido à velocidade de rotação da galáxia, já deveriam ter saído "voando" pelo espaço afora.

Uma criação recente é cientificamente provável e coerente com a observação:
1. Aquecimento decorrente da energia dissipada pelas estrelas
2. Estruturas ainda definidas devido ao curto espaço de tempo
3. Galáxias com uma mesma idade aparente

Fatores Limitantes

Se o universo é ainda jovem, então a Terra deve ser jovem também, pois a mesma não poderia ser mais velha que o próprio universo. Se este for o caso,
1. Como explicar os bilhões de anos atribuídos às rochas da Terra?
2. Como explicar os milhões de anos atribuídos aos fósseis?

Se os milhões e bilhões de anos atribuídos a estes fenômenos estiverem corretos, então, a proposta criacionista de um universo jovem não faria o menor sentido, e, sem dúvida, a idade do universo, avaliada à luz da proposta apresentada, seria totalmente inválida.[38]

NGC 628 (M74)

Movimento das estrelas no braço de uma galáxia espiral (movimento espiralado contrário ao da água entrando num ralo). Após alguns bilhões de anos, a galáxia não existiria, pois suas estrelas já teriam se dispersado.

(Foto NASA/HST)

---

38   As respostas relacionadas com a datação podem ser encontradas no capítulo 6.

Aurora Boreal sobre o Lago Bear, Alaska

Foto: Joshua Strang (United States Air Force)

média da intensidade magnética

"normal"

"inversão"

Dorsal oceânica

No entanto, existem fatores que são limites para a existência do planeta Terra, bem como para a vida nele encontrada.

Portanto, dois exemplos finais serão examinados devido a importância de cada um. O primeiro está relacionado com o campo magnético da Terra. O segundo está relacionado com a Lua. Ambos apresentam limites quanto ao tempo de existência da vida no nosso planeta.

Alguns outros fatores existem e são conhecidos da ciência, os quais também são fatores que limitam o tempo de existência.

1. O Campo Magnético da Terra

O campo magnético da Terra é um escudo invisível que protege o nosso planeta da radiação que vem do espaço, principalmente do Sol. É por meio dele que o ponteiro da bússola se orienta; ele também é o responsável pela aurora boreal (foto acima).

Medições diretas do campo magnético da Terra durante os últimos 140 anos mostram um declínio rápido da sua força. Dr. Thomas Barnes notou que medições feitas desde 1835 mostravam haver um decaimento da parte principal do campo magnético da Terra (a parte bipolar que é cerca de 90% do total observado) um decaimento da ordem de 5% por século.[39] Medições arqueológicas demonstram que a intensidade do campo magnético por volta dos anos 1.000 d.C. era cerca de 40% maior que a intensidade atual.[40] Dr. Barnes calculou que este campo não poderia estar decaindo há mais de 10.000 anos, pois a sua força teria sido tão grande que a Terra seria apenas um mundo de rochas derretidas.

Alguns acreditam que não se trata de um declínio, mas de inversões. Esta idéia vem da descoberta de anomalias (flutuações) do campo magnético que ficaram registradas nas rochas da dorsal oceânica. Ao invés de serem

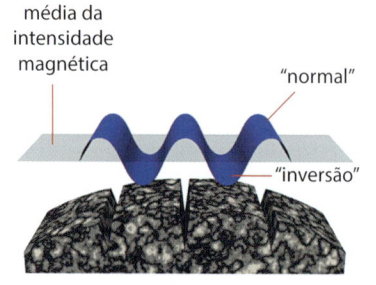

---

39 K.L. McDonald e R.H. Gunst, *An Analysis of the Earth's Magnetic Field from 1835 to 1965*, ESSA Technical Report, IER 46-IES 1, U.S. Government Printing Office, Washington, 1967. Ver também Thomas G. Barnes, *Origin and Destiny of the Earth's Magnetic Field*, 2º edição, El Cajon, California, Institute for Creation Research, 1983.

40 R.T. Merrill e M.W. McElhinney, *The Earth's Magnetic Field*, London, Academic Press, 1983, p. 101-106.

consideradas corretamente como flutuações da intensidade do campo magnético, elas foram erroneamente interpretadas como inversões do campo magnético. A linha traçada no meio da curva de flutuação mostra a intensidade média do campo magnético dentro da flutuação encontrada, e não um campo magnético "normal" e outro em "inversão" (ver ilustração na página anterior). Não existe nenhuma rocha na dorsal oceânica onde a agulha da bússola apontasse para o sul, em vez do norte!

Por conta dessa interpretação, fica claro que em muitas áreas da ciência há uma compreensão limitada do funcionamento do campo magnético da Terra e das razões para o seu decaimento.

A origem do campo magnético da Terra ainda é uma área de muito debate. Uma das teorias principais propõe que o campo magnético resulta do ferro e níquel que formam o núcleo do planeta. Esta teoria tem um sério problema, pois acima da temperatura chamada *ponto Curie*, os pequenos domínios magnéticos se desfazem. O *ponto Curie* para o ferro é de 750°C. A região mais fria do núcleo da Terra possui temperaturas entre 3.400°C a 4.700°C. Portanto, qual seria a origem deste campo magnético?

Duas descobertas importantes podem fornecer uma resposta simples e elegante, cientificamente falando. Em 1820, Hans Christian Ørsted (1777-1851) descobriu que uma corrente elétrica produz um campo magnético. Seria possível uma corrente elétrica ser a causa do campo magnético da Terra? Se for, qual seria, então, a origem desta corrente elétrica?

A resposta viria 11 anos mais tarde. Em 1831, Michael Faraday (1791-1867) demonstrou que um campo magnético não-estático induz uma corrente elétrica. Se fosse dada à Terra, no momento da sua criação, um campo magnético, este decairia por não ter uma fonte contínua. No entanto, este decaimento induziria uma corrente elétrica. Esta corrente elétrica, por sua vez, também decairia e, ao decair, produziria um campo magnético. Este sistema cíclico possuiria uma taxa de decaimento. James Joule, em 1840, descobriu que a energia elétrica não se perde neste processo, mas é transformada em calor.

Baseado nestas descobertas científicas, o Dr. Barnes fez a sua proposta do decaimento livre da corrente elétrica no núcleo metálico da Terra. Esta proposta é perfeitamente consistente com observações da taxa de decaimento e experimentos relacionados com materiais semelhantes ao do núcleo da Terra.[41] O decaimento é exponencial.

Tomando-se todas as medições do século passado que expressam a intensidade do campo magnético (International Geomagnetic Reference

Hans Christian Ørsted

O decaimento exponencial para um circuito elétrico simples é dado pela equação:

$$I(t) = I_0 e^{-t/\tau}, \text{ onde } \tau = L/R$$

I : corrente
I_0 : corrente inicial
t : tempo
R : resistência
L : indutância

Para uma esfera de raio **r**, condutividade σ, e permeabilidade μ,

$$\tau = 4\sigma\mu r^2 \pi$$

---

41 F.D. Stacey, *Electrical Resistivity of the Earth's Core,* Earth and Planetary Science Letters 3:204-206, 1967.

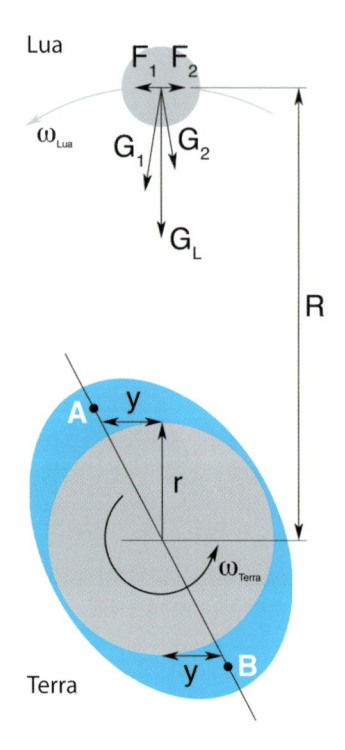

Field Data), este tem diminuído constantemente, implicando numa meia vida de aproximadamente 1.500 anos.

Dr. R. Humphreys demonstrou que durante o período de 1970 a 2000 (registros mais precisos) a parte bipolar do campo magnético da Terra perdeu 235±5 bilhões de megajoules de energia e ganhou 129±8 bilhões de megajoules na sua parte não bipolar. A perda total observada foi de 1,41±0,16%. Nesta proporção, o campo magnético da Terra perderia metade da sua intensidade a cada 1465±166 anos.[42]

O campo magnético da Terra sugere um planeta extremamente jovem, com milhares de anos e não bilhões de anos.

2. O Afastamento da Lua

A Lua está se afastando da Terra cerca de 3,82 (±0,07) centímetros por ano.[43] Este afastamento (recessão lunar) é resultante dos efeitos das forças gravitacionais entre esses dois corpos. Essas forças atuam fazendo com que um atraia ao outro. O resultado pode ser visto na figura ao lado.

As deformações causadas nos oceanos pela ação da gravidade da Lua (maré alta e maré baixa), faz com que ela gradativamente se afaste da Terra por meio de um movimento espiralado, e que a Terra gire cada vez mais devagar ao redor do seu próprio eixo.

A força da Lua sobre a Terra atrai tanto a sua parte "sólida" quanto as águas dos oceanos. Sendo que o diâmetro da Terra é constante, a altura das marés é então proporcional ao cubo da distância entre a Terra e a Lua (ver apêndice F). A distância atual média entre a Terra e a Lua é de aproximadamente 384.000 km. Se esta distância dobrasse, as marés teriam apenas 1/8 do níveis atuais. Mas se a distância diminuísse, os níveis das marés seriam maiores que os atuais. Como a Lua está se afastando, fica claro que no passado os níveis das marés foram maiores que os atuais.

Podemos observar pelos cálculos do Apêndice F que se a Lua estivesse a 192.200 km de distância da Terra (metade da distância atual), as marés teriam valores oito vezes maiores que os atuais, o dia teria uma duração de apenas dez horas e o nosso calendário estaria marcando uma data de 1.199.616.330 anos atrás. Marés com valores oito vezes maiores que os atuais teriam deixado marcas visíveis nas regiões costeiras do nosso planeta. Tais marcas não foram detectadas. O planeta Terra dando uma volta ao redor do seu próprio eixo a cada dez horas teria deixado marcas visíveis nas formações rochosas e na rotação do seu núcleo. Tais marcas não foram detectadas. Se voltarmos no

Ação da Lua nos oceanos da Terra (vista do Polo Sul)

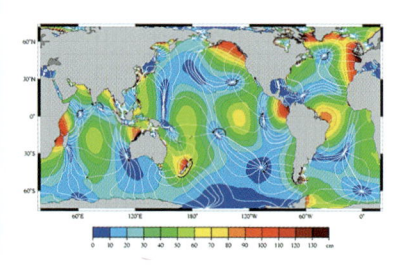

Variação da maré (em centímetros) nos oceanos de acordo com a localidade.

(Fonte: NASA)

---

42 R. Humphreys, *The Earth's Magnetic Field Is Still Losing Energy*, CRSQ 39(1) 1-11, março de 2002.
43 J.O. Dickey et al., *Lunar Laser Ranging: A Continuing Legacy of the Apollo Program*, Science, Vol 265, 22 de julho de 1994, p. 486

nosso calendário para 600.000.000 de anos atrás (próximo ao início do Cambriano, segundo o evolucionismo), a Lua estaria a uma distância de 353.266,1 km e a rotação da Terra seria de 19hrs e 57min. É importante observar que os cálculos apresentados no Apêndice F usam dados medidos e confiáveis, levando em consideração a mesma pressuposição aceita pelos evolucionistas da permanência dos fenômenos e da constância das condições

Os cálculos mostram que o limite máximo de tempo para que a Lua começasse a se afastar da Terra seria de 1,2 bilhões de anos atrás! Para que isto acontecesse, a Terra teria que dar uma volta em torno do seu próprio eixo a cada 4 horas e 57 minutos! (Ver Apêndice F). Isto significa que a Lua teria começado a se afastar da Terra a 1,2 bilhões de anos atrás? Não! Isto significa que seria inconcebível aceitar a idéia de vida na Terra a bilhões de anos. O efeito da força gravitacional da Lua sobre uma Terra de bilhões de anos seria devastador.

Um Planeta Privilegiado

O livro intitulado *"The Privileged Planet: How Our Place in the Cosmos is Designed for Discovery"* (O Planeta Privilegiado: Como o Nosso Lugar no Universo Foi Planejado para Descoberta), escrito por Jay Richards e Guillermo Gonzalez, mostra o quão exclusivamente único é o nosso planeta Terra.

A Terra encontra-se no lugar correto na galáxia, na distância correta da estrela mais próxima (o Sol), sendo protegida por planetas gigantes que atuam como escudos, atraindo cometas, meteoros e asteróides. A Terra tem sua órbita ao redor da estrela certa, que não é nem tão quente nem tão fria. Ela possui uma lua que auxilia na estabilização do seu eixo e não permite que a água no planeta fique estagnada. Tem uma temperatura ambiente correta, resultante da sua rotação que controla o tempo da área exposta ao Sol e a movimentação das grandes massas de ar e água. A Terra é um planeta que possui uma crosta espessa o suficiente para manter atividade tectônica, e, no seu interior, está provida de bastante calor, o qual mantém um núcleo de ferro derretido. Este proporciona as condições necessárias à existência de um campo magnético que protege a vida. Ela possui uma atmosfera com proporções de oxigênio corretas que possibilitam a sobrevivência de organismos complexos. Possui oceanos (água líquida) e continentes para permitir que a diversidade de vida exista e tenha o necessário para sobreviver.

Estes e muitos outros fatores necessitam estar presentes ao mesmo tempo, num mesmo lugar na galáxia para acharmos algum outro planeta, completo como é o planeta Terra. Tais fatores são indispensáveis para que vida complexa exista e tecnologia possa ser desenvolvida.

Cientistas têm trabalhado em equações em que estes fatores precisam estar presentes simultaneamente. Mesmo assumindo que apenas um décimo de cada um destes fatores estivesse presente simultaneamente, a probabilidade encontrada foi tão pequena (10^{-15}, ou seja, uma em um quatrilhão!), que, mesmo numa galáxia como a nossa, com cerca de duas centenas de bilhões de estrelas, a probabilidade de achar outro planeta como a Terra é praticamente zero.

O que estas probabilidades estão nos dizendo, contrário à posição naturalista, que propõe que vida seria encontrada com certa facilidade na nossa galáxia, é que seria altamente improvável encontrarmos algum outro planeta, em algum lugar da nossa galáxia, que tenha os elementos necessários para que possa existir vida.

Este número enorme de variáveis perfeitamente ajustadas e balanceadas, que dão ao nosso planeta uma característica única, é evidência muito forte de planejamento, de um *design* inteligente. O planeta Terra possui todas as características de ter sido criado com um propósito específico: sustentar vida complexa.

Num Lugar Privilegiado

Começamos este capítulo falando do que vemos no céu. E queremos terminá-lo falando do porquê podemos estudar o que vemos.

Uma pessoa, quando vai a um estádio de futebol, dependendo do lugar onde ela resolver se sentar, terá uma visão "parcial", ou uma visão geral do jogo. Por exemplo, alguém que se assentar logo atrás de um dos gols, terá uma visão completamente diferente de uma outra pessoa que se assentar à região central do campo, num dos locais mais altos. A segunda teria uma vista panorâmica, enquanto a primeira, uma vista restrita.

A Terra encontra-se orbitando uma estrela de quinta grandeza, o Sol. Esta é apenas uma das 200 bilhões de estrelas (número aproximado) existentes na nossa galáxia, a qual é apenas uma dentre bilhões de galáxias no

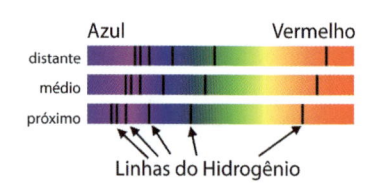

Desvio espectrográfico para o vermelho (*redshift*). As linhas características do elemento hidrogênio tendem mais para o vermelho, quanto mais distante se localizar a fonte que as emite.

universo. Será que ocupamos um lugar privilegiado? Segundo a teoria do *big bang* a resposta é não. Será que não?

Como já vimos, uma das propostas da teoria do *big bang* diz que não pode haver um local ou uma direção preferencial no universo. No entanto, a evidência diz algo diferente. Você que não é da área das ciências exatas não se sinta intimidado com as equações... Concentre-se no texto.

Já mencionamos que uma das propostas da teoria do *big bang* é a expansão do universo, devido ao chamado efeito *redshift*. Este efeito foi muito estudado por Vesto Slipher e Edwin Hubble. Em 1929, Hubble publicou os resultados da sua pesquisa (Gráfico 1).

Hubble percebeu que havia uma correlação entre o comprimento de uma onda do espectro λ, o seu deslocamento (shift) δλ e a distância *r* entre a Terra e os objetos celestes (chamados por ele de nebulosas). Esta relação foi expressa na forma:

$\frac{\delta\lambda}{\lambda} = \frac{H}{c} r$, em que **c** é a velocidade da luz (equação 1).

H ficou conhecida como a constante de Hubble.

Hubble interpretou o deslocamento das ondas como sendo um efeito *Doppler*, produzido exclusivamente pela velocidade **v** da fonte emissora de luz. Sendo que **v** seria muito menor que a velocidade da luz **c**, o deslocamento da onda seria aproximadamente:

$\frac{\delta\lambda}{\lambda} = \frac{v}{c}$, ou $v \approx H \times r$.

Contudo, existem ainda outras explicações para o efeito *redshift*. A teoria geral da relatividade de Einstein é uma delas. Nela, os comprimentos das ondas de luz se expandiriam juntamente com a expansão do meio pelo qual elas se movem.

Atualmente muitos cosmólogos acreditam que a correlação encontrada por Hubble e os dados atuais (Gráfico 2) representam a expansão das ondas de luz e não um efeito *Doppler*.[44]

Astrônomos expressam geralmente a quantidade de desvio da luz para o vermelho (*redshift*) através do número **z**:

$z \equiv \frac{\delta\lambda}{\lambda}$ (equação 2)

Durante a década de 70, William Tifft observou que os valores de **z** agrupavam-se em intervalos de 0,00024 (0,024%). O valor destes intervalos

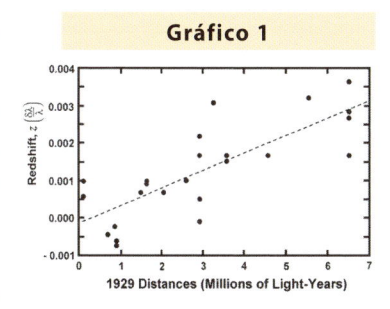

Gráfico 1

Gráfico apresentado por Edwin Hubble em 1929, mostrando a relação entre as distâncias das galáxias e o desvio espectrográfico para o vermelho (*redshift*).

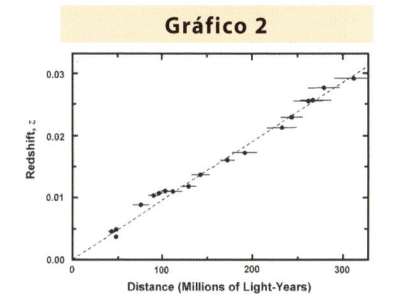

Gráfico 2

Gráfico atual mostrando a relação entre a distância das galáxias e o seus desvios espectrográficos para o vermelho (*redshift*).

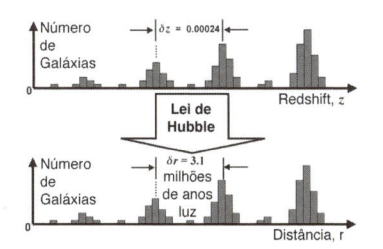

Distribuição do número de galáxias em função do *redshift* e da distância da Terra.

---

44 E.R. Harrison, *Cosmology: the Science of the Universe*, Cambridge University Press, Cambridge, UK, 1981, p. 245.

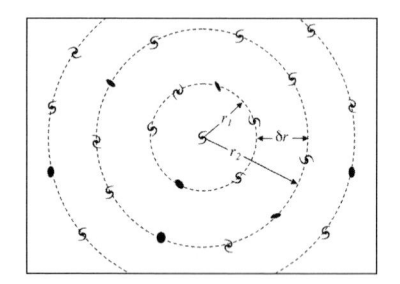

Distribuição do número de galáxias em função do redshift e da distância da Terra, em forma de círculos concêntricos.

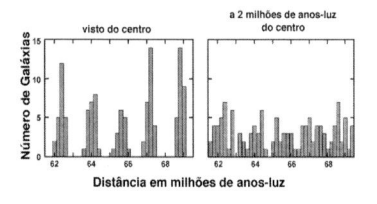

Modelo estatístico mostrando como os agrupamentos seriam percebidos de pontos de observação diferentes.

δz correspondem a uma velocidade δv de aproximadamente 72km/s.[45] Em 1997, William Napier e Bruce Guthrie confirmaram as observações feitas por Tifft, afirmando que "...a distribuição do desvio para o vermelho [*redshift*] tem sido encontrada de maneira fortemente quantizada num plano de referência galactocêntrico."[46]

Por *plano de referência galactocêntrico*, Napier e Guthrie estavam aludindo a um plano de referência perfeitamente parado com respeito ao centro da nossa galáxia.

O que tudo isso significa? (Ver Apêndice G)

Segundo o Dr. Russel Humphreys, os agrupamentos encontrados podem ser interpretados como distâncias, o que implica que as galáxias se encontrariam agrupadas concentricamente ao nosso redor e que tal estrutura não poderia ter ocorrido por acidente.

Usando as equações 1 e 2, e resolvendo para **r** em termos incrementais, teremos:

$$\delta r = \frac{c}{H} \delta z.$$

Esta equação demonstra que os círculos possuem raios com incrementos δr e são concêntricos. A implicação é que, tendo o universo um centro, somente alguém muito próximo dele o perceberia.

Tomando-se os valores conhecidos, $\delta r = 1,6$ milhão de anos-luz em função do raio do universo, a probabilidade de estarmos tão próximos do centro do universo por mero acidente cósmico é de menos que uma em um trilhão!

Num universo gigantesco, extremamente bem estruturado, de beleza e engenhosidade inigualáveis, um pequeno planeta chamado Terra, com características perfeitas e variáveis perfeitamente balanceadas, sustenta vida inteligente que estuda e pesquisa toda essa maravilha cósmica.

Tudo fruto de um mero acidente cósmico *(big bang)* ou de uma criação proposital? A resposta é óbvia!

---

45 W.G. Tifft, *Discrete states of redshift and galaxy dynamics. I. Internal motion in single galaxies*, Astrophysical Journal 206, 1976, p. 8-56.
46 W.M. Napier e B.N.G. Guthrie, *Quantized redshifts: a status report*, Journal of Astrophysics and Astronomy 18(4):455-463, 1997.

Fotos: (1) Bill Walsh (www.clearlyseen.org)   (2) Divulgação

Iguana

CAPÍTULO 4

A Origem da Vida:

Biologia e Genética

"Basta contemplar a magnitude dessa tarefa para admitir
que a geração espontânea de um organismo vivo é impossível."
Dr. George Wald

"Quanto mais aumenta o nosso conhecimento,
mais evidente fica a nossa ignorância"
Pres. John F. Kennedy

O Que se Sabe Sobre a Origem da Vida?

Qual é a origem da vida? Como substâncias inorgânicas (sem vida) passaram a produzir vida? O que teria produzido os mecanismos que permitiram a reprodução das primeiras formas de vida?

Com estas perguntas começou o programa NOVA de 3 de maio de 2004, entrevistando o Dr. Andrew Knoll, evolucionista conhecido mundialmente, paleontólogo e professor de biologia da Universidade de Harvard. Ele é o autor do livro *"Life on a Young Planet: The First Three Billion Years of Life"* (Vida em um Planeta Jovem: Os Primeiros Três Bilhões de Anos da Vida). Dr. Knoll é considerado uma das pessoas que mais têm estudado o assunto da origem da vida de forma exaustiva.

Você, sem dúvida, ficaria surpreso se a resposta do Dr. Knoll às perguntas acima fosse: "A resposta é que nós não sabemos realmente como vida se originou neste planeta".[1] Pois esta foi exatamente a resposta que ele deu.

Então, talvez você comece a se perguntar: Mas afinal de contas, a geração espontânea ainda não foi provada? Não existem evidências que demonstram como a vida teria surgido e evoluído desde formas simples até as complexas? A seleção natural não é o mecanismo que comprova a evolução? Os fósseis não são evidências de que a vida teria evoluído durante bilhões de anos, chegando até hoje?

Para surpresa de muitos, ao concluir a entrevista, o Dr. Knoll fez ainda três afirmações muito importantes que resumem de forma simples o conhecimento naturalista atual sobre a origem da vida: "Nós não sabemos como começou a vida neste planeta. Não sabemos exatamente quando ela começou, não sabemos sob quais circunstâncias".

NOVA então pergunta ao Dr. Knoll: "Será que um dia resolveremos o problema?" Mais uma vez o Dr. Knoll responde: "Eu não sei. Imagino que os meus netos estarão ainda sentados dizendo que isso [a origem da vida] é um grande mistério".

Esta é a situação atual do conhecimento científico naturalista sobre a origem da vida, embora o ensino da geração espontânea da vida seja apresentado por muitos como sendo um fato comprovado e substanciado por inúmeras evidências, fazendo parte de uma teoria científica acima de toda e qualquer refutação. Daí o porquê de um estudo comparativo entre as propostas da teoria naturalista e a teoria criacionista, tomando-se como base as leis e as evidências que dizem apoiá-las e aplicando-se o mesmo padrão de questionamento.

---

1 A transcrição deste programa pode ser encontrada no seguinte endereço: www.pbs.org/wgbh/nova/origins/knoll.html

Evolução e a Origem da Vida

Como já foi mencionado na introdução, a teoria da evolução, baseada na cosmovisão naturalista, sugere que a vida tenha surgido espontaneamente, por meio de processos naturais, e que todas as formas de vida encontradas hoje tiveram sua origem numa forma primitiva, ou seja, todas as formas de vida compartilham de um ancestral comum.

A teoria evolucionista foi formulada *a priori*, ou seja, sem o conhecimento da realidade. Ainda hoje a teoria naturalista continua à procura das evidências necessárias para provar as suas teses. Portanto, antes de tratarmos da teoria da criação, discutiremos brevemente alguns desafios que a teoria da evolução enfrenta.

Neste capítulo trataremos apenas dos desafios da evolução nas áreas de biologia e genética. No capítulo cinco trataremos dos desafios na paleontologia, e no capítulo seis, dos relacionados com a cronologia. Um desafio inicial da teoria naturalista é demonstrar a validade do conceito conhecido por *abiogênese*. A abiogênese não é uma lei científica, mas sim uma proposição de que a vida teria surgido de forma natural e espontânea, a partir de matéria inorgânica, e sem nenhum aspecto de intencionalidade.

A importância desse desafio encontra-se na oposição de uma lei científica. Louis Pasteur, conhecido cientista francês do século XIX, demonstrou que microorganismos não se formam através da geração espontânea a partir de substâncias orgânicas. Pasteur formulou um fato fundamental que diferencia o mundo orgânico do mundo mineral inorgânico. Este fato, colocado em termos atuais, diz que moléculas assimétricas (orgânicas) são sempre o resultado de forças da vida. Este trabalho de Pasteur foi a base para a formulação da lei hoje conhecida na biologia como a *Lei da Biogênese*. Esta lei afirma que vida gera vida.

Como explicar que "não-vida" teria produzido vida? Em 1924, Aleksandr Ivanovich Oparin, um bioquímico russo, publicou um trabalho sobre a abiogênese, procurando demonstrar teoricamente a possibilidade da geração espontânea da vida por meio de substâncias químicas inorgânicas.[2] Ele acreditava que as condições da Terra primitiva eram diferentes das condições atuais, sugerindo que os oceanos primitivos seriam um "caldo primordial" contendo muitos compostos orgânicos, que se originaram quando a luz solar (uma fonte de energia) teria interagido com elementos químicos na água. Estes compostos orgânicos teriam formado a base para a vida. Eles então

Louis Pasteur
(1822-1895)

Lei Primordial da Biologia
(Lei da Biogênese)
Vita ex vita
Vida gera vida.

---

[2] Este trabalho, originalmente em russo, foi traduzido e então publicado na língua inglesa em 1936, com o título *The Origin of Life on Earth (A Origem da Vida na Terra)*.

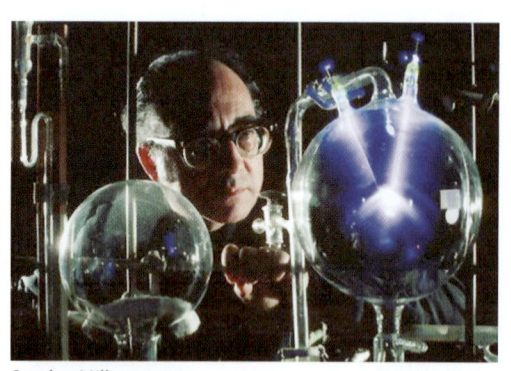

Stanley Miller com o seu experimento do modelo pré-biótico

NH₃ CH₄ H₂O H₂

Aparato utilizado por Stanley Miller

H₂O

teriam se combinado, tornando-se cada vez mais complexos até que as células vivas se formassem.

Em 1953, um químico e biólogo americano chamado Stanley Miller teve o resultado das suas pesquisas publicadas com o título *"Produção de Aminoácidos sob Condições Possíveis de uma Terra com Características Simples"*.[3] Nascia aqui o chamado modelo pré-biótico.

Miller, baseado nas propostas de Oparin e nos trabalhos do seu orientador Harold Urey, simulou, através de um experimento, uma suposta atmosfera primitiva contendo metano (CH_4), amônia (NH_3), hidrogênio molecular (H_2) e vapor d'água (H_2O). No aparato ilustrado ao lado, após uma descarga elétrica ter atuado por vários dias sobre a mistura dos gases correspondentes aos existentes na suposta atmosfera primitiva, formou-se uma mistura de coloração escura, na qual ele conseguiu comprovar a existência de alguns aminoácidos entre outras substâncias.

A análise feita por Miller mostrou a predominância dos ácidos monocarboxílicos (ácido fórmico - HCO_2H, ácido propiônico - $CH_3CH_2CO_2H$, ácido acético - CH_3CO_2H, e outros).

Até o presente momento, ainda não se sabe por que o número de aminoácidos nas células está limitado a 20, os quais são conhecidos como aminoácidos *proteinogênicos*. De todos os experimentos realizados por Miller, apenas 13 dos aminoácidos proteinogênicos que são encontrados nos seres vivos (glicina, alanina, ácido glutâmico, asparagina e outros) foram formados, embora muitos outros aminoácidos que não aparecem nos seres vivos também tenham sido formados. É importante notar que, nas experiências usando a técnica de Miller, não foram formados aminoácidos proteinogênicos das bases (arginina, lisina e histidina), os quais são necessários para a formação do RNA e do DNA.

Miller desenvolveu a sua pesquisa a partir de um resultado esperado (aminoácidos). Ele utilizou o gás metano (CH_4) como fonte de carbono, ao invés do dióxido de carbono (CO_2). A razão é que o CO_2 possui uma ligação resistente (ligação oxidada), que para reagir necessita de uma grande quantidade de energia, o que também não permitiria que houvesse carbono disponível para a construção das moléculas complexas necessárias para o aparecimento da vida.

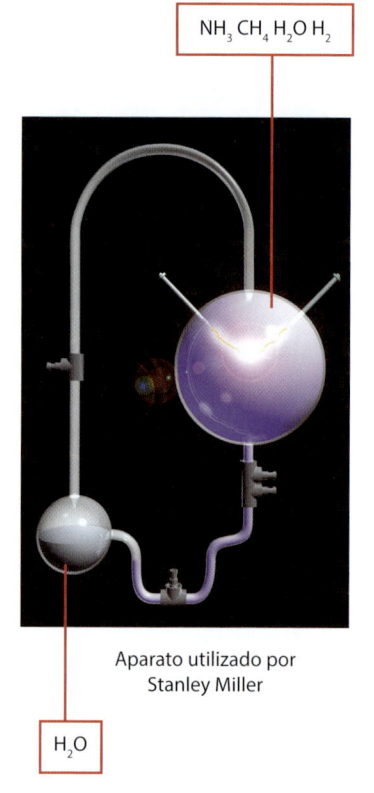

---

3 Stanley L. Miller, *A Production of Amino Acids under Possible Primitive Earth Conditions*, Science 117, 1953, 528-29. Outra publicação dois anos mais tarde, *Production of Some Organic Compounds under Possible Primitive Earth Conditions*, Journal of the American Chemical Society 77, 1955, 2351-61.

Miller, seguindo a linha de pensamento proposta por Oparin, não incluiu oxigênio (O_2) como elemento pertencente a suposta atmosfera primitiva. Por uma razão muito importante, o próximo passo seria demonstrar o aparecimento das proteínas.

As proteínas são longas cadeias de aminoácidos conhecidas como *polipeptídios*. Elas atuam no metabolismo das células. Essas cadeias são formadas através do processo de condensação. Segundo a interpretação da experiência de Miller, a formação de aminoácidos seria evidência do surgimento espontâneo da vida, pois as longas cadeias de aminoácidos (polipeptídios), que dariam origem às proteínas e subsequentemente ao RNA e DNA, precisariam apenas de tempo e acaso.

Contudo, dois problemas cruciais estão relacionados com esta interpretação, assumindo que longas cadeias de aminoácidos surgiriam espontaneamente. O primeiro se refere ao equilíbrio químico da reação na formação de peptídios (agrupamento de aminoácidos). As reações químicas possuem uma direção preferencial, ou seja, uma tendência natural para que elas ocorram. Uma direção seria a de dois aminoácidos se recombinando, produzindo assim um dipeptídio. Esta reação química é conhecida como *reação de condensação*, a qual poderia ser uma explicação de como as proteínas teriam surgido. A outra direção possível desta reação seria a do dipeptídio se desfazendo em dois aminoácidos através da reação conhecida por *hidrólise*. Esta seria contrária à proposta do aparecimento espontâneo das proteínas.

A direção preferencial (natural) da reação química envolvendo os peptídios é o segundo problema. Peptídios espontaneamente se desfazem em aminoácidos, e não o contrário (a combinação de aminoácidos formando peptídios), como tem sido proposto pela teoria naturalista.[4]

Também é importante salientar que desde Miller até hoje muitos outros experimentos já foram realizados tentando demonstrar que a proposta naturalista possui uma base científica empírica.

O resultado de todo este esforço mostra algo contrário ao que se pensa. Klaus Dose, falando a respeito da conclusão da 7ª Conferência Internacional Sobre a Origem da Vida, em Mainz, na Alemanha, em julho de 1983, diz: "Uma questão ainda continua, a saber, a origem da informação biológica, isto é, a informação que existe nos nossos genes hoje... A formação espontânea de nucleotídeos simples ou mesmo polinucleotídeos que deveria acontecer numa terra pré-biótica, precisa agora ser considerada como uma situação

---

Klaus Dose, presidente do Instituto de Bioquímica da Universidade de Johannes Gutenberg:

"Mais de 30 anos de experimentos sobre a origem da vida nos campos da evolução química e molecular têm levado a uma percepção melhor da imensidão do problema da origem da vida na Terra, ao invés de levar a uma solução. Até o presente, todas as discussões sobre as principais teorias e experiências neste campo ou terminam num impasse ou numa confissão de ignorância."

Klaus Dose, *"The Origin of Life: More Questions Than Answers"*, Interdisciplinary Science Reviews, Vol. 13, nº 4, 1988, p. 348.

---

4 Para uma descrição completa sobre a questão da formação das cadeias de aminoácidos, ver o livro *Evolução - um Livro Texto Crítico*, de Reinhard Junger e Siegfried Scherer, parte IV, capítulo 8, publicado pela Sociedade Criacionista Brasileira, onde as propostas da evolução química são discutidas detalhadamente.

improvável, à luz dos muitos experimentos sem nenhum sucesso... Pela primeira vez um grande número de cientistas determinou, de maneira inequívoca, o seguinte: Não possuem nenhum embasamento empírico as teses evolucionistas que afirmam que os sistemas vivos desenvolveram-se a partir de polinucleotídeos, que se originaram espontaneamente."[5]

O segundo problema diz respeito à impossibilidade de formação de proteínas em uma situação específica. Aminoácidos na presença de oxigênio (O_2) não se recombinam para a formação de proteínas. Sem proteínas não seria possível a formação de moléculas complexas necessárias à vida, como o RNA e o DNA.

Usando a própria escala da datação evolucionista, concluiu-se que a biosfera primitiva já possuía oxigênio há mais de 300 milhões de anos antes de os primeiros fósseis de bactéria serem formados. Óxido de ferro foi encontrado em camadas horizontais contínuas com mais de centenas de quilômetros.[6] Oxigênio impede a formação de proteínas.

Dr. Abelson, descobridor do elemento transurânico Neptúnio, pergunta: "Qual a evidência de uma atmosfera primitiva contendo metano e amônia? A resposta é que não há nenhuma evidência a favor, mas existem muitas contra".[7] Paul Davies, conhecido físico, cosmólogo, astrobiólogo e agnóstico, acredita que os cientistas de hoje não estão mais perto de resolver a questão da origem da vida, do que os cientistas da década de 1950.[8]

Portanto, enquanto não houver um meio de provar que o conceito da abiogênese pode ser demonstrado através de experiências científicas, a teoria naturalista da evolução continuará sem uma base científica para explicar uma possível origem espontânea da vida.

Geralmente esses pontos e suas implicações não são abordados na literatura evolucionista. Admite-se que a vida apareceu de forma espontânea. No entanto, empiricamente, não há evidências.

Darwin e a Evolução

Durante todo o século XX, a teoria Darwiniana foi, de forma geral, a

Charles Darwin

---

5   Klaus Dose, Die Ursprunge des Lebens, Tagungsberich über den ISSOL - Kongreß in Mainz, 1983; Nach. Chem. Techn. Lab. 31, 1983, Nº 12, p. 968-969.
6   Philip Morrison, *Earth's Earliest Biosphere*, Scientific American, Vol. 250, abril de 1984, p. 30-31. Ver também Charles F. Davidson, *Geochemical Aspects of Atmospheric Evolution, Proceedings of the National Academy of Sciences*, Vol. 53, 15 de junho de 1965, p. 1194-1205.
7   Philip H. Abelson, *Chemical Events on the Primitive Earth*, Proceedings of the National Academy of Sciences, Vol. 55, junho de 1966, p. 1365.
8   Paul Davies, *The Fifth Miracle: The Search for the Origin and Meaning of Life*, New York, Simon & Schuster, 1999, p. 17.

única teoria ensinada como capaz de explicar o aparecimento das muitas formas de vida conhecidas no nosso planeta.

No ano de 1859, Charles Darwin publicou um livro intitulado *A Origem das Espécies*. Nele, Darwin não tratou da origem da vida, mas procurou fornecer uma base científica para a teoria naturalista que explicasse a evolução da vida. Nascia, com esta publicação, o que ficaria conhecido como a teoria da evolução pela seleção natural; uma proposta para explicar a complexidade da diversidade dos seres vivos por meio de processos adaptativos. De uma forma resumida, a teoria da evolução das espécies procura dizer o que ocorreu, e Darwin, com a seleção natural, procura explicar o modo como isto teria ocorrido (o mecanismo principal).

Darwin reuniu uma série de fatos conhecidos da sua época para a fundamentação da teoria da seleção natural. Isto foi feito através da interpretação de evidências e argumentos derivados de quatro áreas de estudo: biogeografia, paleontologia, embriologia e morfologia.[9]

Tanto a lógica quanto o raciocínio de Darwin estavam baseados no conhecimento científico limitado da época. Para ele as células, por exemplo, não passavam de um protoplasma não diferenciado, contrário ao conhecimento atual das estruturas de complexidade irredutível de uma célula. Tais estruturas necessitam da cooperação simultânea de milhões de nucleotídeos precisamente sequenciados e ajustados para funcionar, formando um sistema de pequenas máquinas moleculares dotadas de múltiplas partes funcionalmente integradas e precisamente coordenadas.

Estas limitações do conhecimento de Darwin, quanto à complexidade da vida, aparecem nas muitas explicações que ele ofereceu, principalmente na evolução dos órgãos. Ao explicar, por exemplo, a evolução do olho humano, Darwin não fazia a menor idéia da existência dos mais de 400.000 fotosensores por milímetro quadrado existentes na retina. Complexidade esta que nenhum mecanismo evolutivo atual consegue explicar como teria surgido. Portanto, outro grande desafio para o *darwinismo* tem sido demonstrar os mecanismos pelos quais as formas de vida evoluem ou evoluíram e a evidência da atuação destes mecanismos.

A proposta de processos naturais produzindo a enorme complexidade e diversidade encontradas nas formas de vida, tendo estas evoluído de um ancestral comum, ainda necessita ser comprovada (exemplo disso é o caso de mutações aleatórias e desprovidas de qualquer propósito ou objetivo como as que ocorrem nas abóboras). Vejamos.

Comecemos pela proposta de Darwin relacionada aos estudos da em-

Abóbora

Normal

Mutante

---

9   David Quammen, *Darwin Estava Errado?*, National Geographic Brasil, Ano 5, Nº 55, novembro de 2004, p. 44-45.

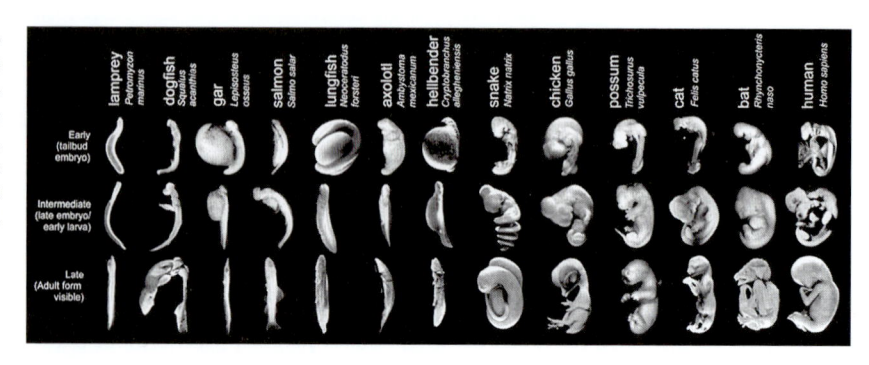

Trabalho da equipe do Dr. Richardson e seus colaboradores, publicado em 1998 na revista Science 280, p. 983-986, sobre o desenvolvimento embrionário, anulando as teses de Ernst Haeckel.

"A ontogênese seria a recapitulação curta e rápida da filogênese."

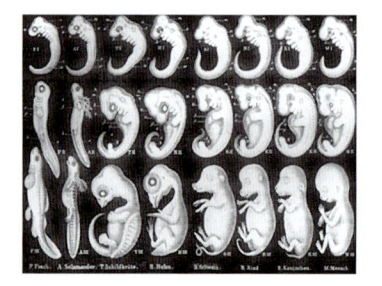

Desenhos feitos por Ernst Haeckel, representando embriões de vertebrados.

briologia, morfologia e genealogia das espécies (filogenia).

Para Darwin, os embriões das várias e diferentes espécies apresentavam padrões inexplicáveis de similaridades. Segundo ele, o embrião de um mamífero passa por etapas muito similares às do embrião de um réptil. Por meio destas observações, Darwin concluiu que "o embrião é o animal em seu estado menos diferenciado... revelando a estrutura do seu progenitor".[10]

Ernst Haeckel, naturalista e filósofo alemão, criou a base para a rápida aceitação da teoria darwiniana, no final do século XIX, através da sua conhecida sequência de imagens mostrando um suposto desenvolvimento de várias formas de vida num período embrionário. Haeckel procurou provar o que ficou conhecido como *Teses Ontogênicas*.

Tanto para Darwin quanto para Haeckel, a sequência do desenvolvimento de um embrião (ontogênese) era a repetição da "história evolucionista" daquela espécie (filogênese), em outras palavras, a ontogênese seria a recapitulação da filogênese.[11]

No entanto, já foi demonstrado por um grande número de pesquisadores que a suposta prova era um grande equívoco.[12] O trabalho do Dr. Richardson e seus colaboradores, que aparece no topo desta página, ilustra este ponto (compare com as ilustrações de Haeckel na lateral).

O próprio Haeckel escreveu no jornal "Berliner Volkszeitung" de 29 de dezembro de 1908: "... quero começar confessando com arrependimento que uma pequena parte de minhas numerosas fotografias de embriões é realmente falsificada — refiro-me a todas aquelas nas quais o material de

---

10 Ibid., p. 48.
11 Charles Darwin, carta a Asa Gray, 10 de setembro de 1860, em Francis Darwin (editor), *The Life and Letters of Charles Darwin*, Vol. II, New York, D. Appleton and Co., 1986, p. 131.
12 M. K. Richardson et al., *There is no highly conserved embryonic stage in the vertebrates: implications for current theories of evolution and development*, Anatomy & Embryology, Vol. 196, 1997, p. 91-106. Ver também J. Wells, *Haeckel's Embryos and Evolution: Setting the Record Straight*, The American Biology Teacher 61, maio de 1999, p. 345-349, Elizabeth Pennisi, *Haeckel's Embryos: Fraud Rediscovered*, Science, 277, 5 de setembro de 1997, p. 1435, e ainda S. J. Gould, *Abscheulich! (Atrocious!)*, Natural History, março de 2000, p. 42-49.

observação existente é tão incompleto ou insuficiente que, na produção de uma cadeia de desenvolvimento coerente, somos obrigados a preencher as lacunas por meio de hipóteses".[13]

A comunidade científica da época de Haeckel tinha como base a proposta dele de uma suposta semelhança dos embriões nos seus estágios menos desenvolvidos, e esses tanto de formas de vida terrestres como de formas de vida aquática. Em consequência disso, eles diziam ter encontrado as evidências necessárias para provar a evolução da vida através da tradicional sequência: vida marinha primitiva, peixes, anfíbios, répteis, aves e mamíferos.

Os estudos de embriões em estágios menos desenvolvidos e os estudos comparativos de DNA e RNA entre as formas de vida da sequência tradicional, apresentada pela teoria da evolução, mostram que estas formas de vida não possuem nenhuma indicação de transição genética, formando grupos isolados. Portanto, a árvore genealógica das espécies proposta por Charles Darwin, A. R. Wallace, Ernst Haeckel e outros continua sem as evidências necessárias para uma das suas partes mais importantes: a raiz!

Dr. Hubert P. Yockey, disse o seguinte: "A pesquisa sobre a origem da vida parece ser única no sentido de que a conclusão tem sido aceita de forma autoritária... O que falta é encontrar os cenários que descrevam de forma detalhada os mecanismos e processos pelos quais a vida teria acontecido. Uma pessoa pode concluir que, ao contrário do conhecimento estabelecido e atual que descreve a origem da vida na terra através do acaso e de causas naturais baseadas em fato e não na fé, ainda não foram dadas descrições detalhadas".[14]

Evolução e a Origem da Biodiversidade

Ao observarmos a biodiversidade, nos deparamos com o problema inicial da classificação e organização das formas de vida. Como classificá-las e organizá-las de forma coerente e consistente? Quando se fala da evolução das espécies, qual é exatamente o significado de "espécie"?

Embora haja um grande esforço para estabelecer um conceito de espécie que seja adequado a todos os organismos e que tenha aceitação geral, tal propósito ainda não foi atingido. A proposta de classificação mais conhecida vem de uma das áreas da biologia chamada taxonomia.

Termos como "espécie morfológica" (relacionada com a forma dos organismos), "espécie genética" (relacionada com os cruzamentos biológicos)

Cravo Ribeirinho

Geum rivale

Cravo Urbano

Geum urbanum

---

13 Reinhard Junger e Siegfried Scherer, *Evolução - um Livro Texto Crítico*, Sociedade Criacionista Brasileira, Brasília, 2002, p. 179.
14 H. P. Yockey, *A calculation of the probability of spontaneous biogenesis by information theory*, Journal of Theoretical Biology, 67:377–398, 1977; citações das páginas 379, 396.

e "tipo básico" (relacionado com as características morfológicas e genéticas) procuram dar um sentido mais específico à classificação e organização das muitas formas de vida.[15]

Apesar das definições e dos métodos de classificação, existem ainda muitos exemplos da limitação tanto destas definições quanto destes métodos, como nos mostram os exemplos a seguir.

No reino vegetal, temos o cravo ribeirinho (*Geum rivale*) e o cravo urbano (*Geum urbanum*) que são considerados como duas espécies genéticas, mas uma espécie morfológica (ilustração da página anterior). No reino animal, temos o pica-pau verde (*Picus viridis*) e o pica-pau cinza (*Picus canus*) que são considerados como duas espécies morfológicas, mas uma mesma espécie genética (ilustração ao lado).

Estes exemplos demonstram as dificuldades encontradas, até mesmo nos níveis mais elementares, para se obter um sistema de classificação coerente e consistente das formas de vida. Isto tem uma implicação profunda na proposta da teoria darwiniana, pois, antes de afirmar que uma espécie "x" evoluiu de uma espécie "y", é necessário provar que tanto a espécie "x" quanto a espécie "y" não são apenas *variações* de um mesmo tipo básico.

É preciso, portanto, esclarecer a diferença entre evoluir e diversificar (variações). Esta diferença aparece em dois conceitos que são utilizados para definir as divergências:

> *Microevolução*: recombinação do material genético existente
>
> *Macroevolução*: aprimoramento do material genético existente

Exemplos de microevolução seriam as variações da cor da pele, ou da cor dos olhos, ou ainda do tamanho de uma folha, ou da cor de uma pétala. Microevolução, portanto, seria apenas a recombinação do material genético que sempre esteve presente, no sentido de características e organizações *já existentes*.

Macroevolução seria a soma de todas as variações que supostamente transformaram, por exemplo, mamíferos terrestres (antílopes) em mamíferos aquáticos (baleias).[16] Seria o surgimento de material genético *quali-*

Picus viridis

Picus canus

O termo MICROEVOLUÇÃO será utilizado neste livro, não como um suposto mecanismo evolutivo, mas como um termo conhecido que descreve variação do material genético já existente.

---

15 Para uma descrição detalhada sobre o conceito de espécie, tipo básico e outras alternativas de classificação da biodiversidade, ver o livro *Evolução - um Livro Texto Crítico*, de Reinhard Junger e Siegfried Scherer, parte II, capítulo 3, publicado pela Sociedade Criacionista Brasileira.

16 David Quammen, *Darwin Estava Errado?*, National Geographic Brasil, Ano 5, Nº 55, novembro de 2004, p. 66-67. Este exemplo específico é dado como prova de evolução. A refutação do exemplo aparece no Capítulo 5 deste livro.

MACROEVOLUÇÃO

tativamente novo (aprimoramento genético ou anagênese).

Ainda, microevolução muitas vezes é descrita como *evolução infra-específica* (dentro da mesma espécie), ao passo que macroevolução é descrita como *evolução transespecífica* (além do limite da espécie).

Na teoria da evolução, quando se trata de alteração do material genético, a unidade evolutiva não é o indivíduo, mas sim a população. Em outras palavras, evolução ocorre no grupo de indivíduos conhecido pelo termo *pool gênico*. A esta proposta evolutiva foi dado o nome de Teoria Sintética da Evolução (por sintetizar vários processos evolutivos numa única proposta).

Segundo ela, um grupo de indivíduos possuiria a representação de todo o material genético, ou seja, tanto dos genes quanto das diversas formas de um mesmo gene (*alelos*). À medida que *mutações* atuassem no *pool gênico*, este seria enriquecido. Através das *recombinações*, ocorreriam novas configurações dentro da população. Finalmente, por meio da *seleção*, alguns *alelos* diminuiriam enquanto que outros aumentariam.

Esses fatores, *mutação*, *recombinação* e *seleção* são os utilizados como explicações para as possíveis variações encontradas nos organismos. É importante notar que este processo de variações nos organismos é possível, mas está longe de provar a divisão de uma espécie em duas ou mais espécies (desmembramento).[17]

A este desdobramento de uma espécie em duas ou mais deu-se o nome de *especiação*. Nele se pressupõe o processo de separação (separação geográfica das populações), e o processo de isolamento (isolamento genético ou a inexistência de acasalamento fértil).

Voltemos agora para os resultados práticos que poderiam determinar a validade da proposta evolucionista quanto à origem e as causas da biodiversidade do nosso planeta. Dentro da limitação do significado do termo espécie, a **especiação** é um processo comprovado empiricamente e bem documentado através da história. Os portugueses, por exemplo, levaram coelhos domésticos para a ilha de Porto Santo, na costa oeste do continente

Família dos Felídeos

Ilha de Porto Santo
(Arquipélago Madeira)

---

17   Existem casos raros de seleção disruptiva e o caso especial da especiação da duplicação ou mesmo multiplicação do chamado patrimônio genético (poliploidia). Embora estes casos raros existam, os mesmos não são considerados como processos naturais.

Especiação

Múltiplas divisões consecutivas de uma espécie

⬇

Empobrecimento genético

⬇

Redução da variabilidade

⬇

Menor flexibilidade, no caso de variações ambientais

⬇

Maior risco de extinção

---

africano, no século XV. Um grupo de coelhos selvagens surgiu dos coelhos domésticos. Elementos deste grupo de coelhos selvagens não produzem acasalamentos férteis com coelhos domésticos, dos quais descendem. Os que se tornaram selvagens, são considerados uma nova espécie biológica. Este processo está relacionado com o isolamento genético.

Podemos considerar isso como uma indicação do início de um processo macroevolutivo (aprimoramento genético)? Quais seriam as possíveis consequências observáveis e avaliadas de um desdobramento (muitas vezes conhecido como desmembramento) de espécies? Em resumo, o que acontece no processo de especiação?

Quando uma nova "espécie" surge, o *pool gênico* empobrece. Este empobrecimento continua ocorrendo dentro de cada nova espécie ou "raça" que surge. No início, haveria múltiplas divisões de uma mesma espécie, causando um empobrecimento do *pool gênico*, o que diretamente levaria a uma diminuição da variabilidade. Em outras palavras: quanto maior o grau de adaptação, menor o número de variações; e quanto menor o grau de adaptação, maior o número de variações.

Podemos ver que o processo de microevolução é científico e observável. Existe uma variação do material genético. No entanto, esta variação segue o rumo do empobrecimento genético da população. Este resultado observado é contrário ao descrito pela teoria da evolução proposta por Darwin, pois quanto menor for a possibilidade de adaptação, maior será o risco de extinção. Colocando de uma forma bem simples, a tendência natural da especiação é a extinção.

Por outro lado, vemos que o processo de macroevolução não é científico e não pode ser considerado o resultado de várias microevoluções, sendo que através da especiação existe um empobrecimento do material genético e não um aprimoramento (ou surgimento de um novo material genético). Portanto, a especiação, via tais processos, não pode ser considerada como prova evolutiva da diversidade biológica e da complexidade existente na diversidade.

Observamos que a especiação, através da microevolução, oferece um esclarecimento do mecanismo para uma adaptação limitada e observável nos seres vivos. Por *adaptação limitada* entende-se a carga genética já existente para que uma variação adaptativa aconteça. Dentro do conhecimento atual, se não houver material genético preexistente, tal variação não ocorrerá. Portanto, qual ou quais processos poderiam induzir uma variação que fosse além da adaptação limitada prescrita pelo código genético?

A **mutação** tem sido apresentada como uma prova da macroevolução, por ser ela a principal causa de aparecimento de material genético diferenciado do original.[18]

---

18 Theodosius Dobzhansky, *On Methods of Evolutionary Biology and Antropology,* American Scientist, Winter, dezembro de 1957, p. 385.

Por não serem permanentes no *pool gênico* de uma espécie, as mutações deletérias não são utilizadas pela evolução como evidência em favor da teoria, sendo assim eliminadas pela própria seleção natural.

Segundo o conhecimento empírico sobre mutações que ocorrem espontaneamente na natureza, as mesmas aparecem apenas dentro do processo de microevolução (dentro de uma estrutura já existente). Há vários exemplos que, erroneamente, procuram atribuir às mutações a causa de uma macroevolução. Vejamos alguns.

Por anos tem sido ensinado que α-hemoglobina A mudou, através de várias mutações, em β-hemoglobina A. Para isto, segundo os cientistas, seriam necessárias 120 mutações pontuais. Dr. George Wald, falando sobre a sua pesquisa disse: "... Não foi preciso um grande esforço da minha parte para descobrir que a mudança conhecida de um único aminoácido, na mutação da hemoglobina, não afetasse seriamente a função daquela hemoglobina".[19]

Outro exemplo que procura usar a mutação como evidência do "salto evolutivo" é a suposta evolução dos tubarões. Devido a algumas similaridades, as lampreias são consideradas a forma de vida da qual os tubarões teriam evoluído. A idéia desta suposta evolução vem principalmente da grande quantidade de dentes que estes dois animais possuem. As lampreias têm uma boca afunilada com dentes pontiagudos alinhados em círculos concêntricos (ver figura ao lado). Sua língua também é coberta por dentes. Os tubarões, por outro lado, possuem dentes que não estão presos nos maxilares. Sendo assim, eles trocam cerca de 1.800 dentes por ano.

A distância anatômica entre os dois organismos é muito grande, e, segundo pesquisadores evolucionistas, as mudanças para que uma transformação como essa ocorresse levariam cerca de 70 milhões de anos para serem consolidadas. Não existe uma única evidência no registro fóssil de que uma transformação tenha acontecido.[20]

Mutações chamadas positivas são apresentadas como evidências de um mecanismo macroevolutivo. Alguns exemplos são os peixes cegos (perda da visão) e insetos sem asas (perda da capacidade de voar). Estes exemplos representam a eliminação de membros ou funções do corpo destes organismos. Tais evidências não contribuem em nada para a validação da macroevolução, pois a "vantagem" adquirida por estes seres vivos se deve a uma perda e não a um ganho.

---

19 George Wald, *Mathematical Challenges to the Darwinian Interpretation of Evolution*, editores Paul S. Moorhead e Martin M. Kaplan, publicação do simpósio no Wistar Institute of Anatomy and Biology, 25 e 26 de abril de 1966, Philadelphia, The Wistar Institute Press, 1967, p. 18-19.
20 Philip Donoghue e Mark Purnell, *Genome Duplication, Extinction and Vertebrade Evolution*, Trends in Ecology and Evolution, Vol. 20, Issue 6, junho de 2005, p. 312-319.

> **Mutações**
>
> Mutações Gênicas ou Pontuais:
>
> - **Silenciosa** - tripletos diferentes codificando o mesmo aminoácido (degeneração do código genético).
> - **Neutra** - substituição de um aminoácido sem que haja uma alteração de função.
> - **De Encaixe** - são encaixados ou retirados 1,2,4, ou um outro número de base não divisível por 3. O resultado é perda de informação genética.
> - **Transição** - uma purina (A ou G) se pirimidina (C ou T) se transfere para uma outra base do mesmo tipo químico.
> - **Transversão** - uma purina se transfere para uma pirimidina de um outro espaço.
>
> Mutações Cromossômicas:
>
> - **Deleção** - perda de um segmento do DNA.
> - **Inserção** - inclusão de um segmento do DNA.
> - **Inversão** - giro de 180° no sentido do segmento do DNA.
> - **Translocação** - mudança de posição de um segmento do DNA, que é levado de uma parte do cromossomo para outra.
> - **Duplicação** - repetição de um mesmo gene ao longo do cromossomo

Dra. Lynn Margulis, do departamento de biologia da Universidade de Massachusetts, membro da National Academy of Science dos Estados Unidos, disse: "Não tenho encontrado nenhuma evidência de que essas transformações [evolucionistas] possam ocorrer através do acúmulo de mudanças graduais".[21]

Por que as mutações não podem ser a causa da macroevolução? Porque as mutações, embora alterem o código genético, não codificam novas estruturas e funções, e nem criam nova informação genética. Elas apenas selecionam, eliminam, duplicam, trocam ou recombinam informação genética que já existe.[22]

Além do mais, uma suposta evolução Darwiniana possui uma limitação que está relacionada com as mutações. Um estudo do aumento de resistência das bactérias demonstrou que de 120 possíveis trajetórias de mutações, 102 não são acessíveis à seleção natural proposta por Darwin, e a maioria restante possui uma probabilidade extremamente pequena (negligível) de acontecer.[23]

Mutações constituem uma barreira para a evolução e não uma evidência a seu favor, deixando óbvio que:

$$(\text{microevolução}) + (\text{tempo}) \neq (\text{macroevolução})$$

As duas outras idéias associadas às mutações envolvem a recombinação e a seleção sob condições naturais. A recombinação possui uma função importante nos processos microevolutivos. Basicamente ela é a mistura do material genético, o que não introduz nenhum elemento novo no código.

A seleção natural, como o próprio termo indica, implica em conservação ou eliminação, e também não cria material genético novo. Ambas apenas manipulam o material genético já existente, sendo incapazes de acrescentar algo novo no código genético.

Pequenas variações que são controladas pelo código genético já existente em função do meio (microevolução), não podem ser utilizadas como "prova" da evolução (macroevolução).[24]

Dr. Soren Lovtrup resume esta questão dizendo que "as razões para se rejeitar a proposta de Darwin são várias, mas a primeira de todas é que muitas

---

21 Citado por Charles Mann no artigo *Lynn Margulis: Science Unruly Earth Mother,* Science, Vol. 252, 19 de abril de 1991, p. 379.
22 Lee M. Spetner, *Not by Chance, Shattering the Modern Theory of Evolution,* Judaica Pr, 1998.
23 Daniel M. Weinreich, Nigel F. Delaney, Mark a. DePristo e Daniel L. Hartl, *Darwinian Evolution Can Follow Only Very Few Mutational Paths fo Fitter Proteins,* Science, Vol. 312, N° 5770, 2006, p. 111-114.
24 Robert Wesson, *Beyond Natural Selection,* MIT Press, Cambridge, MA, 1991, p. 206. Ver também Søren Løvtrup, *Darwinism: The Refutation of a Myth,* Croom Helm Ltd., Beckingham, Kent, 1987, p. 422.

inovações não poderiam chegar a existir através do acúmulo de pequenos passos, e, mesmo que pudessem, a seleção natural não faria com que isto acontecesse, porque estágios iniciais ou intermediários não são vantajosos".[25]

Portanto, a criação de novas espécies por cruzamento reprodutivo, frequentemente mencionada como evidência evolucionista, nada mais é do que a recombinação de material genético preexistente. Como exemplo de "criação de novas espécies", observe as mais de 400 variações de cães dentro do gênero *Canis familiaris*. Todas são apenas variações de um material genético já existente e conhecido.

É impossível afirmar que a evolução, através de um número elevado de mutações, é um fato provado, pois isto precisaria ser admitido como verdadeiro sem uma base científica estabelecida. Até o presente momento esta base não existe. Seria pedir que ela fosse aceita numa esperança de um dia vir a ser provada, e não numa evidência científica atual já comprovada que a validasse, através dos processos evolutivos darwinianos propostos.

Uma operação gradativa de mutações aleatórias, mais uma seleção natural, utilizando-se de mecanismos automáticos, cegos e inconscientes, não poderiam ser consideradas como as causas do aparecimento das muitas formas de vida, desde as mais básicas até às mais especializadas.

Embora os defensores da teoria darwiniana tenham dado muitas explicações, a pergunta crucial ainda não foi respondida: De onde teria vindo o material genético original? Isto a teoria da evolução ainda não demonstrou.[26]

Independentemente da probabilidade, os muitos anos de pesquisas sobre a origem da vida nos campos da evolução química, da biologia molecular e da genética têm dado uma compreensão melhor do tamanho do problema da origem da vida na Terra. Estes estudos revelaram que a complexidade da vida avaliada inicialmente era uma simplificação imensa comparada com a complexidade conhecida hoje. Tais conhecimentos têm trazido mais perguntas do que respostas à teoria evolucionista.[27]

Família dos Canídeos

> Uma vantagem seletiva só ocorre num estado de desenvolvimento completo: fases intermediárias ("incompletas") não têm nenhum valor biologicamente, sendo eliminadas pela atuação da seleção estabilizadora.

Evolução e a Informação Contida no DNA

Mencionamos até aqui os desafios menores que a teoria da evolução enfrenta na sua proposta naturalista. Trataremos agora do maior de todos: a origem da informação contida no código genético.

---

25 Ibid., p. 275.
26 James Perloff, *Tornado in a Junk Yard: The Relentless Myth of Darwininsm*, Refuge Books, 1999, p. 63-64.
27 Klaus Dose, *The Origin of Life: More Questions Than Answers*, Interdisciplinary Science Review, Vol. 13, Nº 4, 1988, p. 348.

Ameba

DNA

Ala	A	GCU, GCC, GCA, GCG	Leu	L	UUA, UUG, CUU, CUC, CUA, CUG
Arg	R	CGU, CGC, CGA, CGG, AGA, AGG	Lys	K	AAA, AAG
Asn	N	AAU, AAC	Met	M	AUG
Asp	D	GAU, GAC	Phe	F	UUU, UUC
Cys	C	UGU, UGC	Pro	P	CCU, CCC, CCA, CCG
Gln	Q	CAA, CAG	Ser	S	UCU, UCC, UCA, UCG, AGU, AGC
Glu	E	GAA, GAG	Thr	T	ACU, ACC, ACA, ACG
Gly	G	GGU, GGC, GGA, GGG	Trp	W	UGG
His	H	CAU, CAC	Tyr	Y	UAU, UAC
Ile	I	AUU, AUC, AUA	Val	V	GUU, GUC, GUA, GUG
Start		AUG	Stop		UAA, UGA, UAG

Lista dos 20 aminoácidos proteinogênicos

Primeiramente, vejamos a questão a partir do ponto de vista da estatística. Quando nos dizem que algo aconteceu, usamos racional e intuitivamente a matemática probabilística para avaliar o acontecimento. Para exemplificar, vejamos quais seriam as probabilidades de certos eventos relacionados com a vida terem acontecido espontaneamente.

A probabilidade de uma proteína funcional, com 100 aminoácidos sequenciados, surgir espontaneamente é de 1 em 10^{127}, ou seja, o número 1 seguido de 127 zeros!

A probabilidade de uma única célula animal ter se formado espontaneamente é de 1 em $10^{57.800}$, ou seja, o número 1 seguido de 57.800 zeros!

A probabilidade de um ser humano ter aparecido espontaneamente é de 1 em $10^{2.000.000.000}$, ou seja, o número 1 com mais 2 bilhões de zeros seguidos![28]

Interessante é o fato de os cientistas dizerem que uma possibilidade em 10^{15} (o número 1 seguido de mais 15 zeros) representa uma "impossibilidade virtual".[29] Apenas para visualização. O código genético contido no DNA de uma única ameba possui informação suficiente para encher mais de 1.000 vezes toda uma Enciclopédia Britânica.[30] Imagine a probabilidade de mil Enciclopédias Britânicas "aparecerem" apenas jogando-se letras de maneira aleatória em suas páginas! Que conteúdo ela teria? Seria útil?

Voltemos agora para a questão da genética. Quando falamos do código genético, estamos nos referindo a algo profundamente complexo. Já tratamos do aspecto da informação contida no código genético, no Capítulo 1. Vejamos agora outros aspectos.

O código genético que se encontra no DNA (ácido desoxirribonucléico) possui apenas quatro letras genéticas, conhecidas como nucleotídeos, que se emparelham por serem complementares: adenina (A) com timina (T) e guanina (G) com citosina (C).

Três pares adjacentes de nucleotídeos formam um *códon* (*tripletos*), que codificam um único aminoácido. Portanto, existem $4^3 = 64$ diferentes combinações possíveis de códons. Asparagina (Asn), um dos vinte aminoácidos codificados, tem as formas AAU e AAC (onde, no RNA, a uracila (U) substitui a timina (T)).

Se parássemos aqui, o nível de complexidade já seria imenso. No entanto, essa complexidade, além de ser imensa, é funcional. Uma sequência

---

28 Carl Sagan, F. H. C. Crick, L. M. Muchin, *Communication and Extraterrestrial Intelligence (CETI)* de Carl Sagan, ed. Cambridge, MA, MIT Press, p. 45-46.

29 Jacque Vallée and Joseph A. Hynek, *The Edge of Reality: A Progress Report on Unidentified Flying Objects,* Chicago, Henry Regenery, 1975, p. 157.

30 Wendell R. Bird, *The Origin of Species Revisited: The Theories of Evolution and of Abrupt Appearance,* Thomas Nelson Inc., Nashville, TN; Reimpressão, 1991, Volume 1, p. 72

do DNA é traduzida numa sequência de aminoácidos, através do RNAm (RNA mensageiro). Cada aminoácido assim produzido é transportado por um RNAt (RNA transportador) e colocado numa sequência de aminoácidos preestabelecida pela informação contida no DNA, formando uma proteína. Isto acontece dentro de um equipamento metabólico, altamente complexo, extremamente pequeno, chamado *ribossomo*.

Essas proteínas formadas fazem quase tudo numa célula, menos armazenar informação genética. São milhares de proteínas dentro de uma única célula, cada uma com uma função específica, derivada da sua forma estrutural tridimensional. Estas proteínas se encaixam de forma perfeita com outras moléculas existentes nas células, liberando energia, ao passo que outras formam estruturas funcionais da própria célula, através da aglomeração de várias proteínas ou de uma única molécula protéica.

Existe, portanto, um alto grau de complexidade demonstrado como informação codificada e traduzida. Esta complexidade, além de funcional, é demonstrada pelo alto grau de arquitetura das estruturas protéicas.

Só para ilustrar, pense nos aminoácidos como sendo letras e nas proteínas, como sendo palavras. Um grande número de "palavras" poderia ser formado. Mas este número não seria infinito, pois a formação de palavras depende de regras para que elas tenham sentido. Por exemplo, veja a sequência de letras:

COMO A VIDA COMEÇOU?

Para que esta sequência faça sentido, ela precisa obedecer certas regras da língua portuguesa, caso contrário...

OAVCD OA EMM OOU ICÇ?

... seria apenas um agrupamento de letras!

Assim também, uma única proteína não é uma ordem aleatória de aminoácidos. Ela também precisa obedecer certas regras. Trata-se de uma ordem específica de aminoácidos, predeterminada pelo código genético. Se a sequência de aminoácidos estiver correta, eles se dobram numa estrutura pré-programada, formando uma proteína tridimensional que realizará uma função específica.

Caso a sequência de aminoácidos não esteja correta, ao invés de se dobrar e formar uma proteína, esta sequência irá se desfazer, sendo destruída na célula. Um número inimaginável de eventos como esses estão ocorrendo neste exato momento, nas células de todos os seres vivos espalhados pela Terra, desde o mais simples até o mais complexo. Diante de tal complexidade de arquitetura e engenharia, perguntas sobre as estruturas criadas

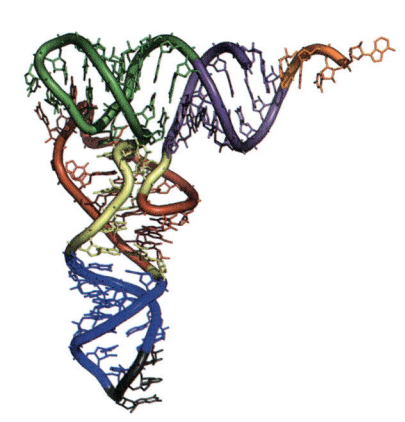

Forma estrutural do RNAt

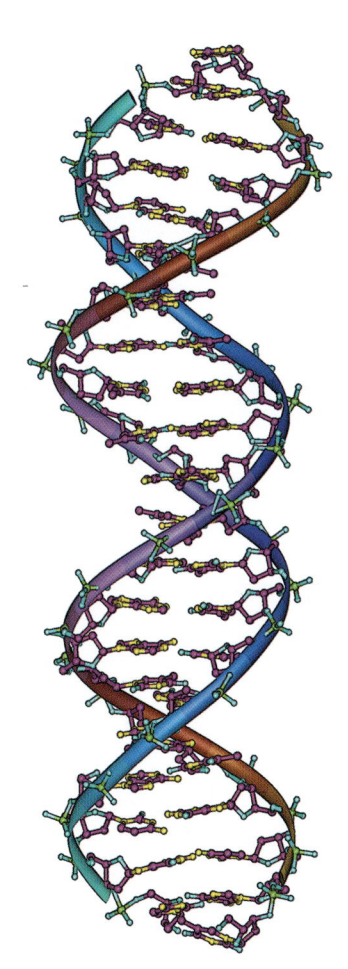

Forma estrutural do DNA

pelo código genético são de grande importância para a compreensão dos mecanismos funcionais de uma célula.

Entretanto, há perguntas muito mais importantes, e com implicações diretas sobre a origem da vida: Qual a origem da informação contida neste código capaz de produzir tal complexidade? Qual a origem da informação que colocou os aminoácidos na ordem correta para produzir proteínas? Qual a origem da informação que fez com que proteínas se dobrassem e formassem as complexas estruturas tridimensionais encontradas nas células?

Uma explicação possível e razoável para estas perguntas também descreverá, com muita precisão, a origem da vida e da biodiversidade que encontramos ao nosso redor.

Criacionismo: Ciência e Não Religião!

A biologia oferece o mais completo, o mais observável e o mais verificável conjunto de experimentos para explicar a vida: sua origem e manutenção. Contudo, biologia e evolução não são sinônimos. Tanto o criacionismo quanto o evolucionismo apresentam formulações e interpretações para a biologia.

Uma formulação recebe o nome de método científico, como já foi visto, quando uma evidência observável, empírica e mensurável, sujeita às leis do raciocínio, é investigada com a finalidade de aquisição de novo conhecimento, ou mesmo de correção ou integração de um conhecimento prévio.

As propostas da biologia criacionista obedecem rigorosamente este método, estando, além disto, embasadas nas leis da própria biologia, da genética e das demais áreas do conhecimento científico. O criacionismo propõe que a vida, na forma de tipos básicos, foi criada simultaneamente completa, complexa, com uma diversidade básica e com uma capacidade de adaptação limitada.

Como foi mostrado na seção anterior, a vida exibe um alto grau de complexidade e engenhosidade. Estas características, sendo encontradas numa "simples" célula, revelam sinais de inteligência e de um *design* inteligente.

Muitos cientistas como Richard Dawkins e Francis Crick rejeitaram o argumento de *design* (planejamento) intencional, considerando que a complexidade encontrada na natureza tem a *aparência* de um *design* intencional.[31] Para eles e muitos outros cientistas, o *design* é um conceito fundamentalmente metafísico e *a priori*, sendo assim, cientificamente falho.

Mas esta análise do criacionismo não está correta. "Pelo contrário, a inferência de planejamento é puramente *a posteriori*, baseada numa aplica-

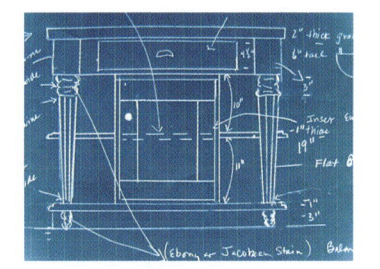

Projeto de uma mesa americana antiga

Projeto de uma casa moderna

---

31   Richard Dawkins, *The Blind Watchmaker*, [1986], Penguim, London, 1991, p. 6 e Francis Crick, *What Mad Pursuit: A Personal View of Scientific Discovery*, Basic Books, 1988.

ção inexoravelmente consistente da lógica e da analogia. A conclusão pode ter implicações religiosas, mas não depende de pressuposições religiosas".[32]

Criacionismo e a Origem da Vida

Na década de 1970, Dean H. Kenyon e Gary Steinman, no livro *A Predestinação Bioquímica*, procuraram demonstrar, de forma teórica, a corrente predominante do pensamento naturalista de que a vida foi predestinada bioquimicamente pelas propriedades de atração que existem entre as suas partes químicas, principalmente entre os aminoácidos nas proteínas.[33] Esta proposta, que permaneceu por mais de vinte anos como uma das formas centrais do pensamento naturalista sobre como a vida teria surgido, veio a ser descartada após a compreensão do DNA.

A resposta naturalista tornara-se obsoleta diante da complexidade do DNA, uma molécula cujas propriedades e existência não podem ser explicadas por meio de processos naturais, sendo ela mesma a portadora de toda a informação que gera a complexidade.

Dr. Kenyon tornou-se um dos principais pesquisadores e defensores da Teoria do *Design* Inteligente. O que o fez mudar de opinião sobre a origem da vida? O *design* encontrado na própria vida!

Quando tratamos da origem da vida, temos de considerar a origem da complexidade que ela apresenta. Dizer que uma simplicidade inicial, recebeu por meio de processos aleatórios e longos períodos de tempo, pequenos incrementos de informação para dar origem à complexidade atual, não constitui um argumento científico. Isto acontece porque processos que produzem complexidade podem ser avaliados quantitativamente. Portanto, ao tratarmos do posicionamento criacionista, precisamos uma vez mais voltar às bases da ciência para respondermos adequadamente às perguntas relacionadas com a origem da vida.

Seria possível que interações moleculares randômicas tivessem criado a vida? Seria possível que interações moleculares randômicas, desprovidas de qualquer propósito ou direcionamento tivessem um dia produzido o material básico que, após um longo período de tempo e processos também desprovidos de qualquer propósito ou direcionamento, tivessem produzido a complexidade encontrada na vida? Como já vimos, existem muitos que acreditam que sim.

No entanto, uma resposta adequada pode ser considerada científica

---

32 Michael Denton, *Evolution, A Theory in Crisis*, Bethesda, MD, Adler and Adler, 1986, 341.
33 Ver o texto do livro de Dean H. Kenyon e Gary Steinman, *Biochemical Predestination*, McGraw-Hill Text, 1969.

apenas se estiver dentro de certos parâmetros aceitos pelas leis e regras da ciência, e não pelos padrões da própria resposta. Portanto, se o naturalismo não for a resposta para a origem da vida, obviamente deve existir uma explicação criacionista que formule esta base racional e científica para a complexidade da vida.

Já vimos nas seções anteriores que a resposta naturalista não oferece uma proposta científica adequada. Não é a nossa intenção dizer que ela não possa ser considerada uma proposta lógica, mas sim que a sua lógica não está correta (já foi visto no Capítulo 1 que nem todo raciocínio lógico está correto). A proposta criacionista da origem da vida baseia-se primariamente na ciência das probabilidades. Para que algo aconteça, deve haver uma probabilidade razoável, aceita dentro de certos parâmetros.

Voltemos à questão das probabilidades. Qual seria um limite máximo razoável do número de moléculas que poderiam ter se formado, em qualquer lugar do universo, durante a sua existência (assumindo a idade naturalista de 13,7 bilhões de anos)?

Isto seria equivalente ao cálculo da probabilidade de ganharmos na loteria. O número total de combinações da loteria supostamente corresponde ao número de proteínas que possivelmente se formaria a partir dos pequenos blocos padronizados de construção. O bilhete vencedor seria correspondente ao pequeno agrupamento de tais proteínas que possuem as características especiais corretas das quais um organismo vivo (como uma simples bactéria) poderia ser formado.

Comecemos com o número de átomos existentes no universo, pois vida é feita de matéria conhecida (átomos). O número aceito de átomos no universo é da ordem de 10^{80} (o número um seguido 80 zeros).[34] Precisamos agora definir outros dois fatores: o tempo desde o início até hoje e o número de interações atômicas por segundo por átomo.

O tempo de 13,7 bilhões de anos seria equivalente a $4,32 \times 10^{17}$ segundos. Vamos arredondar para 10^{18} (o que seria equivalente a cerca de 30 bilhões de anos — mais que o dobro da idade atualmente aceita).

Para o número de interações atômicas por segundo por átomo, vamos assumir 10^{12}, o que é um valor extremamente generoso e que inclui também a parte cinética das reações químicas. Vamos assumir também que cada interação atômica sempre produz uma molécula. Portanto, $10^{80} \times 10^{18} \times 10^{12}$ nos daria o número de 10^{110} moléculas únicas que teriam se formando desde o início do universo até hoje (usando a idade de 30 bilhões de anos).

---

34 M. Fugika, C.J. Hogan e P. J.E. Peebles, *The Cosmic Baryon Budget,* Astrophysical Journal, 503, 1998, p. 518-530. Ver também C.W. Allen, *Astrophysical Quantities*, 3ª edição, University of London, Athlone Press, 1973, p. 293.

Imaginemos que, para a mais simples forma de vida primitiva aparecer, fossem necessárias 1.000 proteínas, das quais 999 já teriam se formado. Portanto, precisaríamos achar apenas a milésima proteína com a sequência correta de aminoácidos. Vamos limitar a 20 o número de aminoácidos necessários, pois é esta a quantidade encontrada nos seres vivos. Estes 20 aparecem nas formas direita e esquerda (dextrógiros e levógiros), sendo que apenas os de simetria esquerda aparecem na constituição da vida. Vamos ignorar este fato também e assumir apenas 20 aminoácidos.

Ignoremos ainda, o fato de que a reação química envolvida na formação de longas cadeias de peptídios é extremamente improvável dentro de qualquer ambiente químico não-vivo (inorgânico). Portanto, o nosso alvo é apenas obter uma sequência de aminoácidos que venha a produzir uma estrutura protéica tridimensional com o menor valor possível de funcionalidade.

Vários trabalhos de origem teórica, mas baseados em fatos experimentais, indicam que cerca de 50% do agrupamento de aminoácidos deve estar especificado de forma correta, tendo uma ordem correta.[35]

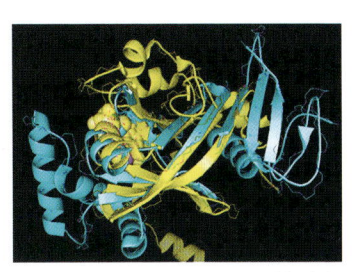

Modelo tridimensional de uma proteína (feito em computador)

Se considerarmos uma proteína de 200 aminoácidos, o número de tentativas randômicas seria de 20^{100} ou 10^{130} ($1,268 \times 10^{130}$). Estamos considerando que dos 200 aminoácidos, apenas a metade, 50%, deve estar na ordem correta. Compare este valor, 10^{130}, com o número máximo de interações desde o início do universo até hoje, 10^{110} (considerando um universo com 30 bilhões de anos e não com 13,7 bilhões).

Esta análise mostra que qualquer tentativa (por mais lógica que possa ser) de explicar um mecanismo de geração espontânea da origem da vida, terá de demonstrar que o mesmo é aceitável racionalmente do ponto de vista estatístico.[36] Mesmo fazendo com que as suposições sejam as mais favoráveis ao naturalismo, a estatística mostra a impossibilidade.

Em outras palavras, como seria possível, dentro de uma lógica científica, aceitar um evento onde uma geração espontânea tenha ocorrido? As possibilidades são contra! (Veja novamente no Capítulo 1 as duas teorias que falam sobre o aparecimento de um bolo de chocolate.)

Sendo que a probabilidade de uma geração espontânea, do ponto de vista estatístico, não existe, a proposta criacionista torna-se ainda mais evidente. Se algo não pode ocorrer naturalmente é porque foi criado. O argumento é simples e direto.

---

35 Hubert P. Yokey, *A Calculation of the Probability of Spontaneous Biogenesis by Information Theory*, Journal of Theoretical Biology, 67, 1978, p. 377-398.
36 Estes cálculos apareceram na publicação de Fred Hoyle e N.C. Wickramasinghe, *Evolution from Space*, J.M. Dent, London, 1981.

Linguagem Estrutural Codificada

Uma das grandes descobertas biológicas do século XX foi a de que organismos vivos são o resultado de estruturas de linguagem codificada. Todos os detalhes da complexidade estrutural e química, associados ao metabolismo, reparo, funções especializadas e reprodução de cada célula viva, resultam de um algoritmo codificado armazenado no DNA. Este aspecto é de uma importância imensa para a compreensão da origem da vida.

Como seria possível que surgisse tal linguagem extremamente complexa, altamente estruturada e surpreendentemente extensa?

Descobrir a origem de tal complexidade é sem dúvida o aspecto central da questão da origem da vida. A mais simples bactéria possui um genoma que contém milhões de códons. Cada códon (que equivale a uma palavra genética) possui três letras do alfabeto genético.

Seria possível que um algoritmo com um comprimento de milhões de palavras codificadas pudessem surgir espontaneamente por algum processo naturalista conhecido? Alguma lei física sugere que tais estruturas podem surgir de forma espontânea? Do ponto de vista da termodinâmica e da teoria da informação, a resposta é um enfático não!

Na teoria da informação, nos estudos de análise estatística da linguagem, a entropia pode ser representada pela média do conteúdo de informação. A diferença entre o valor entrópico máximo e o mínimo, ou seja, a diferença entre o conteúdo máximo de informação e o conteúdo médio de informação é chamado de redundância.

Este cálculo da média do conteúdo de informação por sílaba de uma determinada língua utilizada pela raça humana, por exemplo, especifica estatisticamente algumas características desta língua. Estes valores estatísticos, ao serem comparados (mesmo não dando informação sobre a gramática), oferecem informação relevante sobre algumas características fundamentais de cada língua.

Por exemplo, podemos obter a média de conteúdo de informação de um único símbolo numa sequência através da equação:[37]

$$I_{medio} = I_{total}/n = \sum_{i=1}^{N} p(x_i) \times \log_2 (1/p(x_i)).$$

Onde I é o conteúdo da informação, n é o número total de símbolos, N é o número total de símbolos disponíveis, e $p(x_i)$ é a probabilidade do símbolo x_i aparecer na sequência.

Língua	Valor
Inglês:	1,4064
Alemão:	1,6335
Esperanto:	1,8950
Árabe:	2,1036
Grego:	2,1053
Japonês:	2,1564
Russo:	2,2295
Latim:	2,3927
Turco:	2,4588

---

[37] Estes cálculos aparecem no livro do Prof. Dr. Werner Gitt, *In the Beginning Was Information*, Christliche Literatur-Verbreitung e. V., 1997, p. 170-205.

Avaliando o número de sílabas por palavra e o conteúdo médio de informação, é possível calcular o conteúdo médio de informação por sílaba de uma língua específica. Na tabela da página ao lado temos estes valores para algumas línguas. A mesma análise aplicada ao código genético apresenta aspectos impressionantes da complexidade da vida.

Uma *Escherichia coli* (célula bacteriana) pesa cerca de 10^{-13}g e tem aproximadamente 2 μm de comprimento. Quando todo esticado, o seu DNA chega a cerca de 1 mm. Ele contém uma média de 4 milhões de nucleotídeos (letras genéticas). Uma informação estatística do DNA da bactéria é o número de bits de informação:

I = (4 x 10^6 nucleotídeos) x (2 bits/nucleotídeo) = 8 x 10^6 bits.

Uma divisão celular demora cerca de 20 minutos, sendo que a velocidade de reconhecimento das letras é aproximadamente mil vezes mais rápida. Isto significa que a velocidade de leitura do código genético na bactéria é da ordem de:

(8 x 10^6 bits) x 1000/(20 x 60) = 6,67 x 10^6 bits/segundo!

O raciocínio que procura demonstrar a viabilidade de um modelo naturalista que relaciona a causa do aparecimento de tal "máquina" (com tal capacidade funcional) a um acúmulo de pequenos eventos aleatórios encontra-se obviamente diante de uma tarefa monumental! No entanto, muito da biologia naturalista procura falar do meio onde a informação está contida e não da origem da própria informação.

Voltemos ao exemplo da loteria. Se você possuísse o bilhete premiado, receberia a mensagem de que o prêmio está à sua disposição. O conteúdo da mensagem, que você é o grande ganhador, seria independente do meio utilizado (fax, telefone, e-mail, televisão, etc.). O meio é importante, mas não ocupa o primeiro lugar em importância. A mensagem encontrada na informação codificada no DNA é o mais importante.

Albert Einstein apontou este aspecto da natureza e da origem da informação simbólica como sendo uma das mais profundas questões do mundo como o conhecemos. Em suas palavras, informação simbólica representa uma realidade distinta da realidade da matéria e da energia. Esta separação entre matéria e símbolos com significado ficou conhecida na linguística como o "abismo de Einstein".[38]

Informação simbólica é um elemento crucial no processo da vida. A

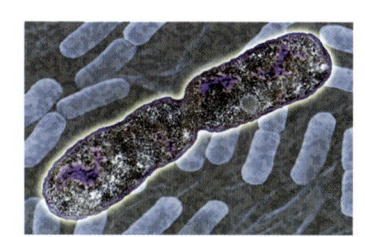

Duplicação de uma bactéria (*Escherichia coli*) por meio da fissão binária.

6,67 x 10^6 bits/segundo equivale a 6.67 Mb/segundo

Computadores trabalham nestes parâmetros, mas eles não são resultado de aleatoriedade e sim de *design*!

---

38 Albert Einstein, *Remarks on Bertrand Russell's Theory of Knowledge,* The Philosophy of Bertrand Russell, P. A. Schilpp, editor, Tudor Publishing, NY, 1944, p. 290 e J. W. Oller Jr., *Language and Experience: Classic Pragmatism*, University Press of America, 1989, p. 25.

Processo de Informação Controlada nas Células

Proteínas enzimas
Síntese de proteínas controlada pelo RNA

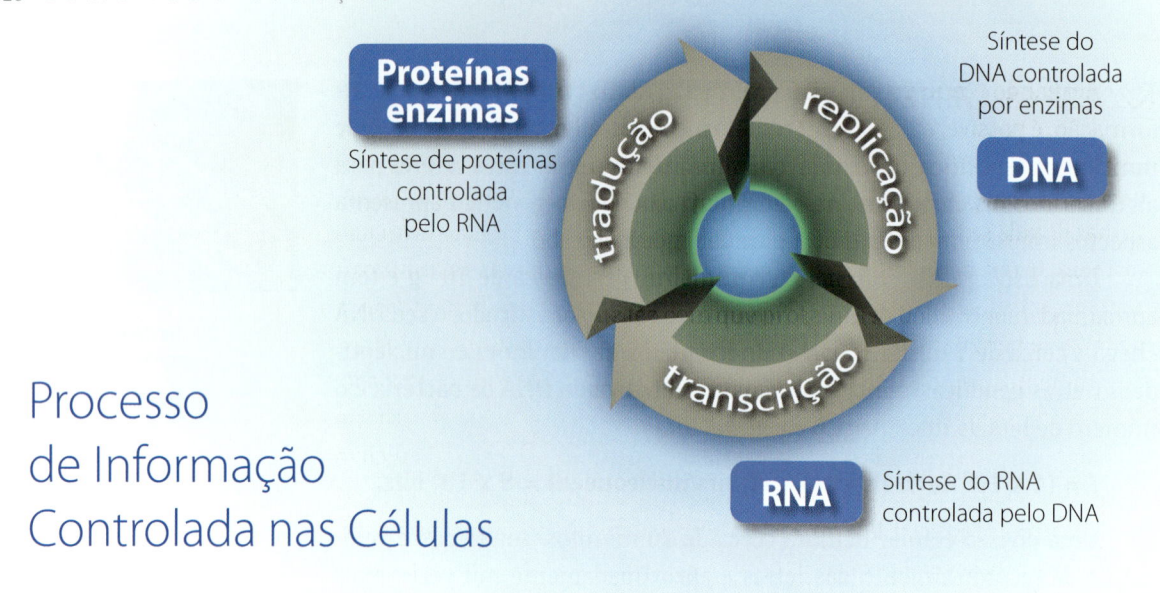

DNA
Síntese do DNA controlada por enzimas

RNA
Síntese do RNA controlada pelo DNA

(tradução / replicação / transcrição)

figura acima ilustra o processo que ocorre em todas as células vivas. Trata-se de um processo cíclico de informação e controle.

Em termos simples, podemos dizer que o DNA controla a síntese do RNA, que, por sua vez, controla a síntese de proteínas, e estas controlam a síntese do DNA. Note que a síntese do DNA somente ocorre através da catálise enzimática estabelecida pelo RNA.

Tal processo cíclico deve ter sido completo e perfeito desde o seu início. Uma série de processos naturais não produziria um resultado assim, com interdependência: sem uma parte o todo não funcionaria.

Em cada uma das três fases do processo temos o mesmo modelo:

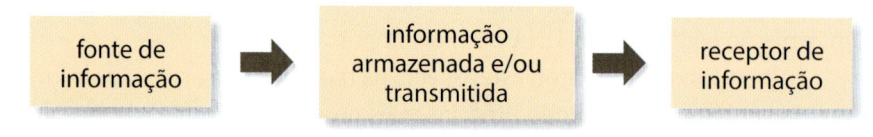

fonte de informação → informação armazenada e/ou transmitida → receptor de informação

Este modelo de transmissão é completo, sendo que a fonte de informação e o destinatário da informação estão perfeitamente integrados.

Quando resumimos a vida às suas partes mais básicas e aos seus processos irredutíveis, nos deparamos com uma grande complexidade de um sistema de informação, no qual todas as partes devem estar precisa e perfeitamente ajustadas para que o mesmo funcione.

Não existe a menor possibilidade de que tal sistema tenha sido o resultado de bilhões de pequenas coincidências através de bilhões de anos!

Reservas Genéticas

Esta complexidade do código genético não é fascinante apenas do ponto de vista da origem da vida, mas também do ponto de vista da sua preservação. Formas de vida se transformam durante o ciclo da sua vida. Iniciam este ciclo por meio de um período de "infância", amadurecem e se tornam "adultos"; procriam, envelhecem e morrem. Toda a informação para estas etapas da vida encontra-se perfeitamente codificada no DNA de cada uma delas.

Tomemos como exemplo uma borboleta que tem sido muito estudada, a *Danaus plexippus*, conhecida como borboleta-monarca. No hemisfério ocidental, ela é encontrada no Canadá, Estados Unidos e México. Seu ciclo de vida de poucos meses, permite um estudo completo de todas as fases pelas quais a borboleta passa. Ela é um exemplo excelente de observação biológica.

Todas as fases pelas quais a borboleta-monarca passa são criteriosamente controladas pelo seu código genético, incorporando inclusive um grande exemplo de transformação (metamorfose).

Em três dias, do pequeno ovo que no princípio tinha apenas um milí-

| Ovos da borboleta numa planta | Larva | Início da pupa |
| Crisálida | Emergindo da crisálida | Borboleta adulta |

Borboleta-Monarca
(*Danaus plexippus*)

metro, surge uma larva com dezesseis patas e cerca de quatro centímetros de comprimento. Após enclausurar-se por duas semanas num casulo de seda feito por ela, a larva (também conhecida por lagarta) se transforma numa borboleta com seis patas, e asas com uma envergadura de oito a doze centímetros. Tudo isso em aproximadamente 60 dias.

Durante os seus poucos meses de vida, a borboleta-monarca se alimentará, voará, migrará e se acasalará. Após ter cumprido o seu ciclo de funções reprodutivas, ela se desidratará e morrerá. Este ciclo da borboleta-monarca nos mostra que dentro do pequeno ovo, aparentemente inerte, estão todas as instruções genéticas que se encarregarão de fazer com que ela se desenvolva através de todos os estágios da sua vida.

Ao observarmos este ciclo, entendemos que no pequeno ovo havia uma reserva genética. Havia uma morfologia presente no código genético quando ainda o organismo não manifestara absolutamente nada desta morfologia. Havia no código genético, de maneira meticulosamente planejada, todas as estruturas e formas pelas quais a borboleta passaria, necessárias para ela atingir a sua forma final. Estas incríveis transformações, altamente complexas, são consideradas reservas genéticas sequenciais. Todos os organismos complexos as possuem.

As reservas genéticas sequenciais nem sempre transformam dezesseis patas em seis ou formas de vida que a princípio andam e depois voam. Mas todas elas fazem com que vida multicelular cresça e se desenvolva de um simples ovo ou óvulo até uma configuração adulta, o que requer alterações contínuas, tanto estruturais quanto funcionais, que foram planejadas, organizadas, coordenadas, controladas e comandadas dentro de um sistema molecular muito além da nossa compreensão atual, no DNA. O desenvolvimento de um organismo multicelular até a fase adulta não é o único tipo de reserva genética. Vejamos alguns outros.

Muitas plantas mudam a cor das suas folhas durante o ano, produzem flores em épocas específicas, e frutos no tempo certo. Todas estas mudanças ocorrem como resultado das instruções genéticas contidas no DNA. Aves criam seus filhotes na primavera e no verão, migrando no outono, seguindo um ciclo predeterminado.

Existem também animais que mudam a cor dos seus pêlos de acordo com as estações do ano. A raposa polar (*Alopex lagopus*) é um exemplo. Durante o verão o seu pêlo é acinzentado, excelente para se misturar com a tundra da região polar. No entanto, ela possui uma reserva genética que lhe permite mudar da cor cinza para a branca durante o inverno, o que lhe oferece uma camuflagem perfeita na neve.

Estas mudanças não ocorrem de forma aleatória, mas sim programada: o pêlo da raposa polar não muda para qualquer cor, mas sim para a cor certa, na época certa. Portanto, é necessário que estas reservas cíclicas sejam precisas e pontuais. Se não funcionarem assim, as formas de vida que delas dependem não sobreviveriam de uma estação para a outra. Elas necessitam ser ciclicamente constantes tanto em pontualidade quanto em precisão durante toda a vida do organismo.

Raposa polar (Alopex lagopus)

É importante notar que muitas dessas mudanças produzidas pelas reservas genéticas ocorrem em questão de horas e não através de lentos processos aleatórios. Sendo assim, o código genético é uma entidade de informação completa. O DNA de um organismo disponibiliza as reservas genéticas à medida em que se tornam necessárias. Não existe interferência entre elas.

Cada forma de vida possui uma grande variedade de reserva genética disponibilizada em forma de mecanismos morfológicos, funcionais e comportamentais. Este recurso tem o objetivo de atender às necessidades de maneira precisa e pontual, dentro das variações do ambiente.

Uma pessoa, ao correr num dia ensolarado, precisará que proteínas diferentes apareçam simultaneamente para conseguir enfrentar o esforço físico e o calor. O aparecimento destas proteínas são decorrentes da reserva genética que existe no DNA do ser humano.

Durante a corrida, o seu batimento cardíaco também aumentará devido a um estímulo. Esta elevação no batimento cardíaco é chamada de *resposta*. No entanto, se a pessoa em questão continuar se exercitando por algumas semanas, o seu batimento cardíaco, após este período, será menor que o do início. Esta diminuição do batimento cardíaco é o que chamamos de *adaptação*. O meio ambiente também pode produzir tais respostas através das reservas genéticas do DNA. O nome das respostas relacionadas com o meio ambiente é *aclimatação* (artificial) e *aclimatização* (natural).

Nos peixes, a aclimatização aparece como resposta ao estímulo produzido pela alteração da temperatura da água. Estas respostas imediatas são um atributo da configuração fisiológica provida pelo DNA. Elas, através das reservas genéticas, aparecem como configurações dinâmicas do DNA e sintetizam as proteínas necessárias ao estímulo, seja este interno (exercício) ou externo (meio ambiente).

Então, a pergunta que temos é: o que aconteceria a um organismo, se o estímulo exigisse uma resposta que a reserva genética não tem como produzir? Novo conteúdo de reserva genética apareceria em decorrência do estímulo? Aconteceria uma variação no organismo? Evolução?

Variação nos Organismos Vivos

As muitas formas de vida expressam uma grande variação biológica. Vemos que irmãos e irmãs não são iguais. Vemos que gêmeos chamados idênticos (monozigóticos ou univitelinos) não possuem nem as mesmas impressões digitais, nem o mesmo comportamento. Plantas provenientes das sementes de um mesmo fruto não são iguais.

O que teria produzido a variedade de formas de vida que encontramos no planeta? Como elas teriam se desenvolvido? Como responder às perguntas da página anterior? Já que a variedade nas formas de vida apresentam características diferentes, façamos uma pequena analogia.

O aparecimento aleatório de uma nova característica poderia ser exemplificado por meio do seguinte processo:

1. Escreva uma frase com significado.
2. Reescreva a frase, inserindo alguns erros e adicionando algumas letras.
3. Examine a nova frase e veja se ela faz sentido.
4. Se fizer sentido, substitua a frase original pela nova.
5. Caso não faça sentido, retorne ao passo 2.

O processo descrito acima seria o equivalente à proposta evolucionista através das mutações, principalmente aquelas do tipo conhecido por duplicação gênica, por aumentar quantitativamente o material genético. O aspecto aleatório das mutações, apresentado pela evolução para a origem da biodiversidade, já foi tratado anteriormente.

É verdade que através das mutações cromossomos inteiros podem ser duplicados, como é o caso da trissomia do cromossomo 21 no ser humano, a qual provoca a Síndrome de Down. Também é um fato observado que a duplicação não ocorre necessariamente num só cromossomo. Pode haver duplicação de todo o conjunto de cromossomos, conhecido como *poliploidia*, que ocasiona um melhoramento genético, principalmente nas plantas de cultivo. Esta alteração, contudo, não produz nenhuma sequência no DNA que seja portadora de nova informação genética. O que ocorre é apenas a duplicação de material genético já existente.

É importante notar que estas variações cromossômicas (mutações cromossômicas) parecem desempenhar um fator importante na formação de novas espécies, geralmente no aparecimento do tipo selvagem.[39]

Charity (1859)
William-Adolphe Bouguereau (1825-1905)

---

[39] Para um estudo detalhado sobre os mecanismos moleculares da microevolução ver Reinhard Junger e Siegfried Scherer, *Evolução - um Livro Texto Crítico*, Sociedade Criacionista Brasileira, Brasília, 2002, p. 96-134.

Todavia, estamos falando apenas de material genético (informação) já existente.

Voltemos à questão da variação do ponto de vista genético. O meio ambiente poderia estimular o aparecimento de algo que não existe nas reservas genéticas do organismo? Mutações criariam novas reservas genéticas que dariam ao organismo a capacidade de resposta, adaptação ou aclimatização necessária à sobrevivência do mesmo? A resposta que temos da genética até o presente é: NÃO!

Então, como explicar as muitas espécies? Mais uma vez, o código genético é o que deve dar a resposta. Um código genético completo e perfeito já possuiria nele mesmo provisões para variações. Estas provisões se manifestariam, portanto, através das capacidades produzidas na variação.

Quais tipos de variação? Aquelas que permitissem ao organismo vivo sobreviver quando mudanças do meio ambiente ocorressem. Neste caso, a capacidade de adaptação de um organismo seria limitada. Se a adaptação requerida fosse além da capacidade genética do organismo de responder ao estímulo produzido, o mesmo morreria. Numa escala maior, seria dito que aquele grupo de organismos vivos teria entrado em extinção. No caso de a necessidade de adaptação estar dentro dos limites da codificação genética, essa adaptação ocorreria na forma de uma variação do organismo original.

Observe mais uma vez que estamos tratando de reserva genética. Nada apareceu até o presente momento que não fosse resultado de informação genética preexistente.

Especiação e Especialização

A proposta criacionista para o fenômeno da variação encontrada nos organismos vivos é a proposta conhecida por *tipos básicos geneticamente polivalentes*. Os seres vivos foram originalmente criados em unidades taxonomicamente distintas. Cada espécie biológica é proveniente de um tipo básico específico. Várias espécies biológicas seriam provenientes de vários tipos básicos independentes. Cada um dos vários grupos de seres vivos possui características próprias que os distinguem dos demais.

A combinação direta ou indireta, por cruzamento, entre as espécies provenientes de um mesmo tipo básico, produziria elementos híbridos que poderiam ser fecundos ou não. O grande número de híbridos, manifestos na variação da forma do tipo básico (caracteres

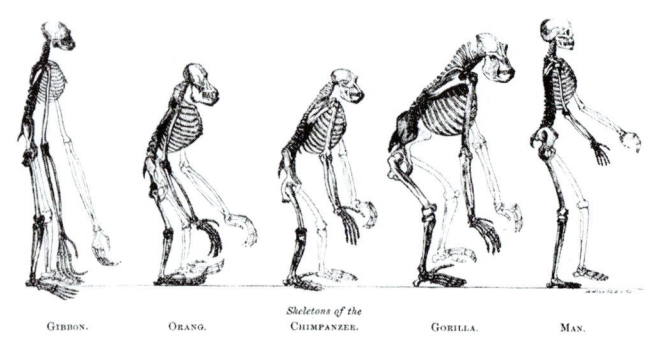

Frontispício do livro de Thomas Henry Huxley, *Evidence as to Man's Place in Nature* (1863), comparando vários esqueletos de macacos com o do ser humano. Observe que o primeiro da esquerda, "Gibbon", está numa proporção duas vezes maior que os demais.

fenotípicos específicos dos tipos fundamentais), indica que dentro destes tipos básicos existem espécimes elementares iguais (genes morfogenéticos).

Vamos colocar este conceito numa forma mais simples. Veja a variação existente nos seres humanos. Todos nós expressamos certas características dos nossos antepassados, e estes, dos antepassados deles, e assim por diante. Nós possuímos ainda hoje as características básicas do primeiro tipo básico humano. Estas características são encontradas em todos os seres humanos.

O que nos difere das outras formas de vida? Dentre as muitas características, a nossa forma física é uma das mais evidentes. Muitos evolucionistas que no passado acreditavam numa capacidade de adaptação ilimitada, muito além de qualquer possibilidade existente numa reserva genética, assumiram supostas similaridades morfológicas entre seres humanos e macacos como "evidências" de uma ancestralidade comum, conforme vemos na figura acima, do livro de Thomas Huxley.

Ainda hoje, muitos evolucionistas acreditam que certas "similaridades" entre o material genético do ser humano e dos macacos seriam evidências admiráveis de uma ancestralidade comum entre eles.

Na tabela ao lado, aparece uma comparação entre os cromossomos dos seres humanos e os cromossomos de três tipos de macacos: gorilas, chimpanzés e orangotangos. A letra "**S**" indica que existem alguns pontos de semelhança (longe de serem idênticos ou mesmo parecidos), e a letra "**X**", que não existe nenhuma semelhança.[40]

Façamos um estudo mais detalhado da questão da semelhança no material genético. Primeiramente, o ser humano possui 23 pares de cromossomos, ao passo que os macacos possuem 24. Portanto, deve ter ocorrido

	Homem	Gorila	Chimpanzé	Orangotango
1	S	X	S	X
2p	S	X	S	X
2q	S	X	S	X
3	S	S	S	X
4	X	X	X	X
5	S	X	S	X
6	S	S	S	S
7	S	X	S	X
8	S	X	S	X
9	S	X	S	X
10	S	X	S	X
11	S	S	S	X
12	S	X	S	X
13	S	S	S	S
14	S	S	S	X
15	S	S	S	X
16	S	X	S	X
17	X	X	X	X
18	S	S	S	X
19	S	S	S	S
20	S	S	S	X
21	S	S	S	S
22	S	S	S	S
23	X	X	X	X
24	inexistente no ser humano			
X	S	S	S	S
Y	S	S	S	X

---

40 Yunis, J. J., Sawyer, J.R., Dunham, K., *The striking resemblance of high-resolution g-banded chromosomes of man and chimpanzee,* Science, Vol. 208, 6 de junho de 1980, p. 1145 - 1148 e Yunis, J. J., Prakash, O., *The origin of man: a chromosomal pictorial legacy,* Science, Vol 215, 19 de março de 1982, p. 1525 - 1530.

um tipo de fusão cromossômica ao longo do tempo, caso os seres humanos tivessem evoluído dos macacos ou de um ancestral comum aos dois, que possuísse 24 pares de cromossomos.

Se os seres humanos e os macacos tivessem um ancestral comum, e este ancestral tivesse 23 pares de cromossomos, tais cromossomos teriam passado por uma fissão cromossômica nos macacos (de 23 para 24 pares). Muitos evolucionistas acreditam ter sido o primeiro: fusão. Independente de qual tenha sido o caso, examinemos as evidências.

Algumas das similaridades mencionadas entre o material cromossômico humano e o dos macacos encontram-se na figura ao lado. O cromossomo 2 (2p e 2q, especificamente) dos seres humanos assemelha-se muito com o dos chimpanzés, gorilas e orangotangos, se o sequenciamento estrutural dos cromossomos destes macacos for alterado. Observe o sequenciamento natural do cromossomo humano (**H**) com os demais em posicionamento alterado.

Estas similaridades aparecem principalmente em forma de inversões. Por exemplo, uma sequência 5'(TTAGGG) se torna (CCCTAA)3'. Lembre-se que os pares formados são A-T e C-G. Portanto, TTAGGG corresponderia à inversão CCCTAA.

Já dissemos que o código genético é semelhante a um livro. Quando tratamos dos cromossomos, estamos nos referindo, na analogia do livro, aos capítulos. Quando tratamos das sequências das letras genéticas formadas pelo A, T, C e G, estamos tratando das palavras.

Capítulos de livros podem ser semelhantes quanto ao tamanho e até mesmo quanto a certos aspectos estruturais da colocação da mensagem. Mas são as palavras que dão sentido ao texto. Vamos ilustrar o caso de inversão cromossômica, usando a analogia do livro. Comparemos estas duas frases:

ROMA É UMA DÁDIVA DOS DEUSES.

AMOR É UMA DÁDIVA DOS DEUSES.

O número de letras e as próprias letras na frase são exatamente iguais. E a sequência das letras? A inversão da palavra ROMA, formando a palavra AMOR, alterou o significado? A resposta é um SIM muitíssimo enfático.

Um livro que falasse de ROMA poderia ter exatamente o mesmo número de capítulos e páginas que um outro livro que falasse do AMOR. Mas os dois tratariam de assuntos totalmente diferentes. O conteúdo da informação seria diferente, enquanto a forma seria semelhante. Mais uma

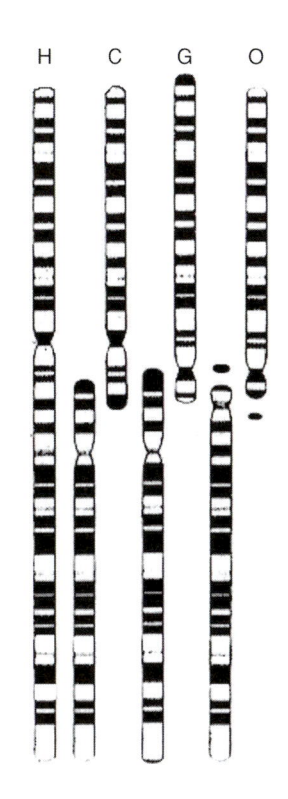

Comparação entre o cromossomo 2 (2p e 2q) dos seres humanos (**H**), chimpanzés (**C**), gorilas (**G**) e orangotangos (**O**), segundo J. J. Yunis e O. Prakash, *"The origin of man: a chromosomal pictorial legacy"*, Science, Vol 215, 19 de março de 1982, p. 1525 - 1530.

vez, não estamos questionando a "similaridade", mas sim o *conteúdo* da informação na similaridade.

Quando examinamos mais a fundo o código genético dos chimpanzés e dos seres humanos (não somente considerando alguns aspectos dos cromossomos), observamos que a similaridade é aparente. Certas características humanas estão relacionadas com o cromossomo 21. Características similares aparecem no cromossomo 22 dos chimpanzés (como a Síndrome de Down).

Esta similaridade, que não pode nem ao menos ser considerada aparente, pois se encontram em cromossomos diferentes, desaparece quando tratada no nível molecular do DNA.

Uma pesquisa publicada pelo Centro de Ciência Genômica do Japão, comparando o cromossomo 21 do ser humano com o 22 do chimpanzé, mostrou que 1,44% dos cromossomos consiste de substituições de uma base, e cerca de 68.000 são deleções. Somente estas diferenças são suficientes para gerar mudanças na maioria das proteínas. Ainda mais, 83% das 231 sequências codificadas, incluindo genes importantes de funcionalidade, mostram diferenças nas sequências de aminoácidos.[41]

A conclusão no sumário do artigo diz que "as mudanças genômicas após a especiação [chimpanzés e seres humanos] e suas consequências biológicas parecem ser mais complexas do que a hipótese originalmente proposta".[42] Embora os autores admitam que seres humanos e chimpanzés tiveram um ancestral comum, a distância entre eles aumenta, quanto mais se decodifica o genoma de cada um. Os livros da vida de cada um deles (o DNA) contam uma história diferente. Algumas partes podem até ser parecidas, mas a história é diferente.

Este exemplo evidencia a proposta criacionista dos tipos básicos geneticamente polivalentes e da limitação na especiação devido às reservas genéticas existentes.

Um Último Pensamento

Existem livros que tratam de assuntos diferentes. Por analogia, estes seriam os tipos básicos na biologia (cada livro tem a sua própria informação a ser transmitida — cada grupo de seres vivos tem a sua própria informação genética a ser transmitida). No entanto, existem livros que tratam de um mesmo assunto. Por analogia, estes representam a variação de um

---

41 Yoshiyuki Sakaki e Asao Fujiyama, *DNA sequence and comparative analysis of chimpanzee chromosome 22*, Nature 429, 27 de maio de 2004, p. 382-388.
42 Ibid., p. 382.

tipo básico — espécies (livros transmitindo uma mesma informação com pequenas variações — tipos básicos se especializando, formando espécies).

O exemplo do livro, por ser análogo ao sistema genético, nos esclarece o porquê do *design* existente nas formas de vida.

Richard Dawkins, Francis Crick e outros afirmam que a natureza tem a *aparência* de um *design* intencional.

Pelo que tudo indica, a natureza possui apenas a *aparência* da evolução de um único ancestral comum. Mas como foi visto, isto é só aparência!

Fóssil de Peixe

CAPÍTULO 5

A Origem dos Fósseis:

Paleontologia e Geologia

"Por que, então, cada formação geológica e cada camada
não está repleta de elos intermediários?"
Charles Darwin

"Se não é o registro fóssil que está incompleto,
então deve ser a teoria [evolucionista]."
The Washington Post Weekly

Fósseis, Paleontologia e Evolução

Fóssil, do latim *fossilis* que significa *obtido por escavação*.

Um fóssil é uma amostra contendo evidência, direta ou indireta, da existência de um organismo que viveu num tempo passado. Em outras palavras, a vida no passado deixou marcas através do chamado registro fóssil. Cada fóssil tem, embora de maneira limitada, informação sobre a vida no passado. Mas como compreendê-la e interpretá-la corretamente?

Este é o trabalho da paleontologia, a qual estuda a vida que existiu no planeta Terra no passado, através dos organismos fossilizados.

Como já vimos no capítulo anterior, Darwin apresentou quase todos os indícios supostamente comprobatórios da teoria da evolução baseando-se em quatro disciplinas: biogeografia, embriologia, morfologia e a paleontologia. Mas na paleontologia residia a sua proposta central. Nela, a evidência da evolução da vida deveria aflorar, trazendo consigo as muitas formas de transição entre as espécies, preenchendo as supostas lacunas deixadas pelo tempo.

Através da datação dos fósseis, uma possível cronologia, demonstrando um sucessivo aparecimento e desaparecimento da vida no nosso planeta, poderia ser feita. Portanto, a paleontologia seria a chave para que fosse aberto o grande livro sobre o desenvolvimento da vida no nosso planeta.

Dentro desta percepção comum entre as pessoas e também entre muitos estudiosos, a paleontologia deveria mostrar claramente a evolução da vida. Comecemos por dizer que, se esta afirmação fosse verdadeira, parte do que já foi dito até aqui, e muito do que há para ser dito, não faria o menor sentido, pois, seria como tentar desdizer o óbvio.

Portanto, precisamos rever o que os estudos científicos dos fósseis têm revelado sobre a história da vida no planeta Terra e a evolução.

Tipos de Fósseis

Sabemos que os processos de fossilização dependem totalmente dos diferentes tipos de tecidos orgânicos e das diferentes condições associadas ao processo. Comecemos o nosso estudo com as quatro categorias principais relacionadas aos processos de formação de fósseis.

1. Fósseis com partes inalteradas
2. Fósseis com partes alteradas
3. Fósseis moldados e de preenchimento
4. Fósseis vestigiais

1. *Fósseis com partes inalteradas* são aqueles em que o organismo

Microfóssil de uma pequena mosca (scanning electron microscope)

Fóssil de formiga (âmbar)

Fóssil humano (turfeira)

(ou partes dele) é preservado na sua composição original. O material orgânico permanece praticamente completo e inalterado (águas-vivas, conchas), havendo preservação dos constituintes macios (folhas, tentáculos) ou dos constituintes duros (dentes, ossos).

Na preservação inalterada de fósseis "macios", os elementos químicos do material orgânico permanecem inalterados. Este processo se dá em *âmbar* (insetos, rãs, salamandras, folhas, pólen), em *turfeira* (seres humanos, animais e plantas), em *alcatrão* (aves, mamíferos e répteis), através da *mumificação* ou *dessecação* (remoção da água dos tecidos) e através do *congelamento* (tecidos, mamutes, rinocerontes, etc.).

Já a preservação de fósseis "duros" se dá em *aragonita* ($CaCO_3$) (moluscos, mariscos, etc.), em *apatita* ($Ca_5(PO_4)_3(F,Cl,OH)$) (dentes de tubarões, de arraias, etc.), em *sílica* ($SiO_2 \bullet H_2O$) (esponjas, algas unicelulares, pequenos protozoários, etc.) e em *paredes orgânicas* (pólen, esporas, protistas unicelulares, etc.).

2. Fósseis com partes alteradas são aqueles em que existe uma reposição dos elementos químicos originais por outros, para formar uma estrutura mais estável. Este tipo de preservação ocorre tanto em fósseis "macios" quanto "duros". Existem vários processos de formação de fósseis deste tipo. Vamos mencionar aqui apenas cinco.

A *reposição* é o processo de remoção do material estrutural original do organismo e simultaneamente a sua reposição, átomo por átomo, por um outro mineral. Neste processo a microestrutura interna original é geralmente preservada. Alguns exemplos comuns de reposição são:

calcita ($CaCO_3$)	⇨	sílica (SiO_2)
calcita ($CaCO_3$)	⇨	pirita (FeS_2)
calcita ($CaCO_3$)	⇨	gesso ($CaSO_4 \bullet H_2O$)
calcita ($CaCO_3$)	⇨	dolomita ($CaMg(CO_3)_2$)

Um exemplo comum e dramático deste tipo de fossilização é o chamado *piritização*, em que o material original orgânico é substituído ou coberto com pirita durante a fossilização.

A *permineralização* é o processo através do qual espaços porosos como os de conchas, madeira ou ossos são preenchidos com minerais. Os minerais que preenchem os espaços vazios são geralmente transportados em soluções aquosas. Este processo é comum nos fósseis encontrados em rochas sedimentares. Muitos ossos de dinossauros e partes de árvores foram fossilizados através deste processo.

Um processo semelhante aos da permineralização e reposição, muito comum em madeira é o da *petrificação*. Nele, o material orgânico soterrado é reposto com minerais (geralmente sílica e quartzo) que se cristalizam nos espaços deixados pela decomposição da celulose.

Fóssil de mamute (congelamento)

Fóssil de peixe (reposição)

Fóssil de árvore (permineralização)

Fóssil de árvore (petrificação)

Folha fossilizada
(carbonização)

Fóssil de concha
(recristalização)

Habitantes de Pompéia
(fóssil moldado)

Pegada de dinossauro
(fóssil vestigial)

A *carbonização* é o processo pelo qual o tecido macio é preservado como uma película de carbono através da evaporação (volatização) do hidrogênio, oxigênio e nitrogênio. Geralmente são encontrados peixes, crustáceos e folhas fossilizados por carbonização.

A *recristalização* é o processo em que uma forma instável de material existente na estrutura do organismo é recristalizada em uma forma mais estável do mineral ou em cristais maiores do mesmo mineral. Durante o processo, a forma externa do organismo permanece inalterada enquanto as microestruturas internas são destruídas ou obscurecidas. Este processo é acentuado com o tempo, pressão e aumento de temperatura.

3. Fósseis moldados e de preenchimento são fósseis em que apenas a forma do organismo foi preservada. Nos fósseis moldados, as cavidades são deixadas pela superfície exterior ou pela interior do fóssil. Moldes externos são chamados de relevo negativo, ao passo que os internos são chamados de relevo positivo. Os fósseis de preenchimento são uma réplica idêntica do original, preenchendo com sedimentos ou minerais o relevo negativo de um fóssil moldado.

4. Fósseis vestigiais (*icnofóssil*) são impressões deixadas por animais tais como pegadas, rastos, ovos, tocas, esconderijos, resíduos e fezes. Este tipo de fóssil fornece informação sobre o comportamento do animal, tal como comportamento alimentício, capacidade de movimentação e locomoção, habitação e até alguns hábitos peculiares.

Existem outras categorias de fósseis que estão relacionadas não ao processo de formação propriamente dito, mas com alguma característica peculiar. Vejamos as principais.

Microfóssil é o termo utilizado pela ciência da micropaleontologia que estuda fósseis de plantas e animais cujo tamanho é pequeno demais para uma análise a olho nu. Normalmente, fósseis com menos de um milímetro são colocados dentro dessa categoria. Os microfósseis são geralmente de organismo completos, quase completos ou de partes pequenas de um organismo. Exemplos são os fósseis de planktons (completos) e os fósseis de pólem (partes). Alguns microfósseis guardam informações que podem auxiliar na compreensão do clima do passado.

Fóssil vivo é a terminologia utilizada para seres vivos que são encontrados também no registro fóssil. Alguns dos fósseis vivos são representantes vivos de espécies conhecidas apenas dos fósseis. Outros são de uma única espécie viva hoje, que no passado apresentava uma grande variação apenas conhecida através do registro fóssil. Temos nos fósseis vivos uma grande abundância de informação sobre uma espécie, informação esta tanto do presente quanto do passado.

Muito sobre os fósseis vivos não é discutido. Contudo, devido a sua importância para a compreensão do aparecimento da vida e da biodiversidade, trataremos, mais adiante e com mais detalhes, a quantidade e a variedade dos fósseis vivos.

Pseudofósseis são padrões visuais encontrados em rochas que são produzidos por processos geológicos e não por processos biológicos. Um exemplo muito comum são os padrões que ocorrem naturalmente em fissuras das rochas que são preenchidas pela infiltração de minerais. Um tipo de pseudofóssil muito conhecido é "Ágata de musgo", muito parecido com as folhas das plantas.

Formação de Fósseis

Muitos conceitos errôneos sobre a formação dos fósseis ainda permanecem como parte da discussão sobre as evidências do registro fóssil. Estas idéias influenciam diretamente as interpretações que são dadas aos achados paleontológicos. Portanto, para que um fóssil possa ser formado, devem existir fatores que possibilitem a preservação do organismo contra fatores que possam inibir a sua preservação.

Um dos principais fatores que precisa ser inibido rapidamente é o da decomposição orgânica. Fósseis de animais aquáticos (como a água-viva) que apresentam uma grande quantidade de detalhes na sua estrutura macia aparecem extremamente bem preservados,[1] mostrando que a fossilização foi rápida. Para que animais como a água-marinha sejam fossilizados rapidamente, há necessidade de um soterramento (sepultamento) rápido, para que o processo de decomposição possa ser desacelerado e inibido.

Contudo, apenas isto não seria suficiente. Um ambiente anóxico (com pouco oxigênio) seria um outro fator importante para a preservação do material orgânico até que o processo de fossilização fosse finalizado.

Ainda um terceiro fator importante é o enclausuramento em sedimentos que impossibilitariam a dissolução do organismo.

Estes três fatores são necessários para contrapor os mecanismos de intemperismo e erosão (processos mecânicos), a oxidação e a dissolução (processos químicos) e atividade microbial e de animais predadores (processos biológicos). Todos estes fatores juntos demonstram que a formação de um fóssil ocorre numa situação anormal. Um animal ou planta que tenha uma morte natural (normal) dificilmente passaria pelo processo de fossilização.

Ginkgo adiantoides
(fóssil vivo)

Ginkgo biloba
(fóssil vivo)

Ágata de musgo
(pseudofóssil)

Fóssil de uma água-viva
(datada com 570 milhões de anos)

---

1   Preston Cloud e Martin F. Glaessner, *The Ediacarian Period and System: Metazoa Inherit the Earth*, Science, Vol. 217, 27 agosto de 1982, p. 783-792, e Donal G. Mikulic et al., *A Silurian Soft-Bodied Biota*, Science, Vol. 228, 10 de maio de 1985, p. 715-717.

Considerando o que já vimos até aqui, três conclusões importantes sobre os fósseis podem ser traçadas então:
1. A abundância de fósseis demonstra a fragilidade da vida em relação a situações anormais do meio ambiente e também atesta a quantidade destas situações anormais que ocorreram no passado (possíveis causas serão abordadas no Capítulo VII).
2. Os fatores mencionados para a formação dos fósseis, salientando o bom estado de preservação em que os mesmos são geralmente encontrados, demonstram que a grande maioria encontrada no registro fóssil passou por um processo rápido de sepultamento.
3. As informações contidas nos fósseis estão geralmente ligadas à história da morte do organismo e não necessariamente sobre como ele teria vivido.

A Estratigrafia

Nicolas Steno, um cientista dinamarquês do século XVII, propôs que no passado as rochas e os minerais foram sedimentos encontrados na água. Baseado neste raciocínio, ele concluiu que partículas (sedimentos) num líquido (água) afundariam formando uma camada horizontal, como as camadas de rochas que formam a estratigrafia da coluna geológica. Este princípio ficou conhecido como o *Princípio da Horizontalidade Inicial*. Ele também concluiu que no passado essas camadas (estratos) continuavam lateralmente muito além dos limites encontrados hoje. Assim foi formulado outro princípio que ficou conhecido como o *Princípio da Continuidade dos Estratos*. Baseado nestes dois princípios e aplicando-os em função do tempo, Steno propôs o que hoje é conhecido como a *Princípio da Superposição*, que na sua forma mais simples diz:

As camadas de rochas aparecem organizadas numa sequência em função do tempo, sendo que as mais antigas encontram-se no fundo e as mais recentes nas proximidades da superfície, a menos que tenha havido algum processo que viesse a causar um distúrbio desta organização.

North Rim
(Encantadora Point)
Grand Canyon, EUA

Estes três princípios utilizados pela geologia, arqueologia e paleontologia fornecem a base sobre a qual a "Coluna Geológica" foi estabelecida. É importante notarmos que estes princípios foram estabelecidos como sendo auto-evidentes, sem quaisquer dados experimentais para confirmá-los.

Portanto, a veracidade do conceito da "Coluna Geológica" baseia-se na confirmação da formação horizontal de estratos individuais e sobrepostos em função do tempo. Em outras palavras, se for possível que duas ou mais camadas sobrepostas se formem simultaneamente, a interpretação cronológica da coluna geológica estaria equivocada. Para tal, vamos em busca das evidências científicas, que podem ser encontradas nas áreas da sedimentologia, hidrodinâmica e da própria paleontologia.

Estudos nas áreas de sedimentologia e hidrodinâmica mostram que os estratos formam-se lateral e verticalmente, ao mesmo tempo, contrariando a interpretação cronológica.

Na década de 60, o rio Bijou Creek que fica no estado do Colorado, EUA, produziu um depósito de sedimentos de 3,5 metros, numa única enchente, resultante de 48 horas de chuvas torrenciais na sua cabeceira.

Este depósito produzido pelo transbordamento do rio foi estudado minuciosamente pelo geólogo americano Edward McKee. Ele observou que o depósito era um sistema de camadas formadas simultaneamente, onde os sedimentos haviam sido depositados na mesma forma estratigráfica encontrada nas rochas da coluna geológica.[2] Dr. Guy Berthault realizou experimentos confirmando o que havia sido observado por McKee. Os experimentos foram feitos em grandes canaletas com paredes de vidro, por onde passava água contendo sedimentos. Assim a deposição dos sedimentos podia ser observada.[3,4,5]

Os experimentos demonstraram que o escoamento da água produz a segregação dos sedimentos de acordo com o tamanho das partículas, sendo as mesmas desaceleradas pelos sedimentos já depositados, dando origem a lâminas superpostas que se formam na direção do escoamento. Estes experimentos demonstraram a natureza mecânica da estratificação.

A descoberta de que os estratos formam-se lateral e verticalmente, ao mesmo tempo, demonstrou que os Princípios da Estratificação não se aplicam quando há escoamento. Esta descoberta também demonstrou que os estratos em sequência não se sucedem cronologicamente. Pesquisas similares apresentaram os mesmos resultados: a estratificação é resultante da sedimentação produzida pelo escoamento da água.[6,7]

Gráfico mostrando a formação de estruturas sedimentárias produzidas por grãos de areia fina em água.

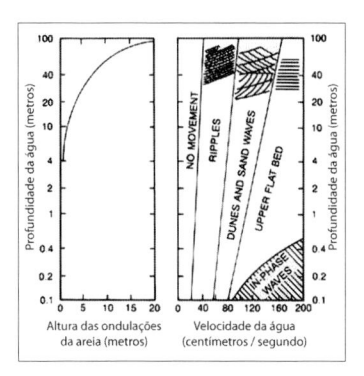

o da esquerda:
profundidade x altura da areia

o da direita
profundidade x velocidade da água

---

2 E. D. McKee, E. J. Crosby e H. L. Berryhill Jr., *Flood deposits, Bijou Creek, Colorado, 1965*, Journal of Sedimentary Petrology, 1967, 37, 829-851.
3 G. Berthault, *Experiments on lamination of sediments*. Compte Rendus Académie des Sciences Paris, *1986*, t.303, Série II, Nº 17:1569–1574.
4 G. Berthault, *Sedimentation of a heterogranular mixture: experimental lamination in still and running water*. Compte Rendus Académie des Sciences Paris, 1988, t. 306, Série II:717–724.
5 P. Y. Julien, Y. Lan e G. Berthault, *Experiments on stratification of heterogeneous sand mixtures*, Bulletin of the Geological Society of France, 199,3, 164(5):649–660.
6 L. A. Boguchwal e J. B. Southard, *Bed configurations in steady unidirectional water flows. Part 1. Scale model study using fine sand*, Journal of Sedimentary Petrology, 1990, 60:649–657.
7 J. B. Southard e A. L. Boguchwal, *Bed configurations in steady unidirectional water flows. Part 2. Synthesis of flume data*, Journal of Sedimentary Petrology, 1990, 60(5):658–679.

Fóssil poliestratificado
(encontrado na Alemanha)

A formação da grande quantidade de camadas encontradas na coluna geológica foi resultante de um processo hidrodinâmico rápido e não de uma sedimentação lenta por milhões ou bilhões de anos. Chega-se a esta mesma conclusão estudando os fósseis poliestratificados.

Um fóssil poliestrata apresenta um organismo que foi fossilizado ao longo de duas ou mais camadas. Árvores são os exemplos mais comuns de fósseis poliestrata, sendo encontradas em todo o planeta, principalmente no leste dos Estados Unidos, leste do Canadá, Inglaterra, França, Alemanha e Austrália.

Examinando a figura ao lado, vemos que o tronco da árvore fossilizada atravessa várias camadas da coluna geológica (pelo menos 10). Segundo a interpretação evolucionista, cada uma dessas camadas equivale a um período geológico. Se tal interpretação fosse verdadeira, esta árvore teria sido soterrada lenta e gradativamente, sem apodrecer ou morrer, durante pelo menos dez períodos geológicos!

Árvores como esta não foram soterradas lenta e gradativamente durante longas eras geológica. As camadas se formaram rapidamente soterrando a árvore, e esta fossilizou-se antes que as camadas nas quais ela foi soterrada se solidificassem. Tais tipos de fósseis são também uma evidência da formação rápida das camadas encontradas na coluna geológica.

Ainda existem as formações rochosas em que são encontradas camadas de rochas sedimentares que foram solidificadas após um processo de compressão e dobramento. Exemplos como o da figura da página ao lado são encontrados nas grandes cadeias de montanhas que existem no nosso planeta. Portanto, baseados nas evidências e nas pesquisas, três conclusões podem ser consideradas como auto-evidentes quanto a estratigrafia:

1. Os Princípios da Superposição e da Continuidade não são válidos.
2. A formação foi rápida e não em longas eras geológicas.
3. A escala de tempo geológica, por estar baseada nestes princípios, não é válida.

É, portanto, evidente que a interpretação da sobreposição estratigráfica como sendo longas eras geológicas não é válida. A implicação deste erro interpretativo é óbvia e será tratada a seguir.

Registro Fóssil

Charles Darwin concluiu corretamente que "... *o número de variedades intermediárias, as quais existiram previamente* [deveriam] *verdadeiramente ser enormes. Por que, então, as formações geológicas e cada um dos estratos não estão repletos destes tais elos intermediários? A geologia, sem dúvida, não revela tal cadeia orgânica finamente graduada; e isto, portanto, é a objeção mais óbvia e séria que pode ser levantada contra a teoria* [da evolução]".⁸ Darwin baseou a lógica da sua teoria da evolução das espécies no *princípio da sucessão da fauna*.⁹

William Smith, um engenheiro inglês do início do século XIX, foi quem observou que rochas e fósseis, mesmo de locais diferentes, apresentavam algumas similaridades quanto ao tipo das camadas e os tipos de fósseis encontrados em cada camada. Baseado nesta observação, ele estabeleceu um princípio que ele chamou de sucessão da fauna. Ele chegou a essa conclusão baseado no Princípio da Superposição.

Como já vimos, este princípio da sucessão da fauna adotado por Darwin estava baseado no princípio da superposição, o qual já foi demonstrado não ser válido. Darwin construiu todo um argumento lógico sobre um princípio não válido. O seu raciocínio estava equivocado na base. O mesmo argumento continua sendo utilizado pela ciência naturalista de hoje. Se esta interpretação errônea do registro fóssil for removida, o que a evidência tem a dizer? Vejamos.

Camadas de rochas sedimentares dobradas. Colúmbia Britânica, Canadá, próximo ao rio Sullivan (localização geográfica)

Lacunas no Registro Fóssil

Fósseis são encontrados em diversas regiões do nosso planeta, desde o fundo dos oceanos até o topo das montanhas. As áreas onde os fósseis são encontrados com maior facilidade são áreas de erosão acentuada (terrenos com topografia muito acidentada, encostas de montanhas e base de penhascos), áreas expostas pela atividade humana (barrancos de estradas, pedreiras e minas) e áreas de atividade animal (como formigueiros e esconderijos).

A distribuição dos fósseis na estratigrafia oferece evidência suficiente para uma conclusão plausível: não existe base científica, vinda de uma obser-

---

8   Charles Darwin, *On the Origin of Species by Means of Natural Selection,* publicado por John Murray, Londres, 1859, primeira edição, p. 323.
9   Ibid., Capítulo 10.

vação direta da estratigrafia, de que espécies tenham evoluído. A evidência demonstra que houve variação, um certo grau limitado de adaptação e extinção entre as espécies. Uma evolução contínua entre as espécies é o que não é observado na estratigrafia, deixando assim lacunas no chamado registro fóssil.

Como o próprio Darwin observou, as lacunas existem. Ele não possuía uma explicação do porquê dessas lacunas. Segundo ele, a explicação estaria no fato de que "apenas uma pequena porção do mundo é conhecida com precisão".[10] Desde o tempo em que esta declaração foi feita por Darwin (a publicação do seu livro se deu em 1859) até hoje, cerca de 150 anos já se passaram. O que aconteceu com as lacunas no registro fóssil?

Em todos os museus espalhados pelo mundo, uma grande variedade e diversidade de fósseis encontram-se em exposição. No entanto, ajuntando-se todo este material fóssil existente, de todos estes museus, não seria possível produzir uma evidência empírica a favor da evolução gradual da vida no planeta em função da "coluna geológica".

Dr. David Raup, diretor do The Field Museum of Natural History de Chicago disse: "...*nós estamos agora cerca de 120 anos após Darwin, e o conhecimento do registro fóssil tem sido amplamente expandido. Nós temos agora cerca de um quarto de milhão de espécies de fósseis, mas a situação não tem mudado muito. O registro da evolução ainda permanece surpreendentemente abalado e, ironicamente, nós temos até mesmo menos exemplos de transição evolucionária que possuíamos durante o tempo de Darwin. Eu quero dizer com isto que alguns dos casos clássicos de uma mudança darwiniana no registro fóssil, tal como a evolução do cavalo na América do Norte, tem sido descartada ou modificada como resultado de informação mais detalhada — aquilo que parecia ser uma simples progressão exata, quando relativamente poucos dados eram disponíveis, agora aparenta ser muito mais complexo e muito menos gradualista. Portanto, o problema de Darwin não tem sido aliviado durante estes últimos 120 anos, e nós ainda temos um registro que mostra mudança mas que dificilmente poderia ser considerado como a consequência mais racional da seleção natural*".[11]

De fato, o registro fóssil não documenta convincentemente nenhuma simples transição. Não existe um único fóssil pelo qual alguém poderia apresentar um argumento que não fosse contestável. Como exemplos, podemos citar o *Ichthyostega* (anfíbio do período Devoniano que tem sido considerado como o elo dos vertebrados terrestres com peixes que possuíam narinas internas) e o *Hyracotherium*, também conhecido como *eohippus*

Fóssil de peixe
(ainda não aberto)

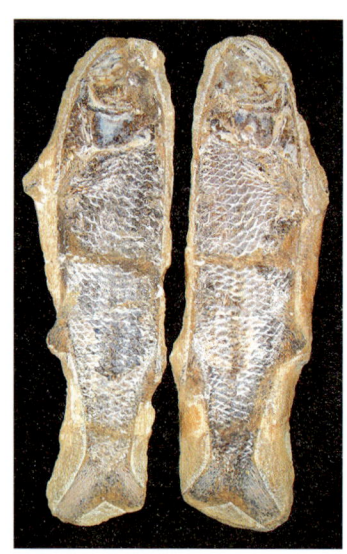

Fóssil de peixe
(aberto e mostrando
as duas metades)

---

10   Ibid., p. 259
11   David M. Raup, *Conflicts Between Darwin and Paleontology*, Field Museum of Natural History Bulletin, Vol. 50, Nº 1, janeiro de 1979, p. 25.

(o qual se distingue do grupo rinoceronte-tapir por um ou dois detalhes do crânio do tipo de um cavalo).

O *Ichthyostega* apresenta uma estrutura completa de um anfíbio, com algumas partes semelhantes a de outros animais. Semelhanças estas que não significam ancestralidade, mas sim funcionalidade.

No caso do *Hyracotherium* (*eohippus*), a tradicional sequência apresentada, *Hyracotherium, Mesohippus, Merychippus, Pliohippus* e o *Equus*, mostra apenas formas com desenvolvimento completo. Em vez de mostrar uma sequência contínua, ela apresenta saltos que não podem ser explicados pela genética. Por exemplo, as formas de *Eohippus* e a do gênero mais próximo *Mesohippus* possuem uma diferença de altura no ombro de aproximadamente 30 cm. Nenhuma forma intermediária entre estes dois grupos foi descoberta. Cada um destes grupos apresenta um organismo perfeito, que não apresenta nenhuma necessidade de evolução.

Estes e muitos outros exemplos são apresentados erroneamente como provas incontestáveis da evolução. O que sabemos é que as lacunas são reais e continuam como a maior evidência contra a evolução, fazendo com que a proposta de uma evolução seja aceita sem evidências.

As ordens, classes e filos aparecem abruptamente no registro fóssil, geralmente com todas as características que os distinguem uns dos outros. Geralmente após este aparecimento rápido segue uma explosão da diversificação, de maneira que, praticamente, todas as ordens ou famílias conhecidas aparecem subitamente sem nenhuma forma aparente de transição.[12] Portanto, para que a proposta da evolução permaneça como um estudo científico, propostas que expliquem cientificamente o porquê das lacunas no registro fóssil devem ser apresentadas.

Uma dessas propostas foi oferecida por Stephen J. Gould e Niles Eldredge: a teoria do equilíbrio pontuado (Pontualismo). Nela, vários saltos evolucionários teriam ocorrido rapidamente, sem deixar vestígios, deixando as lacunas encontradas no registro fóssil. Tal proposta causa espanto até para os cientistas naturalistas relacionados com a genética. Somente um milagre causaria tantas alterações no código genético num intervalo de tempo tão curto. E todas elas precisariam acontecer quase que simultaneamente, todas indo numa mesma direção para produzir as alterações finais necessárias no organismo.

Mas a resposta para a existência de tais lacunas nos é oferecida pelo Dr. Colin Paterson: "*A razão é que afirmações sobre ancestralidade e des-*

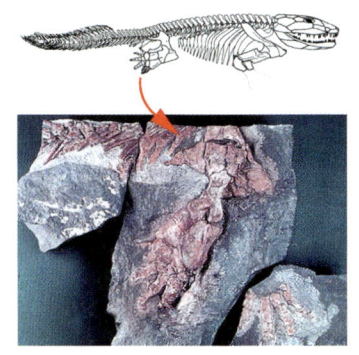

Fóssil do membro posterior de um Ichthyostega (University Museum of Zoology, Cambridge)

Fóssil de um cavalo em cinzas vulcânicas (Ashfall, EUA)

Fóssil de um Archaeopteryx (Jura-Museum, Eichstätt, Alemanha)

---

12 Francisco J. Ayalla e James W. Valentine, *Evolving, The Theory and Process of Organic Evolution*, Menlo Park, California, The Benjamim Cummings Publishing Co., 1979, p. 258; George Gaylord Simpson, *Tempo and Mode in Evolution*, New York, Columbia University Press, 1944, p. 107; e Stephen J. Gould, *Evolution's Erratic Pace*, Natural History, Vol. 5, maio de 1977, p. 12, 14.

Fóssil de um Trilobita

Olho composto de calcita

Um olho de Trilobita possui mais de 15.000 lentes (electron scanning microscopy)

cendência não são aplicáveis ao registro fóssil. Seria o *Archaeopteryx* o ancestral de todas as aves? Talvez sim, talvez não: não existe uma maneira de responder a pergunta. É muito fácil criar histórias de como uma forma teria produzido outra e encontrar razões pelas quais os estágios deveriam ser favorecidos pela seleção natural. Mas tais histórias não são parte da ciência, pois não existe uma maneira de testá-las".[13]

A evidência da ausência de fósseis necessários para a comprovação da tese evolucionista é claramente observada nas lacunas do registro fóssil: "*As transições morfológicas graduais entre ancestrais e descendentes presumidos, antecipadas pela maioria dos biólogos, está faltando.*"[14]

COMPLEXIDADE DESDE O INÍCIO

"*A maneira abrupta na qual grupos inteiros de espécies repentinamente aparecem em certas formações tem sido instada por vários paleontólogos... como uma objeção fatal para a crença da transmutação das espécies. Se muitas espécies, pertencentes a um mesmo gênero ou família, tiverem realmente surgido simultaneamente, este fato seria fatal para a teoria da evolução através da seleção natural*".[15]

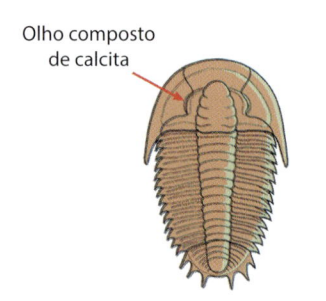

Nada é tão sério para a teoria da evolução quanto a prova do aparecimento simultâneo de formas de vida totalmente desenvolvidas sem sinais de ancestralidade. No registro fóssil, o período Cambriano oferece tal evidência pelo que ficou conhecido pela "Explosão do Cambriano".

Os fósseis encontrados nessas rochas além de serem de formas de vida diferenciadas apresentam um alto grau de complexidade que não poderia ter surgido dentro de curto espaço de tempo, segundo a evolução. Um exemplo deste chamado "enigma de complexidade primeva", pelos evolucionistas, é o trilobita. Seus fósseis são encontrados desde o Cambriano inferior (550 milhões de anos radiométricos) até o Permiano (250 milhões de anos radiométricos).

Seus corpos eram elaboradamente segmentados, com um sistema nervoso cefalizado, apêndices toráxicos e abdominais articulados, antenas e olhos compostos. Em resumo, a biologia molecular dos trilobitas é, em todos os sentidos, tão complexa como a de qualquer organismo vivo hoje.[16]

Esta complexidade não poderia ser melhor representada do que pelo olho do trilobita. A lente de cada omatídeo era composta de um único cristal de calcita ($CaCO_3$), sendo que o eixo óptico do cristal era coincidente com o

---

13 Carta do Dr. Colin Paterson a Luther D. Sunderland (www.talkorigins.org/faqs/patterson.html)
14 David E. Schindel, *The Gaps in the Fossil Record*, Nature, Vol. 297, 27 de maio de 1982, p. 282 (David E. Schindel foi Curador do Peabody Museum of Natural History, Invertabrate Fossils).
15 Charles Darwin, *On the Origin of Species by Means of Natural Selection*, publicado por John Murray, Londres, 1859, primeira edição, p. 344.
16 Ricardo Levi-Setti, *Trilobites*, Chicago, The University of Chicago Press, 1993.

eixo óptico da lente. Isto causaria um problema sério para o sistema visual do trilobita, sendo que o seu olho era formado por uma única lente esférica grossa de calcita a qual não poderia fazer com que a luz produzisse uma imagem coerente.

O segredo do funcionamento do olho do trilobita está num sistema óptico singular, não conhecido em nenhum outro organismo. Este sistema utiliza duas lentes biconvexas com índices de refração diferentes e unidas entre si. A interface dessas duas lentes é conhecida na ciência como "superfície de Huyghens", por ter seus princípios ópticos explicados em detalhes pelos físicos Christian Huyghens e René Descartes.

Para que os trilobitas focalizassem corretamente a luz nos receptores, haveria necessidade de uma forma especial para as lentes biconvexas. As duas possibilidades estão representadas nas figuras ao lado. A da esquerda são lentes de Descartes, encontradas no trilobita *Crozonaspis*, e a da direita são lentes de Huyghens, encontradas no trilobita *Dalmanitina*.

A complexidade do olho do trilobita e o seu *design* é tão intrigante que o físico nuclear Dr. Ricardo Levi-Setti, reconhecida autoridade em trilobitas, disse: "*Quando nos damos conta de que os trilobitas desenvolveram e usaram tais dispositivos há quinhentos milhões de anos, nossa admiração é ainda maior. Uma descoberta final — a de que a interface refratora entre os dois elementos das lentes no olho dos trilobitas foi projetada de acordo com as construções ópticas desenvolvidas por Descartes e Huyghens no século XVII — beiram a pura ficção científica... O olho de um trilobita bem poderia qualificar-se para a obtenção de uma patente de invenção*".[17] O olho do trilobita é um feito tecnológico incomparável.[18]

É importante notar ainda que o trilobita não somente apresenta o olho mais complexo conhecido pelo ser humano, como também as suas células já se dividiam de maneira semelhante às das formas de vida atuais. Todo o seu mecanismo molecular estava formando e funcionando tal qual é visto nos insetos chamados modernos. Ele possuía um sistema nervoso que funcionava com sinapses, igual a todos os organismos de hoje. Em outras palavras, o trilobita é mais do que atual, pois, além de ser perfeitamente comparável com os organismos de hoje, o seu olho ainda não encontrou nenhum rival.

O trilobita é apenas um dos muitos exemplos que demonstram que complexidade sempre fez parte da vida, desde o início. Não existem exemplos no registro fóssil de órgãos semidesenvolvidos, sejam penas, olhos, pele, tubos (artérias, veias, intestinos, etc.) ou qualquer um dos outros milhares de órgãos

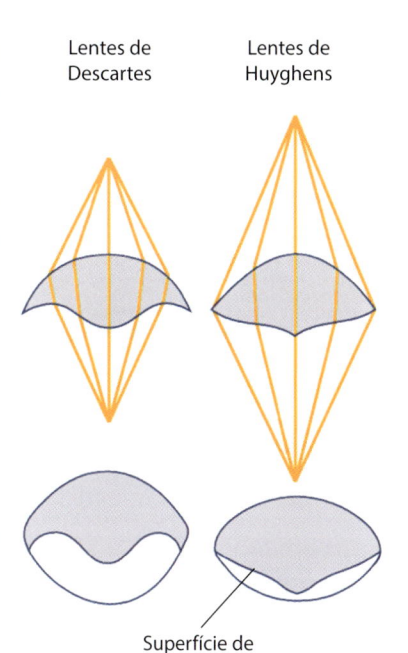

---

17 Ibid., p. 55, 57.
18 Lisa J. Shawver, *Trilobite Eyes: An Impressive Feat of Early Evolution,* Science News, Vol. 105, 2 de fevereiro de 1974, p. 72.

Vistas do olho do Trilobita

Vista posterior

Vista lateral

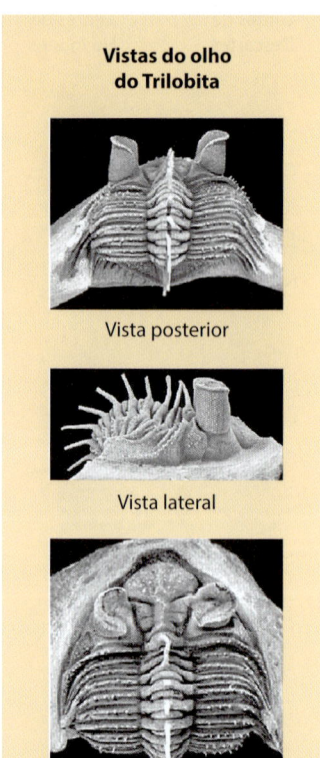

Vista dorsal

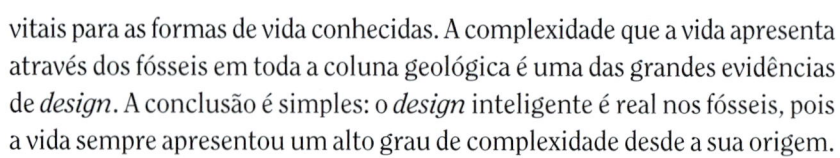

Fósseis de amonites (considerados fósseis característicos ou fósseis de idade - index fossil)

vitais para as formas de vida conhecidas. A complexidade que a vida apresenta através dos fósseis em toda a coluna geológica é uma das grandes evidências de *design*. A conclusão é simples: o *design* inteligente é real nos fósseis, pois a vida sempre apresentou um alto grau de complexidade desde a sua origem.

Sir Isaac Newton, comentando sobre o olho e o ouvido, perguntou: *"Teria sido o olho planejado sem uma competência em óptica, e o ouvido sem um conhecimento em acústica?"*[19]

Falsa Cronologia na Vertical

Como já vimos, a sequência vertical dos fósseis encontrada na chamada coluna geológica tem sido constantemente utilizada como evidência cronológica de uma suposta ordem evolutiva. Pudemos ver que esta interpretação, baseada na origem das camadas, está fundamentada em princípios que foram considerados "auto-evidentes" na época em que foram concebidos. Hoje, porém, já foi provado que são falsos (*Princípio da Horizontalidade Inicial* e o *Princípio da Superposição*).

Talvez pudesse ser levantado um argumento de que causas ainda desconhecidas poderiam ter produzido estas camadas em longos períodos geológicos. Sendo assim, uma interpretação cronológica da ordem dos estratos poderia ser validada. Verifiquemos esta possibilidade.

O naturalista francês Georges Cuvier (1769-1832) foi um dos primeiros a observar que certos fósseis estavam associados a certos tipos de rochas. Estes fósseis receberam a designação de *fósseis característicos* ou *fósseis de idade* (index fossil). William Smith (1769-1839), geólogo inglês e contemporâneo de Cuvier, propôs o princípio da paleontologia estratigráfica, no qual a idade de uma camada geológica poderia ser avaliada através dos fósseis de idade nela contidos. Este princípio ficou conhecido como o *Princípio da Identidade Paleontológica*. O que se afirma através deste princípio é: se duas camadas (estratos) possuírem os mesmos fósseis (fósseis característicos), então tais camadas devem ter a mesma idade.

Assim sendo, a associação do tempo a uma sequência vertical de estratos foi feita através do *Princípio da Continuidade dos Estratos*. Pode ser demonstrado que o *Princípio da Continuidade dos Estratos* e o *Princípio da Identidade Paleontológica* também não são coerentes com a evidência em pelo menos duas áreas, além dos fósseis poliestrata já mencionados:

- eras geológicas inexistentes
- fósseis na ordem errada

---

19   Isaac Newton, *Opticks*, New York, McGraw-Hill, 1931, p. 369-370.

Eras Geológicas Inexistentes

Existem mais de 200 formações geológicas, só nos Estados Unidos, que aparecem na ordem errada, segundo a ordem proposta pela estratigrafia convencional.[20] Só no Grand Canyon há uma descontinuidade no período Paleozóico entre o Cambriano (Estrato Muav) e o Devoniano (estrato Temple butte) equivalente a 100 milhões de anos geológicos!

Este fato não é um caso especial ou isolado que ocorre somente nos Estados Unidos. O mesmo é observado em todos os continentes.

Um exemplo semelhante ocorre na África central, onde existem estratos do Mesozóico sem que sejam encontrados estratos tanto do Paleozóico superior quanto do inferior. Em regiões da Espanha encontram-se estratos do Paleozóico inferior e do Mesozóico, não sendo encontrados os estratos do Paleozóico superior.

A coluna geológica, como apresentada nos livros textos, não é encontrada praticamente em nenhum lugar.[21] Apenas 15 a 20% da superfície da Terra apresentam um terço destes períodos na ordem consecutiva proposta pela evolução.[22] Obviamente o *Princípio da Continuidade dos Estratos* e o *Princípio da Identidade Paleontológica* baseados numa interpretação cronológica da ordem estratigráfica estariam longe de ser consistentes com a evidência.

Fósseis na Ordem Errada

Muitos fósseis aparecem num posicionamento estratigráfico não compatível com a interpretação vertical oferecida pela teoria da evolução sobre o desenvolvimento da vida através do registro fóssil. Um exemplo clássico são os conhecidos *"cemitérios de fósseis"*. Neles é encontrada uma grande quantidade de ossos de seres humanos, animais mamíferos, aquáticos, aves e répteis, vivos e extintos, muitas vezes misturados uns com os outros.

Alguns exemplos de cemitérios de fósseis conhecidos nos EUA são Bone Cabin Quarry, em Wyoming, Agate Springs, em Nebraska, Ashkey Beds, na Carolina do Sul, e La Brea Pits, em Los Angeles. Muitas outras regiões de cemitérios de fósseis são conhecidas no mundo, em países como Brasil, Tanzânia, Bélgica, Escócia e Suécia.

O professor Francis Simmons Holmes, que foi um paleontólogo e

Cemitério de Fósseis Ashkey Beds, Carolina do Sul

Rocha do cemitério fóssil de Agate Springs, Nebraska
Denver Museum of Natural History

---

20 Walter E. Lammerts, *Recorded Instances of Wrong Order Formations or Presumed Ovverthrusts in the United States: Parts I-VIII,* Creation Research Society Quarterly, setembro de 1984, p. 88; dezembro de 1984, p. 150; março de 1985, p. 200; dezembro de 1985, p. 127; março de 1986, p. 188; junho de 1986, p. 38; dezembro de 1986, p. 133; junho de 1987, p. 46.
21 Derek V. Ager, *The Nature of the Stratigraphical Record,* 2ª edição, New York, John Wiley & Sons, 1981, p. 32.
22 John Woodmorappe, *The Essential Nonexistence of the Evolutionary-Uniformitarian Geologic Column: A Quantitative Assessment,* Creation Research Society Quarterly, Vol. 18, nº 1, junho de 1981, p. 46-71.

Fóssil de um mamífero (Repenomamus robustus) com um dinossauro (psittacossauro) no seu estômago

Repenomamus robustus
(ilustração)

psittacossauro
(ilustração)

curador do Museu de História Natural do Charleston College, em seu livro publicado em 1870, intitulado "*The Phosphate Rocks of South Carolina*", fala da grande quantidade e da variedade de formas de vida encontradas nas mesmas camadas. No relatório apresentado por ele à Academy of Natural Sciences referente à sua pesquisa no cemitério fóssil de Ashey Beds, ele descreveu o cemitério fóssil da seguinte forma: "*Vestígios de porco selvagem, cavalos e outros animais de datação recente encontram-se misturados com ossos humanos, mastodontes e lagartos gigantes extintos*".[23]

Dos cemitérios de fósseis, um dos maiores e provavelmente o mais conhecido atualmente é o do deserto de Gobi, na Ásia. Nele tem sido encontrada uma grande quantidade de tipos de animais fossilizados, como dinossauros, lagartos e mamíferos, descritos por Mark Norell, Michael Novacek e outros paleontólogos: "*Nossas expedições... escavaram dinossauros, lagartos e mamíferos numa qualidade de preservação sem precedentes. Esqueletos expostos recentemente muitas vezes se parecem mais com carcaças do que fósseis de 80 milhões de anos. E ainda, numa reviravolta irônica, nas rochas de Gobi parecem faltar precisamente aquelas camadas onde existe o maior interesse atual: até o momento nenhuma seção entre Cretáceo e o Terciário, onde os dinossauros foram extintos, foi encontrada. Seja qual for o cataclisma que aniquilou os dinossauros (e muitos outras espécies então na terra), suas marcas na Ásia central parecem ter sido apagadas.*"[24]

Todos estes grandes cemitérios são evidências de extinção em massa dos seres vivos. Geralmente este tipo de informação é omitido na grande maioria dos livros. Tais cemitérios fósseis apresentam evidências de que formas de vida catalogadas como habitantes de eras geológicas diferentes (separadas por milhões de anos) foram contemporâneas.

Um exemplo é o *Repenomamus robustus*, um mamífero do tamanho de um gambá. O fóssil desse mamífero (encontrado na formação Yixian, na Província de Liaoning, China, pela equipe do Dr. Meng Jin, curador de paleontologia do American Museum of Natural History) contém um pequeno dinossauro também fossilizado no seu estômago.[25]

O fóssil de outro mamífero maior (*Repenomamus gigantus*), do tamanho de um cachorro, também foi descoberto na mesma região, e segundo

---

23 F. S. Holems, *Phosphate rocks of South Carolina and the great Carolina marl bed, with five colored illustrations. A popular and scientific view of their origin, geological position and age; also their chemical character and agricultural value; together with a history of their discovery and development*, Charleston, S.C., Holmes' Book House, 1870.
24 Michael J. Novacek, Mark Norell, Malcolm C. McKenna and James Clark, *Fossils of the Flaming Cliffs*, Scientific American, vol. 271, 1994, p. 60-69.
25 Yaoming Hu, Jin Meng, Yuanqing Wang, Chuankui Li, *Large Mesozoic mammals fed on young dinosaurs*, Nature 433, 149 - 152, 13 de janeiro de 2005.

os pesquisadores teria sido também contemporâneo dos dinossauros (há 130 milhões de anos, segundo os pesquisadores). A posição do estômago destes chamados mamíferos primitivos é exatamente a mesma nos mamíferos atuais. Similaridades como esta são muito comuns no registro fóssil.

FÓSSEIS VIVOS

Ainda existe uma idéia errada de que os fósseis vivos seriam exceções raras no registro fóssil. Não são! Muitos desses fósseis que no passado foram considerados elos intermediários hoje são encontrados vivos no nosso planeta, iguais aos do registro fóssil. Talvez o exemplo mais conhecido seja o celacanto. Até meados da década de 30 do século passado, acreditava-se que o celacanto era um elo intermediário entre os peixes e os anfíbios.

Os fósseis encontrados foram datados como sendo de 360 milhões de anos. Acreditava-se também que o celacanto havia sido extinto a cerca de 65 milhões de anos. Em 1938, Marjorie Eileen Doris Courtenay-Latimer apresentou o primeiro espécime de celacanto vivo (*Latimeria chalumnae*). Em 1952, um segundo espécime vivo foi apresentado.

Atualmente o celacanto tem sido estudado por entidades como o Conservation International Indonesian Marine Program. Ele não apresentou nenhum traço de evolução nestes últimos 360 milhões de anos (segundo a datação evolucionista)! Entre os organismos vivos, seria ele uma exceção que não teria evoluído? A resposta é não!

Todos os anos, novos fósseis vivos são encontrados. Animais e plantas considerados extintos são encontrados vivos, hoje, no nosso planeta. Um exemplo recente é o *kha-nyou* (*Laonastes aenigmamus*), descoberto no Laos.[26] Este pequeno rato-esquilo, como é conhecido, foi considerado a princípio como uma nova espécie de roedor, mas era apenas mais um exemplar encontrado também no registro fóssil[27] (ver figuras na página seguinte).

Como conciliar estas evidências (fósseis vivos) com a paleontologia evolucionista? Enquanto um número imenso de espécies teria passado por pequenas variações, um número pequeno de espécies teria passado por imensas variações? Como? Por quais razões apenas alguns grupos teriam sido afetados pela "necessidade de evoluir" (ou "mecanismos evolutivos"), ao passo que outros permaneceriam exatamente iguais?

Fóssil de um celacanto
(Chapada do Araripe - Brasil)

Celacanto vivo - 1938

Celacanto vivo - 1952

Celacanto vivo - atual

---

26 Paulina D. Jenkins, C. William Kilpatrick, Mark F. Robinson and Robert J. Timmins, *Morphological and molecular investigations of a new family, genus and species of rodent (Mammalia: Rodentia: Hystricognatha) from Lao PDR*, Journal of Systematics and Biodiversity, 2 de dezembro de 2004, (4): 419-454.

27 Mary R. Dawson, Laurent Marivaux, Chuan-kui Li, K. Christopher Beard, Grégoire Métais, *Laonastes and the 'Lazarus Effect' in Recent Mammals*, Science, 10 de março de 2006, Vol. 311. Nº 5766, p. 1456 - 1458.

Fóssil de um *Laonastes aenigmamus* (kha-nyou)

Exemplar vivo de um *Laonastes aenigmamus* (kha-nyou)

Admitir que não houve necessidade de adaptação seria o mesmo que admitir que não houve nenhuma alteração no meio ambiente. Mas a geologia mostra que houve! Os fósseis vivos são uma evidência de que pequenas variações morfológicas limitadas ocorrem no decorrer da história. Mas estas pequenas variações limitadas não são evidências das grandes mudanças necessárias que uma evolução de uma espécie necessitaria. São apenas variações. E o registro fóssil é muito claro neste ponto específico!

"Saltos evolutivos" ou mesmo sequências evolutivas continuam ainda desprovidos de evidências provenientes do registro fóssil.

O Criacionismo

Vida, segundo o registro fóssil, aparece subitamente, completa, complexa e diversificada. Vida que viveu ao mesmo tempo, sem deixar nenhuma evidência de transição, mas de variação limitada e extinção. Animais e plantas que haviam sido separados por milhões de anos pelo ensino da interpretação equivocada da cronologia evolucionista, na verdade, foram contemporâneos, como mostra o registro fóssil. Vida sempre existiu com a complexidade e até mesmo com um alto grau da diversidade que encontramos hoje: algumas espécies com suas variações já desapareceram pela extinção, enquanto outras permaneceram exibindo até uma pequena variação (não evolução), a qual não é encontrada no registro fóssil. Todas estas descobertas não são surpresa para os criacionistas. Pelo contrário, todas elas vêm corroborar e fortalecer as teses criacionistas.

Não vimos neste capítulo apenas a falta de um embasamento científico para a teoria da evolução, a qual oferece uma interpretação que *não é ao mesmo* tempo coerente e consistente com *toda* a evidência disponível. Muito pelo contrário, vimos que as bases da teoria criacionista e a interpretação do registro fóssil dada por ela são cientificamente coerentes e consistentes (ver Apêndice H).

Uma Conclusão Óbvia

O registro fóssil e a estratigrafia mostram claramente que a interpretação cronológica da chamada coluna geológica não é condizente com a evidência. Ambas mostram que a evolução das espécies nunca ocorreu.

Mais uma vez, é importante deixar claro que pequenas variações são encontradas no registro fóssil. Mas assumir que tais variações limitadas teriam produzido uma evolução das espécies seria pura imaginação ou especulação, e não um fato científico.

Os fósseis ainda mostram que as mesmas estruturas básicas (asas, olhos, patas) e funções (digestão, respiração, procriação) encontradas nos fósseis são tão desenvolvidas e atuais quanto as dos organismos vivos de hoje (ver figura ao lado de um ichthyossauro com embrião). Tais evidências, sem a interpretação equivocada de uma suposta cronologia associada a elas, leva a conclusão óbvia da proposta criacionista: que vida sempre existiu, desde a sua criação até os dias atuais, com toda a complexidade que encontramos nela hoje.

Para muitos, como já dissemos, a posição é considerada religiosa e simplista. Mas não há nada de religioso nem de simplista numa conclusão baseada na observação direta dos fatos. A verdadeira ciência nunca irá distorcer aquilo que está diante dos olhos de *qualquer observador*.

Ainda existe muito a ser descoberto através dos fósseis. No entanto, se a tendência das descobertas continuar na direção na qual tem ido, a teoria naturalista da evolução darwiniana cairá no descrédito científico.

O conjunto de informações destes dois capítulos sobre a vida tem sido a razão principal da mudança de posicionamento de muitos cientistas da atualidade, que têm abandonado a posição naturalista de uma suposta evolução darwiniana da vida.

Qual o posicionamento deles quanto às evidências?[28]

Fóssil de uma Ichthyossauro grávida (embrião no centro)

Fóssil de uma Ichthyossauro com embrião (ver detalhe abaixo)

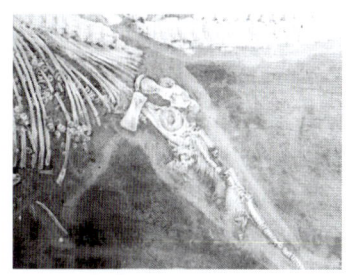

Detalhe do fóssil do embrião

> "Somos céticos quanto às reivindicações da capacidade das mutações randômicas e da seleção natural em explicar a complexidade da vida. Um exame cuidadoso da evidência a favor da teoria de Darwin deve ser encorajado."

O patologista e professor da Universidad Autónoma de Gadalajara, Raul Leguizamon, M.D., resumiu em suas palavras o porquê do número crescente de cientistas que têm abandonado a posição naturalista darwiniana: "Eu assinei a declaração de Dissidência Científica do Darwinismo por estar totalmente convencido da falta de verdadeira evidência científica em favor do dogma darwiniano".[29]

Se deixarmos que os fósseis e a estratigrafia falem por si mesmos, o que eles nos dirão? Sem dúvida o que muitos cientistas da atualidade já descobriram, que é o que você acabou de ler!

---

28 Uma lista completa dos que assinaram e continuam assinando a lista dos dissidentes do darwinismo, com nomes e instituições as quais estão afiliados, pode ser encontrada no site: www.dissentfromdarwin.org/
29 www.discovery.org/scripts/viewDB/index.php?command=view&id=2732 (janeiro de 2007).

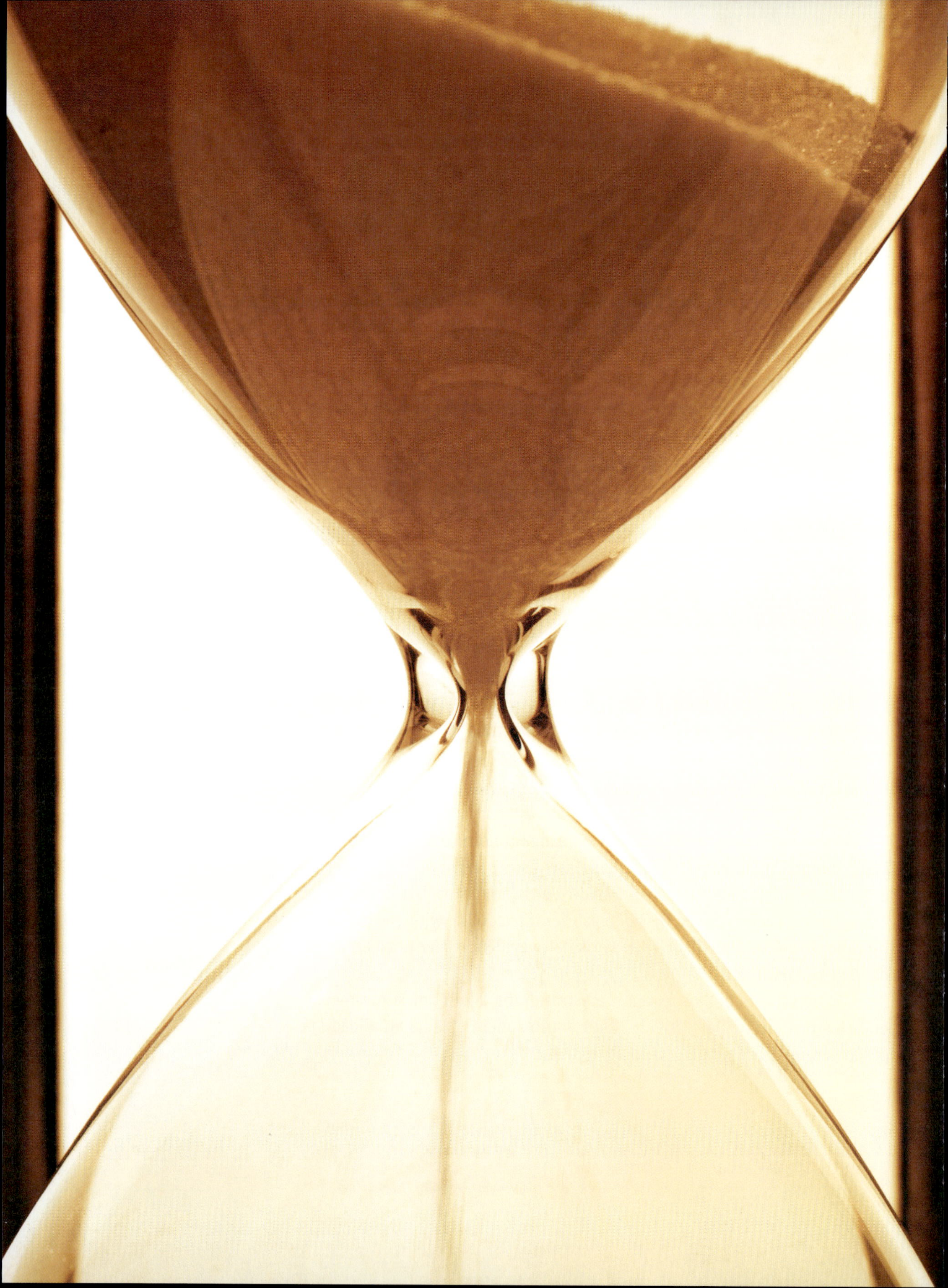

CAPÍTULO 6

A Origem dos Bilhões de Anos:

Métodos de Datação

"Criacionistas e evolucionistas possuem exatamente os mesmos dados. A realidade é a mesma para eles. Contudo, a percepção desta realidade e a interpretação dos dados pode ser notavelmente diferente para ambos, dependendo da perspectiva do indivíduo, suas pressuposições, cosmovisão e até mesmo suas tendências."

Dr. Henry Morris

Rochas Sem Certidão de Nascimento

Rochas e fósseis não são encontrados com uma etiqueta ou cartão de identificação que especificam quando estes teriam sido formados. Tampouco um pesquisador estava presente para observar o tal evento que teria ocorrido no passado. Então, como determinar as idades dessas rochas e desses fósseis? Quais são os métodos empregados, suas pressuposições e limitações? As datas produzidas por tais métodos seriam absolutas ou relativas?

Estes são os assuntos que trataremos neste capítulo. Um certo conhecimento matemático, para uma melhor compreensão da metodologia de datação, poderá ajudar e muito.

Um Pouco de Terminologia

Vários ramos da ciência moderna têm sido utilizados para o desenvolvimento de métodos que possam oferecer "datas absolutas" às rochas e aos fósseis. A área da ciência que procura determinar de maneira precisa as idades das rochas, dos fósseis e dos sedimentos, dentro de um certo grau de incertezas produzido pelo método de datação utilizado, é a Geocronologia.

Uma outra área da ciência que procura determinar se uma rocha sedimentar está associada a um período geológico, através de um processo de comparação e catalogação dos fósseis, é a Bioestratigrafia. A Bioestratigrafia não determina a idade de uma rocha. Ela apenas posiciona as rochas dentro de uma escala de tempo.

Dos estudos destas duas áreas, aparece uma terceira área conhecida por Cronoestratigrafia, a qual procura derivar "idades absolutas" para os fósseis e determinar a história geológica do nosso planeta. A Cronoestratigrafia também estuda o desenvolvimento geológico de corpos celestes, como os demais planetas do sistema solar, sendo o planeta Marte o mais pesquisado atualmente.

Alguns métodos oferecem datas que são normalmente descritas como "absolutas". O que a palavra "absoluta" dentro do contexto quer dizer é que, se as pressuposições relacionadas ao método estiverem corretas e se o grau de incerteza produzido pelo tal método for minimizado ao extremo, existe uma possibilidade de que a data avaliada esteja correta.

As datas oferecidas pelos métodos aparecem com as unidades de tempo Ka, Ma e Ga, que significam milhares de anos (10^3), milhões de anos (10^6) e bilhões de anos (10^9), respectivamente. Algumas publicações utilizam as formas Mya (*millions of years ago*), que significa simplesmente "milhões de anos atrás", e BP (*before present*), que significa antes do presente, sendo a data de 1950 utilizada como o "presente".

Minha idade é: 65 milhões de anos

Foto da superfície do planeta Marte, tirada pelo robô Spirit (NASA)

Os Métodos de Datação

Os métodos utilizados para datação usam geralmente duas técnicas distintas: a incremental e a radiométrica, as quais determinam os processos de coleta e análise de certo tipo de amostra (rocha, fóssil ou sedimentos). Vamos listar aqui os métodos principais baseados nestas técnicas utilizadas e, em seguida, faremos uma avaliação mais detalhada de cada um deles.

Os métodos incrementais baseiam-se em avaliações de taxas de crescimento, formação ou erosão. Por exemplo, o crescimento anual dos anéis nos troncos de árvores (dendrocronologia). Já os métodos radiométricos baseiam-se nos processos de desintegração radioativa ou decaimento radioativo, conhecidos por emissão alfa, emissão beta e emissão gama. Estes processos avaliam as taxas de desintegração (ou decaimento) de elementos químicos radioativos (radioisótopos).

Todos os métodos de datação dependem das pressuposições das quantidades iniciais (interpretação das condições iniciais), da constância de certos valores ao longo do tempo e de certos parâmetros específicos associados ao método, não podendo assim produzir idades "absolutas". Trataremos de cada um desses aspectos, ao analisarmos os métodos principais individualmente.

Existem vários métodos que não serão abordados neste livro, mas que podem ser encontrados na literatura científica. A razão de abordarmos apenas alguns dos métodos é puramente uma questão de exemplificação da questão científica relacionada com o estabelecimento das datas dos fósseis e das rochas.

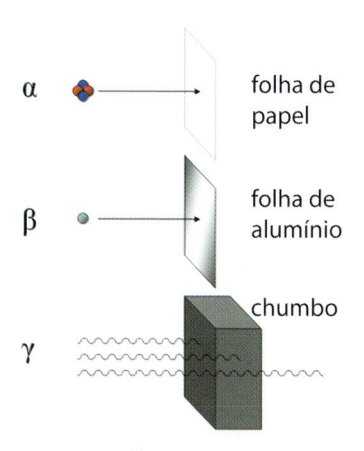

Anéis de crescimento no tronco de uma árvore (dendrocronologia)

Emissão alfa (α) e emissão beta (β) são partículas de baixa energia que podem ser obstruídas por uma folha de papel e alumínio, respectivamente. Desintegração gama (γ) são raios de alta energia que são obstruídos apenas por uma camada espessa de chumbo.

Os Métodos Incrementais

As técnicas que utilizam os métodos incrementais permitem uma reconstrução de cronologias do tipo ano-após-ano, que podem ser associadas a datas atuais ou recentes. Como exemplo, algumas destas técnicas têm sido utilizadas para determinar a idade de árvores, bem como as idades de objetos produzidos pelos seres humanos.

A *Dendrocronologia* é um método incremental muito conhecido, que utiliza os anéis de crescimento encontrado nos troncos das árvores para estabelecer datas e condições climáticas até 3.000 anos atrás.

Sabe-se que a parte clara dos anéis é formada geralmente na primavera e as escuras, no final do verão e início do outono. Portanto, através do número de camadas e da espessura de cada camada, os cientistas conseguem avaliar a idade das árvores, bem como certos aspectos relacionados com o clima durante a vida da árvore, tais como volume de chuva (índices pluviométricos da região), períodos prolongados de seca, temperaturas, queimadas e grau de insolação (sendo o sol o maior agente de formação dos anéis).

Broca utilizada pela dendrocronologia para extrair um pequeno cilindro de um tronco contendo os "anéis" formados pelo crescimento da árvore.

(Foto por Hannes Grobe, 2006. Permissão concedida - Creative Commons CC-BY-SA-2.5)

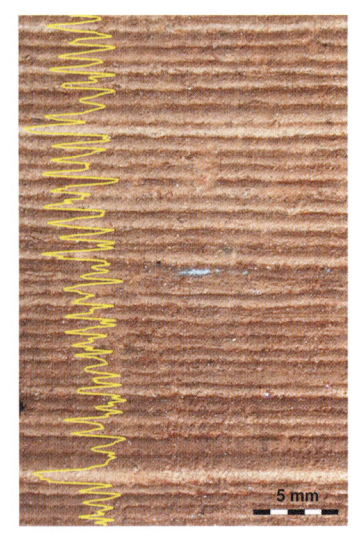

Possível relação entre varvitos da Escandinávia e flutuações do campo magnético da Terra (PSV - Paleomagnetic Secular Variation)

Existem situações em que condições climáticas extremas não permitem o aparecimento de um novo anel no tronco da árvore, durante um ciclo normal de estações. A ausência de um anel nem sempre é perceptível. Existem também alguns tipos de árvores que, devido ao crescimento vertical acentuado, produzem uma "camada falsa", denominada camada dupla.

A *Datação por varvito* é um outro método incremental que utiliza velocidades regulares de erosão e deposição. Varvito foi, a princípio, um termo utilizado para descrever os diferentes componentes de uma camada anual de sedimentos encontrados nos lagos glaciais. Atualmente, o termo varvito descreve a totalidade de uma camada sedimentar anual. Portanto, varvitos são camadas muito finas criadas por processos rápidos de estratificação e segregação. Algumas dessas camadas são resultantes do acúmulo de areia, cascalho ou lodo (depósitos aluviais); outras, do crescimento de turfeiras, e outras ainda, dos depósitos que se formam nos lagos e nas geleiras.

Alguns desses processos ocorrem em ciclos anuais, tornando possível relacionar um camada (ou lâmina) específica com uma data específica. Outros já não ocorrem com tal periodicidade, dificultando o processo de datação. Um dos problemas principais com a datação por varvitos é a pressuposição atualista, de que os processos de erosão e deposição permaneceram praticamente inalterados ao longo da história registrada nas finas lâminas sedimentares. Esta pressuposição é questionável.

Como já foi mencionado no capítulo anterior, a formação das camadas varia em função da velocidade da água e dos sedimentos nela contidos. O mesmo princípio aplica-se à formação de varvitos.

A *Datação pelo Magnetismo Terrestre* é um método que mede a variação do campo magnético da Terra, conhecido pela sigla PSV (Paleomagnetic Secular Variation).

Estas flutuações do campo magnético da Terra ficam gravadas em minerais ferromagnéticos (ferrimagnético, em algumas publicações) solidificados em depósitos sedimentares e em lava vulcânica. Rochas metamórficas e ígneas são fontes principais das amostras analisadas por este método de datação.

O método de datação por meio do magnetismo terrestre não é um método de datação totalmente independente, pois ele é comparativo. A idade atribuída a uma rocha acima de dezenas de milhares de anos depende de outra datação feita com métodos radiométricos.

Para datações recentes, como as de artefatos cerâmicos produzidos pela atividade humana, a variação do campo magnético, a sua inclinação e declinação podem ser usados com uma escala de tempo conhecida.

Os chamados pólo norte e pólo sul magnéticos não são fixos. Eles têm sido estudados e demarcados desde 1831.[1] Esta variação produz uma curva de variação do campo magnético para cada local do planeta. Quando uma peça cerâmica é encontrada, avalia-se a imantação remanescente com a curva de variação, obtendo-se uma simples leitura da data correspondente. Este método é usado para datação pela arqueologia e é conhecido por *Arqueomagnetismo*.

Vários outros métodos modernos utilizam elétrons que interagem com uma estrutura. Por exemplo, quando o esmalte dos dentes é formado ou mesmo uma cerâmica é cozida, os elétrons ocupam as suas posições naturais. Com a atividade radioativa natural, haverá um acúmulo de elétrons nos espaços vazios das estruturas.

Uma das técnicas para detectar este acúmulo de elétrons utiliza radiação de microondas (aproximadamente 10 GHz), na qual os elétrons acumulados nessas regiões emitem um sinal no espectro que pode ser detectado e medido. Esta técnica é conhecida por *Ressonância de Spin Eletrônico* (RSE).

Ainda outra técnica remove esse acúmulo de elétrons através do aquecimento. Num laboratório, uma amostra é aquecida a uma temperatura de aproximadamente 775 Kelvins (cerca de 500°C). Os elétrons ao "saírem" destas cavidades (conhecidas por *trap* - ou armadilha) emitem energia luminosa que pode ser detectada. Comparando-se a luminosidade da amostra com a luminosidade dos padrões de laboratório, pode-se avaliar a sua "idade". Este método é conhecido por *Termoluminiscência* (TL).

Nestes dois últimos métodos, três problemas cruciais ainda não foram eliminados: (1) circunstâncias diferentes podem também produzir o acúmulo de elétrons, sem que a origem real tenha sido a radioatividade, (2) a quantidade de radiação recebida pela amostra que está sendo analisada depende da fonte da radiação, o que nem sempre está disponível para avaliação, e (3) não se desenvolveu uma técnica que determine quando o "relógio" da amostra iniciou a marcação do tempo. Sem a eliminação destas causas, a datação de uma amostra através destes métodos, geralmente, fica comprometida.

Um último método não-radiométrico que merece atenção é a *Datação por Aminoácidos*. Este método é utilizado para datações recentes.

Aminoácidos são os constituintes de moléculas orgânicas complexas, como já foi visto no Capítulo 4. Sabe-se que os aminoácidos existem em duas formas simétricas, chamadas de dextrógiros e levógiros (direitos e esquerdos), devido a polarização da luz ao interagir com essas moléculas (isomerismo). Também é conhecido que essas moléculas passam por um processo de degradação a partir do momento em que o organismo morre.

Nas proteínas dos organismos vivos, encontramos somente as formas

Pólo Norte geográfico
(NOAA/Pacific Marine Environmental Laboratory)

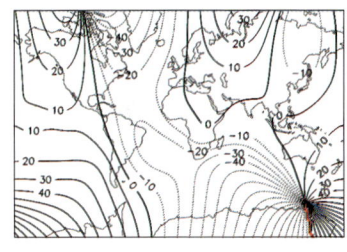

A linha vermelha indica a migração do pólo sul magnético durante os últimos anos (declinação).

Detalhe mostrando a migração do pólo sul magnético

Linha vermelha - declinação - - variações observadas de 1831 a 2005;
Linha amarela - variações calculadas de 1600 a 2005.

---

1   D.R. Barraclough, *Spherical Harmonic Analysis of the Geomagnetic Field for Eight Epochs between 1600 and 1910,* Geophysics J. R. Astr. Soc., 36, 1974, p. 497-513.

Serina (aminoácido)

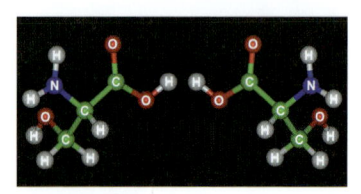

Forma Levógira (esquerda)   Forma Dextrógira (direita)

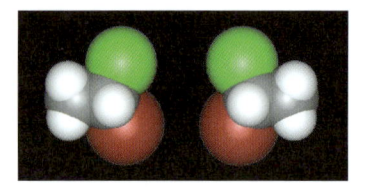

Isomerismo - formas esquerda e direita

levógiras dos aminoácidos. Quando o organismo morre, os aminoácidos de forma levógira vão passando de maneira gradativa à forma dextrógira, até que um equilíbrio seja atingido.

Conhecendo-se a proporção das formas levógira-dextrógira no organismo e a velocidade de transformação em direção ao equilíbrio, pode-se saber há quanto tempo o organismo está morto.

Este método também não está livre de problemas. Os fatores que induzem a uma datação errada de uma amostra são: (1) o pH (o valor do pH é um número aproximado entre 0 e 14, que indica se uma solução é ácida (pH<7), neutra (pH=7) ou básica/alcalina (pH>7)), (2) a temperatura e (3) a umidade.

Todos estes métodos de datação usam como referência datas já conhecidas pela história. A sua função principal é mais de confirmação de uma data do que o estabelecimento desta data propriamente dito.

Passemos agora aos métodos que utilizam as técnicas radiométricas para datação.

O Básico dos Métodos Radiométricos

O desenvolvimento dos métodos radiométricos pode ser compreendido a partir de várias descobertas históricas importantes:
- 1895 - Wilhelm Roentgen descobriu os raios-x.
- 1898 - Pierre e Marie Curie criaram o termo *radioatividade*.
- 1899 - J.J. Thompson descobriu os elétrons.
- 1911 - Ernest Rutherford descreveu a natureza do núcleo atômico.
- 1914 - Ernest Rutherford descobriu o próton.
- 1935 - James Chadwick descobriu os nêutrons.

Por volta de 1905, Rutherford e seus colaboradores desenvolveram os primeiros métodos de datação usando radioisótopos.

Nos processos de desintegração radioativa, um elemento radioativo (pai) se transforma num elemento radiogênico (filho). Por exemplo, o isótopo radioativo de Potássio-40 (^{40}K - sólido), que é instável, transforma-se em Argônio-40 (^{40}Ar - gás) ou Cálcio-40 (^{40}Ca - sólido), através de uma desintegração (emissão alfa).

Os métodos radiométricos baseiam-se nos cálculos relacionados com as quantidades iniciais (pressuposição) dos elementos que passaram pelo processo de desintegração e os valores das suas quantidades obtidas através de medições em laboratório (evidência). Geralmente, os métodos de datação que utilizam radioisótopos são apresentados como provas infalíveis para uma história antiga do nosso planeta (de milhões ou bilhões de anos). Visto que estes métodos oferecem uma idade considerada "absoluta" para uma amostra, os resultados têm sido considerados corretos.

Para entendermos como as técnicas de datação radiométricas funcionam, vamos dar um pouco mais de informação histórica e científica.

No início do século XX, Ernest Rutherford, Frederick Soddy e Henri Becquerel, pesquisaram e descreveram o processo de desintegração nuclear. Usando compostos radioativos de Urânio (U) e Tório (Th), eles desenvolveram o conceito conhecido por *meia-vida*.

O conceito da *meia-vida* é fundamental nos métodos de datação. Basicamente, ele define o tempo característico para que 50% (metade) de uma amostra radioativa se desintegre. Ele pode ser visualizado da seguinte forma:

$$N \to \frac{1}{2} N \to \frac{1}{4} N \to \frac{1}{8} N \to \cdots \to \left[\frac{1}{2}\right]^n N,$$

sendo N a quantidade inicial.

A taxa de desintegração dN/dt pode ser obtida experimentalmente, sendo diretamente proporcional ao número de radioisótopos que ainda sobraram,

$$\frac{dN}{dt} = -\lambda N.$$

Se integrarmos a equação acima (ver Apêndice I), obteremos a expressão

$N = N_0 e^{-\lambda t}$, em que λ é a constante de desintegração do material.

A *meia-vida* $t_{1/2}$ é dada pela expressão

$$t_{1/2} = \frac{\ln 2}{\lambda}.$$

Coloquemos estas equações em termos práticos. Os cientistas precisam detectar pequenas quantidades, partes-por-milhão (ppm), partes por bilhão (ppb) e partes por trilhão (ppt), para avaliar a constante de desintegração (λ) de uma amostra. Por exemplo, a constante de desintegração do Potássio-40 medida no laboratório resulta em uma *meia-vida* de um bilhão, duzentos e sessenta milhões de anos (1.26×10^9 de anos).

Em outras palavras, o tempo necessário para que 1/2 Kg de Potássio-40, de um 1 Kg original, se desintegre é de 1.26×10^9 de anos.

Portanto, a meia vida atribuída ao Potássio-40 é de

$t_{1/2} = 1.26 \times 10^9$ anos.

Marie Curie. Ela e seu marido Pierre Curie criaram o termo *"radioatividade"*.

A constante de desintegração de cada elemento químico radioativo tem sido estudada e catalogada. Conhecendo-se a constante de desintegração, pode-se conhecer a *meia-vida*. Sabe-se que cada elemento químico radioativo possui uma meia-vida diferente (por exemplo, o Carbono-14 possui uma *meia-vida* de 5.730 anos).

Todos os métodos radiométricos conhecidos utilizam o conceito da meia-vida do elemento original para a obtenção das idades.

No entanto, mesmo obtendo resultados que são de origem experimental, ainda existem três pressuposições básicas que são necessárias para que um método radiométrico funcione:

1. Que a taxa de desintegração seja constante através do tempo.
2. Que as quantidades dos isótopos avaliados numa amostra datada não tenham sido alteradas nem por acréscimo nem por remoção durante a sua história.
3. Que na formação da rocha original (amostra datada) houvesse também uma quantidade conhecida do isótopo resultante.

Como veremos, as maiores dificuldades com os métodos de datação radiométrica provêm das pressuposições 2 e 3. Precisamos ainda ilustrar o que iremos falar sobre isótopos estáveis e isótopos radioativos.

Isótopos são átomos de um mesmo elemento químico cujos núcleos têm o mesmo número atômico (Z), mas diferentes massas atômicas (A).

Por exemplo, o elemento químico Carbono (C) tem sete isótopos:

		meia-vida
$^{10}_{6}C$	radioativo	19,45 segundos
$^{11}_{6}C$	radioativo	20,30 minutos
$^{12}_{6}C$	estável	
$^{13}_{6}C$	estável	
$^{14}_{6}C$	radioativo	5.730 anos
$^{15}_{6}C$	radioativo	2,40 segundos
$^{16}_{6}C$.	radioativo	0,74 segundo

Grafite (Carbono)

Apenas o $^{12}_{6}C$ e o $^{13}_{6}C$ são estáveis, isto é, não se desintegram (o $^{14}_{6}C$, elemento-pai, se desintegra em $^{14}_{7}N$, elemento-filho). Observe que todos os isótopos do Carbono possuem o mesmo número atômico seis. O que difere um do outro é a quantidade de nêutrons no núcleo.

Os isótopos estáveis mantêm a mesma estrutura atômica através do tempo. Os radioativos alteram a sua estrutura atômica através do tempo por meio de um processo de desintegração que ocorre no núcleo do elemento químico.

Os Métodos Radiométricos

Não trataremos aqui de todos os métodos de datação de rochas que utilizam radioisótopos, mas apenas alguns serão abordados. Na última seção, trataremos especificamente do método de Carbono-14, o qual está relacionado com a datação de material orgânico.

> emissão α: 2 prótons + 2 nêutrons
> emissão β: 1 elétron

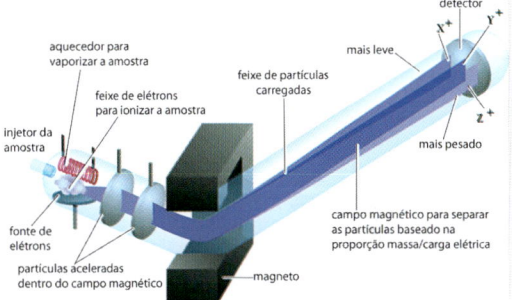

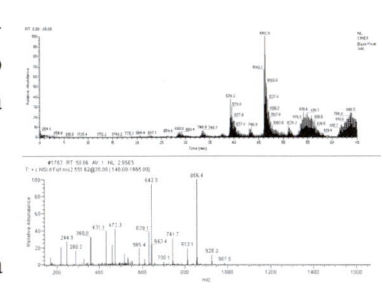

Também nas equações das reações de desintegração não aparecerão as demais partículas produzidas (como neutrinos e antineutrinos) nem as quantidades de energia associadas aos processos. O formato aqui utilizado para as equações indicando as reações será o mesmo utilizado na literatura convencional,

$$^A_Z E \rightarrow {}^A_Z e + emissão,$$

em que A é a massa atômica ou peso atômico (quantidade total de prótons e nêutrons no núcleo do átomo) e Z é o número atômico (quantidade de prótons no núcleo ou o número de elétrons que o átomo possui). "E" é o elemento original (elemento-pai) e "e" é o elemento produzido na desintegração (elemento-filho). A "emissão" representa o tipo de desintegração (alfa, beta ou gama).

Uma vez que as quantidades dos elementos químicos analisados são muito pequenas, a técnica de Espectrometria de Aceleração de Massa é utilizada. No espectrômetro de massa, substâncias são bombardeadas para produzir átomos eletricamente carregados (íons). Estes átomos atravessam um campo magnético que produz uma trajetória diferente, dependendo da massa e da carga elétrica do íon. Assim os isótopos são identificados e as suas quantidades medidas (ver ilustração ao lado).

Dessas medições, duas técnicas distintas podem ser utilizadas para se obter a data da amostra. A primeira é a datação radiométrica simples ou geral, na qual é admitida uma quantidade inicial do elemento-filho na amostra. De forma resumida, a idade de uma amostra pode ser calculada usando-se a seguinte equação:

$$idade = \frac{2.303}{0.693} t_{1/2} \log \left[\frac{N_o}{N}\right], \text{ em que}$$

N_o é a concentração inicial admitida do elemento radioativo, e N é a concentração atual medida no laboratório. $t_{1/2}$ é a meia-vida do elemento.

Outra equação opcional utiliza as concentrações atuais medidas em laboratório tanto do elemento-pai quanto do elemento-filho:

$$idade = \frac{1}{\ln 2} t_{1/2} \ln \left[1 + \frac{D}{P}\right], \text{ em que}$$

Espectrometria de
Aceleração de Massa

D é a concentração do elemento-filho, P a concentração do elemento-pai, medidas no laboratório, e $t_{1/2}$ é a meia-vida.

Duas pressuposições comprometem esta técnica:

1. **Condição inicial:** a quantidade admitida de isótopos-filho no momento de formação da rocha é zero (ou então conhecida independentemente, podendo ser assim compensada nos cálculos).
2. **Contaminação:** nenhuma quantidade de isótopos-pai ou isótopos-filho entrou ou saiu da amostra.

Caso uma dessas duas pressuposições não seja verdadeira, a data calculada estará incorreta.

Uma segunda técnica foi proposta na década de 60, pelo geólogo Nicolaysen[2], com o intuito de evitar este problema.[3]

Esta técnica é conhecida por *isochron* e pode ser utilizada quando o elemento-filho possui um isótopo estável, além daquele produzido pela desintegração do elemento-pai. Neste caso, teoricamente, não há necessidade de se pressupor a quantidade inicial do elemento-filho na formação da rocha, pois, no momento da cristalização, a proporção entre o isótopo estável e o isótopo radioativo é independente do elemento-pai.

À medida que o tempo avança, as quantidades começam a mudar. Devido a desintegração, a quantidade de isótopos do elemento-pai diminui, e a quantidade de isótopos radioativo do elemento-filho aumenta.

Podemos equacionar estas proporções de numa forma geral (ver Apêndice J para a derivação da equação *isochron*)

$$\frac{D}{D_i} = \left[e^{\lambda t} - 1 \right] \frac{P}{D_i} + \frac{D_o}{D_i}$$, em que

D é a concentração do isótopo radioativo do elemento-filho e D_o a sua concentração inicial, D_i é a concentração do isótopo estável relativo ao elemento-filho, e P é a concentração do isótopo-pai.

O primeiro termo da equação, D/D_i, representa a quantidade do isótopo radioativo acumulada através do tempo. O terceiro termo da equação, D_o/D_i, representa a quantidade inicial do isótopo radioativo. O segundo termo representa a quantidade acumulada do elemento-pai.

O valor m que determina a inclinação da reta da linha reproduzida num gráfico *isochron* fornece a idade da rocha (ver o gráfico acima).

As variáveis da equação podem ser facilmente identificadas nos métodos

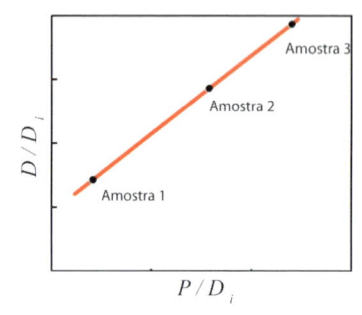

Gráfico linear *Isochron*
$y = mx + b$,
em que m determina a idade da rocha.
$m = e^{\lambda t} - 1$.
Portanto,
$t = 1/\lambda \ln(m + 1)$.

---

2 L. O. Nicolaysen, *Graphic interpretation of discordant age measurements on metamorphic rocks*, Annals of the New York Academy of Sciences, 1961, vol. 91, p. 198-206.
3 G. Brent Dalrymple, *The Age of the Earth*. California, Stanford University Press, 1991, p. 72-74.

de datação por meio dos elementos da tabela apresentada abaixo. Nela, estão relacionados os elementos dos métodos que trataremos a seguir:

P	D	D_i	meia-vida (10^9 anos)
^{147}Sm	^{143}Nd	^{144}Nd	106
^{187}Re	^{187}Os	^{186}Os	43
^{87}Rb	^{87}Sr	^{86}Sr	48,8
^{40}K	^{40}Ar	^{36}Ar	1,25
^{176}Lu	^{176}Hf	^{177}Hf	0,359
^{232}Th	^{208}Pb	^{204}Pb	14
^{238}U	^{206}Pb	^{204}Pb	4,47
^{235}U	^{207}Pb	^{204}Pb	0,704

Cálculo da fluorescência espectral da abundância natural de ^{85}Rb e ^{87}Rb (ver gráfico abaixo, a linha D1).

Todos os métodos que usam esta técnica admitem que dentre os elementos de formação da rocha existe uma quantidade desconhecida de um isótopo estável e de outro isótopo radioativo do elemento-filho, juntamente com uma quantidade de isótopos do elemento-pai. Eles também admitem que a quantidade do isótopo estável permaneceu constante durante toda a existência da rocha.

Para que a técnica funcione, as amostras a serem utilizadas para avaliação da idade devem ter sido retiradas de uma mesma rocha. Várias rochas provenientes de uma mesma origem conhecida também podem ser usadas.

No entanto, existem três condições necessárias que devem ser satisfeitas para que o método *isochron* funcione:

1. Todas as amostras devem possuir a mesma idade.
2. Todas devem possuir a mesma proporção inicial dos isótopos-filho.
3. Deve haver uma ampla variação nas proporções isótopo-pai/isótopo-filho nas amostras.

Embora o método *isochron* seja considerado como solução do problema da quantidade inicial dos isótopos-filho numa amostra, ele não está livre de pressuposições e de outros problemas.[4]

A metodologia de datação radiométrica é uma ciência de grande precisão no que diz respeito às técnicas utilizadas. Obviamente, podem existir

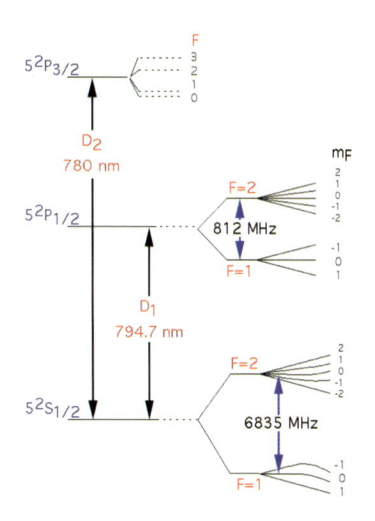

Estrutura do estado fundamental e do primeiro estado de excitação do ^{87}Rb.

---

4 G. Faure, *Principles of Isotope Geology*, 2ª edição, New York, John Wiley and Sons, 1986, Capítulo 7. Ver também Y. F. Zheng, *Influences of the nature of the initial Rb-Sr system on isochron validity*, Chemical Geology, 80, 1989, p. 1-16.

problemas com a maneira como uma amostra é tratada (contaminação) e com a interpretação dos resultados (contradições). Mas o problema principal, mais uma vez, são as pressuposições.

Para que os cálculos sejam confiáveis, todos os métodos precisam admitir que nada poderia ter ocorrido no passado que produzisse qualquer alteração das quantidades dos elementos estudados e mesmo das constantes utilizadas (como a meia-vida do elemento).

Por exemplo, uma anomalia poderia produzir um acúmulo rápido de isótopos-filho, mas isto não produziria uma longa escala de tempo. Assumir que rochas são sistemas completamente fechados por eons de tempo, ainda é algo por ser provado. Não existe nada conhecido pela ciência moderna que esteja num isolamento total. Sendo assim, passemos ao estudo dos principais métodos de datação radiométrica e as suas peculiaridades.

Samário-Neodímio (Sm-Nd)

Estes dois elementos são da série dos *lantanídeos* (todos os 15 elementos desta série possuem características similares às do metal de cor prateada, Lantânio), na tabela periódica. Estes elementos são também chamados de metais raros, baseado num pensamento antigo e incorreto de que eles raramente seriam encontrados na natureza. O Samário radioativo se desintegra em Neodímio através de uma emissão alfa,

$$^{147}_{62}Sm \rightarrow {}^{143}_{60}Nd + {}^{4}_{2}\alpha \qquad \text{meia-vida: 106 Ga}$$

A meia-vida do Samário é de 106 bilhões de anos, cerca de duas vezes e meia maior que a meia-vida dos demais radioisótopos. Os dois isótopos (Sm e Nd) ocorrem em quantidades de partes-por-milhão em todas as rochas e minerais (silicatos, fosfatos e carbonatos). Estas pequenas quantidades têm sido medidas desde os anos 80 através da *espectrometria de massa* para datação de rochas. Geralmente a diferença de concentração entre Sm e Nd nas rochas é muito pequena, pois os dois elementos são muito similares quimicamente.

A proporção natural entre Sm e Nd em amostras aparece entre 0,1 e 0,5, com um pequeno excesso de Nd. Sendo que quantidades de ^{143}Nd estão presentes em todas as amostras, este método, quando aplicado à datação, baseia-se no isótopo estável ^{144}Nd.

O método de Sm-Nd para datação parece oferecer três vantagens sobre os demais métodos:

1. Migração atômica seletiva durante o aquecimento ou metamorfismo da rocha não afeta a proporção de Sm-Nd, devido as suas similaridades.
2. Sendo que a meia-vida do Sm possui um valor de 106 bilhões de anos, ele tem sido considerado útil para datar amostras

consideradas muito antigas, como meteoritos rochosos, rochas lunares e lava do Pré-Cambriano.

3. Ele parece ser independente de erosão, metamorfismos e até re-derretimento, ocorridos com a amostra.[5]

As amostras datadas por este método incluem rochas metamórficas, basalto antigo e meteoritos rochosos.

No caso de meteoritos, a proporção $^{143}Nd/^{144}Nd$ é modelada pelo método CHUR (Chrondritic Uniform Reservoir, o qual é uma aproximação do material que supostamente teria formado o sistema solar, tendo sido determinado pela análise de meteoritos).

O método CHUR também é usado para fornecer informação para os modelos de datação das rochas do manto da terra (usando-se a diferença da proporção da amostra em relação ao CHUR); neste método admite-se uma evolução do sistema (calculada em relação ao CHUR) e extrai-se alguns outros fatores (como granito sem Nd radiogênico).

Rênio-Ósmio (Re-Os)

O Rênio radioativo se desintegra em Ósmio através de uma emissão beta,

$$^{187}_{75}Re \rightarrow {}^{187}_{76}Os + {}^{0}_{-1}\beta \qquad \text{meia-vida: 43 Ga}$$

A meia-vida do Rênio é de aproximadamente 43 bilhões de anos.

O Re e o Os são normalmente encontrados em minerais silicatados, em quantidades inferiores a uma parte-por-bilhão. Em muitos meteoritos ferrosos, a abundância é de até mil vezes mais.

O isótopo estável ^{186}Os é usado para calibragem. O método *isochron* é então utilizado para determinar a quantidade inicial de ^{187}OS das amostras.

O isótopo ^{187}Os tem um papel fundamental nas teorias relacionadas com a extinção dos dinossauros, principalmente a de um possível impacto de um asteróide ou meteorito. Segundo essa teoria, um asteróide de aproximadamente 10 km de diâmetro teria colidido com a Terra a 65 milhões de anos atrás, colocando um ponto final na era Mesozóica.

O desenvolvimento desta teoria deve-se a uma camada de argila no limite dos períodos Cretáceo-Terciário que possui uma alta concentração do elemento Irídio (Ir), provavelmente de origem extraterrestre. Nesta camada também encontra-se uma pequena proporção de $^{187}Os/^{186}Os$, diferente da proporção encontrada em rochas da crosta da terra, quando comparadas. É um fato conhecido que meteoritos não metálicos possuem uma quantidade inferior de ^{187}Os do que as rochas da terra. A quantidade de ^{187}Os encontrada

Close-up de uma rocha basáltica (saturação das cores devido ao tipo de iluminação utilizada)

Ilustração do impacto de um asteróide

---

5   A. Dicking, *Radiogenic Isotopes Geology*, Cambridge University Press, New York, 1995, p. 86.

nessa camada foi considerada como originária de um meteorito.

Esta interpretação deixa de lado, além de muitas variáveis desconhecidas dos dados originais, outros fatores importantes que poderiam ser a causa dos dados encontrados na camada de argila (tais como uma origem vulcânica desta camada, mistura e fracionamento dentro da própria camada).

Rubídio – Estrôncio (Rb-Sr)

Rubídio (Rb) aparece na tabela periódica na mesma coluna do Potássio (K) e do Sódio (Na), tendo como os demais apenas um elétron livre na última camada. Esta similaridade faz com que Rb seja encontrado em pequenas quantidades em minerais que também contém K e Na.

Estrôncio, da mesma forma, é semelhante ao Cálcio (Ca) e geralmente aparece como impureza num local do retículo cristalino do Rubídio. Rubídio (^{87}Rb) se desintegra em Estrôncio (^{87}Sr) através de uma emissão beta.

$$^{87}_{37}Rb \rightarrow {}^{87}_{36}Sr + {}^{0}_{-1}\beta \qquad \text{meia-vida: 48,8 Ga}$$

A técnica *isochron* é essencial também neste método devido a sua dependência da quantidade inicial de Sr na rocha a ser datada. Este método é geralmente utilizado para datar rochas metamórficas consideradas antigas, como o *gnaisse*.

A migração do ^{87}Sr radiogênico, tanto entrando quanto saindo dos minerais, oferece um problema real para o método. Outro problema está relacionado com a pressão e a temperatura.

As rochas datadas pelo método Rb-Sr experimentaram pressão e temperaturas extremas. Um aquecimento moderado de 100°C a 200°C afeta o movimento dos átomos de Rb e Sr na rocha, afetando assim a sua datação. Vários modelos matemáticos têm sido desenvolvidos com o propósito de acomodar estas variáveis, diminuindo o grau de incerteza.

De forma geral, o método de datação Rb-Sr é usado para datar rochas formadas a partir do magma (rochas ígneas). Acredita-se que estas rochas são recentes e que tiveram os seus "relógios internos" zerados. Este método tem sido usado também para datar rochas sedimentares, por serem rochas formadas de sedimentos de outras rochas preexistentes. Pelo fato de rochas sedimentares serem sistemas abertos, nas quais a migração de átomos é muito fácil (Sr migra com facilidade, como já foi dito), as datas atribuídas a estas rochas pelo método Rb-Sr são altamente questionáveis.

Potássio – Argônio (K - Ar)

Este pode ser considerado um dos métodos mais utilizados. Existem pelo menos três razões para isso: **(1)** Argônio (Ar) é um gás inerte que escapa com facilidade de uma rocha derretida ou aquecida. Assim, a presença

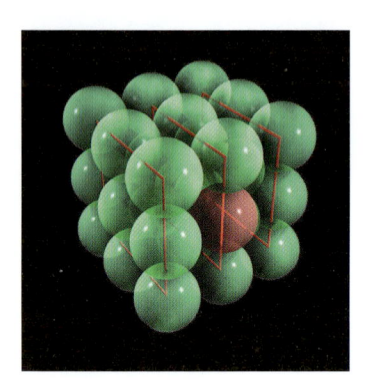

Estrutura atômica cúbica simples com uma impureza em um local do retículo cristalino (vermelho)

Augen-gneisse, feldspato com aproximadamente 4cm de comprimento.

(Rio de Janeiro, foto de Eurico Zimbres)

de Argônio-40 (produto filho do Potássio-40) não representa um problema tão grande quando comparado com os demais métodos. **(2)** Potássio (K) é o sétimo elemento mais abundante da crosta terrestre (aproximadamente 2,6%), sendo facilmente encontrado em rochas e minerais. **(3)** A meia-vida do Potássio-40 torna fácil a detecção de quantidades mensuráveis de Potássio e Argônio numa escala de tempo uniformitarianista.

Cerca de 11% de Potássio (^{40}K) se desintegra em Argônio (^{40}Ar) através da captura de um elétron.

$$^{40}_{19}K + ^{0}_{-1}e \rightarrow {}^{40}_{18}Ar \qquad \text{meia-vida: 1,25 Ga}$$

A grande maioria do Potássio (^{40}K) se desintegra em Cálcio (^{40}Ca) através da emissão beta.

$$^{40}_{19}K \rightarrow {}^{40}_{20}Ca + ^{0}_{-1}\beta \qquad \text{meia-vida: 1,25 Ga}$$

Essa segunda reação tem pouca importância para a datação radiométrica devido à abundância de Cálcio-40 na natureza. Uma amostra rochosa pode ser datada pela avaliação (medição) da quantidade de Argônio-40 acumulado.

O gás Argônio funciona, simultaneamente, como um auxílio e como um empecilho para esse método de datação. De todos os gases que compõem a atmosfera da Terra, cerca de 1,29% é Argônio. Portanto, ele está presente, praticamente, em todo lugar. Pelo fato do Argônio ser um gás inerte (não reage com outros elementos químicos), ele pode facilmente entrar ou sair de uma rocha.

A dificuldade em se medir a quantidade de Argônio produzida apenas pela desintegração do Potássio, sem uma possível contaminação, é imensa. Admite-se ainda que a quantidade de Argônio na atmosfera terrestre tem permanecido constante durante as várias eras geológicas.

Procurar subtrair a parte referente ao Argônio atmosférico da quantidade total encontrada numa rocha tem sido uma das tentativas para tornar o método mais confiável.

Alguns cientistas têm sugerido que o Argônio fica preso dentro da estrutura cristalina da rocha, como um "pássaro numa gaiola".[6] No entanto, dependendo do tipo de rocha cujos minérios contêm Argônio, temperaturas da ordem de 150°C a 550°C são necessárias para que o Argônio possa migrar dentro da amostra.[7] Como ilustração, o Argônio encontrado em feldspato não é apropriado para datação devido à grande perda de Argônio em temperaturas baixas.[8]

Rocha contendo mica

---

6 G.B. Dalrymple e M.A. Lanphere, *Potassium-Argon Dating*, W.H. Freeman and Co., San Francisco, 1991, p. 91.
7 C.C. Plummer and D. McGeary, *Physical Geology*, Wm C. Brown Publishers, New York, 1996, p. 170.
8 G. Faure, *Principles of Isotope Geology*, John Wiley & Sons, New York, 1986, p. 70.

Argila

A pressuposição de que o Argônio teria permanecido "preso" dentro da estrutura cristalina da rocha é contestável principalmente pelo fato de que o raio atômico do Argônio, 1,9 Å (1,9 angstrons ou $1,9 \times 10^{-10}$ m) é da mesma ordem da dimensão dos espaçamentos encontrados nos retículos dos cristais típicos. Com o aumento da temperatura, tanto a expansão dos retículos do cristal quanto a vibração atômica permitem o movimento de átomos "soltos" no cristal.

Estruturas cristalinas que contêm Potássio radioativo apresentarão muitos látices defeituosos com o decorrer do tempo, e tornarão ainda mais fácil a entrada e a saída do Argônio da amostra.

O elemento químico Potássio é muito abundante em mica, feldspato, anfibólio e minerais encontrados na argila, o que tem permitido que este método de datação seja usado em amostras consideradas muito "jovens", de até 6.000 anos.

Argônio-Argônio (Ar - Ar)

Este é um método alternativo ao do Potássio-Argônio.

O processo para a datação exige que uma amostra seja colocada num reator atômico e bombardeada por um fluxo intenso de nêutrons rápidos. Com isso, certa quantidade de Potássio-39 não radioativo será transformado em Argônio-39, com a emissão de um próton,

$$^{39}_{19}K + ^{1}_{0}n \rightarrow ^{39}_{18}Ar + ^{1}_{1}p \qquad \text{meia-vida: 265 anos}$$

A proporção entre $^{40}Ar/^{39}Ar$ pode ser medida precisamente através da espectrometria de aceleração de massa.

Admite-se que a quantidade de isótopos de ^{39}Ar formados dos átomos de ^{39}K é proporcional à quantidade original de ^{40}K. Assim, a proporção $^{40}Ar/^{39}Ar$ de uma amostra bombardeada por um feixe de nêutrons, após calibragem, é usada para a determinação da idade. É importante notar que ^{39}Ar (Argônio-39) não é encontrado na natureza. É produzido artificialmente. E sua meia vida é de apenas 265 anos.

As vantagens geralmente atribuídas ao método Ar-Ar são várias. Por exemplo, apenas a quantidade de um isótopo é necessária para a datação, o que elimina problemas de falta de homogeneidade na amostra. Isto permite a análise de amostras pequenas como rochas lunares e meteoritos.

Outra vantagem seria a obtenção de informação sobre mudanças que teriam ocorrido com a rocha no passado, devido a possíveis mudanças de temperatura (aquecimento). O método permite que, à medida que uma amostra é aquecida, a quantidade de $^{40}Ar/^{39}Ar$ seja avaliada.

Os problemas principais são similares aos do método Potássio-Argônio. Existe ainda a questão do bombardeamento da amostra com nêutrons, o que produz vários outros isótopos de Argônio. Estas reações nucleares não foram bem compreendidas até o presente e precisam ser levadas em conta para que as idades obtidas sejam confiáveis.

Lutécio – Háfnio (Lu - Hf)

Este método apresenta uma série de dificuldades que têm limitado a sua utilização. A raridade de Lutécio-176, juntamente com a sua longa meia-vida, cria uma grande dificuldade para a sua detecção e análise. O Lutécio-176 se desintegra em Háfnio-176 pelo processo de emissão beta,

$$^{176}_{71}Lu \rightarrow {}^{176}_{72}Hf + {}^{0}_{-1}\beta \qquad \text{meia-vida: 35 Ma}$$

Este método poderá no futuro ser de auxílio para a obtenção de informação relacionada com a crosta terrestre.

Uraninita
(dióxido de Urânio - UO$_2$)

Urânio – Tório – Chumbo (U/Th - Pb)

Este método é um dos mais antigos e um dos mais refinados. Acredita-se que sua precisão esteja entre 0,1% e 1%. Datas produzidas por este método vão de 1 milhão a 4,5 bilhões de anos.

Os isótopos de Urânio (^{238}U e ^{235}U) e Tório (^{232}Th) se desintegram até atingir as formas estáveis dos isótopos de Chumbo (^{206}Pb, ^{207}Pb e ^{208}Pb).

$$^{238}_{92}U \rightarrow {}^{206}_{82}Pb + 8\,{}^{4}_{2}He + 6\,{}^{0}_{-1}e \quad \text{meia-vida: 4,47 Ga}$$

$$^{235}_{92}U \rightarrow {}^{207}_{82}Pb + 7\,{}^{4}_{2}He + 4\,{}^{0}_{-1}e \quad \text{meia-vida: 0,704 Ga}$$

$$^{232}_{90}Th \rightarrow {}^{208}_{82}Pb + 6\,{}^{4}_{2}He + 4\,{}^{0}_{-1}e \quad \text{meia-vida: 14,1 Ga}$$

Acredita-se que cerca de 90% do calor produzido no interior da Terra é proveniente da radioatividade dos isótopos ^{238}U e ^{232}Th.

Muitos consideram este método vantajoso pelo fato dele utilizar dois relógios simultaneamente: ^{238}U/^{206}Pb (meia-vida de 4,47 bilhões de anos) e ^{235}U/^{207}Pb (meia-vida de 704 milhões de anos).

Admitindo que uma amostra perde de maneira idêntica os três isótopos de Pb, a proporção ^{207}Pb/^{206}Pb é utilizada como base para datação. As proporções iniciais são obtidas pelo método *isochron*. As proporções de ^{238}U/^{206}Pb, ^{238}U/^{207}Pb e ^{232}Th/^{208}Pb são obtidas separadamente e depois comparadas. Os resultados geralmente não batem. Chumbo é um elemento de alta mobilidade, saindo facilmente de uma amostra, caso ela passe por um processo de aquecimento.

O Tório e o Urânio são elementos muito parecidos quimicamente e são

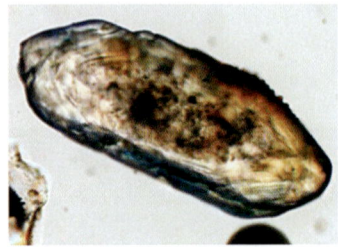

Cristal de zircão com 250μm de comprimento (fotografado com microscópio óptico)

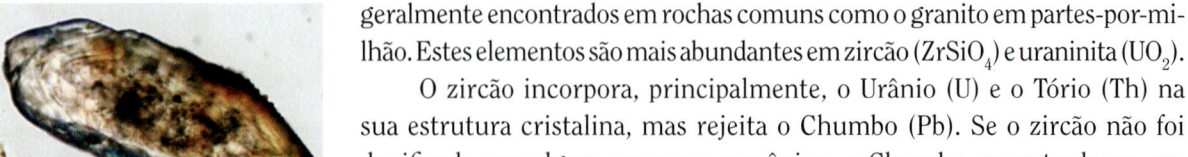

Mica-biotita

(foto: Eurico Zimbres, FGEL/UERJ)

geralmente encontrados em rochas comuns como o granito em partes-por-milhão. Estes elementos são mais abundantes em zircão ($ZrSiO_4$) e uraninita (UO_2).

O zircão incorpora, principalmente, o Urânio (U) e o Tório (Th) na sua estrutura cristalina, mas rejeita o Chumbo (Pb). Se o zircão não foi danificado por algum processo mecânico, o Chumbo encontrado na sua estrutura deve ser resultante do processo de desintegração do Urânio. Mesmo que o zircão seja aquecido até 900°C, ele ainda preservará o Chumbo na sua estrutura. O zircão não reage de maneira fácil quimicamente (é inerte) e é muito resistente aos processos abrasivos.

Mesmo que o método tenha uma precisão muito aceita, um dos problemas mais sérios encontra-se na presença de Hélio (He) em amostras de zircão. Este problema compromete o método de tal maneira que trataremos dele separadamente logo à frente.

Desintegração Nuclear Acelerada[9]

Como já vimos, existe uma quantidade significativa de elementos radioativos na crosta da Terra, principalmente Urânio e Tório. Estes são encontrados normalmente em granito (mica-biotita), dentro de minerais como o silicato de zircônio ($ZrSiO_4$) ou zircão, como é conhecido.

O zircão possui um alto grau de dureza (7.5 na escala Mohs), alta densidade (4,7 gm/cm³) e um alto ponto de fusão (2550°C). Ele é encontrado geralmente em forma de cristais prismáticos.

Normalmente 4% dos átomos de Zircônio (Zr) são repostos na estrutura dos retículos cristalinos por átomos de Urânio (U) e Tório (Th), no processo de resfriamento, a medida que os cristais de zircão se formam. Estes átomos, ao se desintegrarem dentro do zircão, produzem partículas alfa (um núcleo de He: 2 prótons + 2 nêutrons). Estes núcleos de He são expelidos explosivamente dentro da estrutura do zircão, onde, através da obtenção de dois elétrons, transforma-se num átomo neutro de He.

Hélio (He), por sua vez, não reage quimicamente com outros átomos, é extremamente leve e movimenta-se com rapidez. Ele consegue difundir-se rapidamente em sólidos, atravessando os espaços existentes entre os retículos cristalinos. Da mesma forma ele pode escapar através de pequenos orifícios ou rachaduras presentes na estrutura do cristal, sendo facilmente detectado em câmaras de alto vácuo, em laboratórios.

---

9   A publicação onde aparece o trabalho completo apresentado aqui é dos doutores D.R. Humphreys, S.A. Austin, J.R. Baumgardner e A.A. Snelling, *Helium Diffusion Rates Support Accelerated Nuclear Decay,* Institute for Creation Research, www.icr.org/pdf/research/Helium_ICC_7-22-03.pdf

Vamos analisar estes fatos dentro do contexto dos métodos de datação. Como já dissemos, acredita-se que 90% do calor produzido internamente pela Terra é resultante da desintegração de Urânio e Tório.

Toda essa atividade radioativa produziria uma grande quantidade de Hélio que ficaria preso por algum tempo nas rochas. Ao longo do tempo, este Hélio se desprenderia das rochas adentrando a atmosfera da Terra. Uma quantidade muito pequena deste Hélio se perderia no espaço. Em outras palavras, temos dois grandes reservatórios de Hélio para estudar: (1) a crosta da Terra e (2) a atmosfera.

Se soubermos quanto Hélio é produzido, o quão rápido ele consegue escapar das rochas e quanto dele se perde no espaço, poderíamos calcular o tempo em que esse processo vem ocorrendo. A quantidade de gás Hélio na atmosfera terrestre é conhecida: apenas 5.24 ppmv (partes por milhão por volume), ou 0.000724%. Gostaria de usar uma analogia para ilustrar o problema. Para aqueles que conhecem o Mar Morto, em Israel, será fácil perceber como a analogia funciona.

Este grande lago encontra-se a 418 metros abaixo do nível do mar. Toda a água que o alimenta e que fica represada nele é proveniente principalmente do rio Jordão e de pequenos córregos da região. Por que ele nunca transborda? Porque a água dele evapora. Existe um equilíbrio entre a água que entra no lago e a água que evapora do lago.

Vamos colocar da seguinte forma. Imagine várias pequenas fontes de água desaguando nesse grande lago. Imagine agora que uma pequena quantidade da água desse lago evaporasse diariamente.

Na nossa analogia, a água seria o Hélio, as pequenas fontes que fornecem a água para o lago seriam as rochas que contém Hélio, e o lago seria a atmosfera. A água que evapora do lago, representa o Hélio que se perde no espaço sideral. O lago não tem perda da água que nele entra, a não ser pela evaporação.

Se a quantidade de água que entra no lago diminuir e a evaporação permanecer constante, o lago secará. Se a quantidade de água que entra no lago aumentar e a evaporação permanecer constante, o lago transbordará. Por outro lado, se a quantidade de água que entra no lago permanecer constante e a evaporação diminuir, o lago transbordará. Se a quantidade de água que entra no lago permanecer constante e a evaporação aumentar, o lago secará.

Se soubermos também quanto tempo a água demora para chegar ao lago e quanta água está chegando ao lago (equivalente à taxa de difusão e dispersão do Hélio das rochas), quanta água está no lago (equivalente à quantidade de Hélio existente na nossa atmosfera) e quanto da água evapora

Mar Morto, Israel - 418 metros abaixo do nível do mar

Nascer do sol sobre o Mar Morto, Israel

(equivalente à quantidade de Hélio que se perde no espaço), poderemos ter uma idéia do tempo que esse processo vem acontecendo. Assim, sabendo o que varia e o quanto varia, podemos compreender o mecanismo de funcionamento

Vejamos o caso real do Hélio na atmosfera da Terra. As taxas de difusão e dispersão do Hélio são tão altas, que, se este processo estivesse em atividade por bilhões de anos (como os 4,5 bilhões de anos de idade da Terra aceitos pelos naturalistas), muito do Hélio produzido teria chegado até a nossa atmosfera (o lago estaria muito cheio).

Contudo esta quantidade imensa de Hélio não se encontra na nossa atmosfera! (O lago está quase vazio!) Alguns poderiam pensar que o Hélio encontra-se no "topo" da atmosfera (seria como se a água estivesse sendo represada num lençol subterrâneo) ou que o mesmo tenha "escapado" da nossa atmosfera e se perdido no espaço sideral (como a água que evapora do lago).

O primeiro pensamento está errado, porque o gás Hélio encontra-se misturado com os demais gases que compõem a atmosfera (na analogia do lago, não existe um lençol subterrâneo).

O segundo também não é verdadeiro. Pela teoria cinética dos gases pode se verificar que uma fração muito pequena escaparia para o espaço[10] (pouquíssima água evapora do lago).

Na década de 90, Dr. Larry Vardiman, cientista da área das ciências atmosféricas, demonstrou que, mesmo que o Hélio estivesse escapando para o espaço durante os supostos bilhões de anos de existência da Terra, a atmosfera atual possuiria uma quantidade imensa de Hélio. A atmosfera atual possui apenas 0,04% de todo o Hélio que teria sido produzido durante um período tão longo assim.[11]

Se o Hélio não está presente é porque o processo não tem ocorrido por bilhões de anos. E visto que o processo ocorre e é mensurável, a única alternativa plausível é que a Terra não seja tão velha assim. Na nossa analogia, isto significa que o lago ainda não teve tempo suficiente para encher.

Uma teoria naturalista que explicasse a ausência do Hélio na atmos-

---

10 M. A. Cook, *Where is the Earth's Radiogenic Helium?*, Nature, 179:213, 1957.
11 L. Vardiman, *The age of the Earth's Atmosphere: A Study of the Helium Flux throught the Atmosphere*, Institute for Creation Research, El Cajon, CA, 1990, p. 28.

fera deveria oferecer mecanismos plausíveis: (1) como o "reservatório" atmosférico perde Hélio, ou (2) por que o Hélio não está chegando até este "reservatório", ou (3) ambas. Algumas teorias já foram apresentadas. A mais aceita atualmente propõe que *ions* de He que se movem entre as linhas do campo magnético da Terra, muito acima da atmosfera, são varridos por partículas energéticas liberadas pelas tempestades solares.[12] Esta teoria, que é altamente complexa, oferece uma resposta teórica, tentando resolver o problema da ausência do He na nossa atmosfera, *caso* a Terra tenha bilhões de anos.

Caso a Terra não tenha bilhões de anos, a ausência do Hélio na atmosfera pode ser explicada pelos processos e fenômenos físico-químicos conhecidos, pois ainda não teria havido tempo suficiente para que este Hélio, aprisionado nas rochas, escapasse para a atmosfera.

Usando a analogia do lago, o que temos observado é que muita água ainda não saiu das fontes, por isso o lago ainda não está cheio. Outra vez, estas fontes das águas, da nossa ilustração, são os pequenos zircões onde o Hélio é encontrado.

Vejamos um exemplo prático. Uma série de amostras resultantes de uma perfuração nas montanhas Jemez, perto de Los Alamos, EUA, feita por geocientistas do Los Alamos National Laboratory, foi enviada ao Oak Ridge National Laboratory para análise de isótopos. A idade atribuída às amostras foi de 1,5 bilhão de anos.[13]

As amostras que estavam mais próximas da superfície mostraram que havia uma retenção da ordem de 58%, 27% e 17% de Hélio no zircão, confirmando que havia ocorrido uma grande quantidade de desintegração nuclear. Para entendermos o que isto significa, precisamos entender como o Hélio sai do zircão. Isto é o que temos chamado de difusão.

Se houver uma concentração muito grande de átomos de Hélio numa área do cristal, estes átomos começarão a se movimentar dentro dos pequenos espaços chamados de células do cristal. Este movimento randômico, produzirá com o tempo, a difusão do Hélio.

Esta situação pode ser descrita matematicamente da seguinte forma (equação da difusão, conhecida como segunda lei de Fick):[14]

---

12 O. Lie-Svenden e M.H. Rees, *Helium Scape from the Terrestrial Atmosphere: the Ion Outflow*, Journal of Geophysical Research, 01 fevereiro de 1996, 101(A2):2435-2443.
13 R.E. Zartman, *Uranium, Thorium and Lead Isotopic Composition of Biotite Granodiorite (Sample 9527-2b) from LASL Drill Hole G T-2*, Los Alamos Scientific Laboratory Report LA-7923-MS, 1979.
14 L.A. Pipes e L.R. Harvill, *Applied Mathematics for Engineers and Physicists*, McGraw-Hill Book Company, N.Y., 1970, p. 412 e C. Kittel, *Introduction to Solid State Physics*, John Wiley & Sons, Inc., N.Y., 6ª edição, 1986, p. 518-521.

Gráfico 1

Valores D_o e D_1 obtidos através de experimentos.

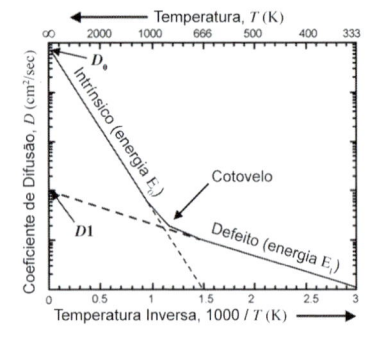

Gráfico 2

Influência de defeitos na obtenção do coeficiente D_1.

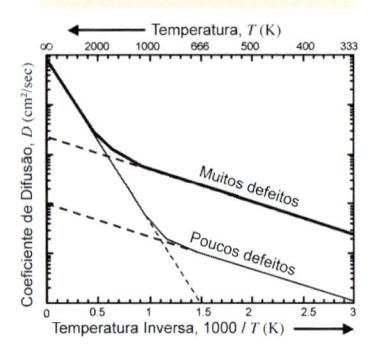

Gráfico 3

Comparação dos dados da difusão com os modelos criacionista e naturalista.

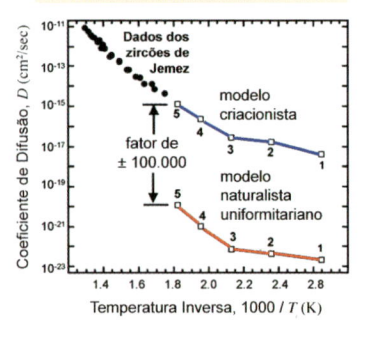

$\frac{\partial C}{\partial t} = D \nabla^2 C$, em que $C(x,y,z,t)$ é a concentração num tempo t, $\partial C/\partial$ é a variação da concentração em função do tempo, e D é o coeficiente de difusão. ∇^2 é o operador Laplaciano:

$$\nabla^2 = \frac{\partial^2}{\partial x^2} + \frac{\partial^2}{\partial y^2} + \frac{\partial^2}{\partial z^2}.$$

A constante de difusão D pode ser obtida através da equação:

$$D = D_o \exp\left[-\frac{E_o}{RT}\right] + D_1 \exp\left[-\frac{E_1}{RT}\right],$$

em que o primeiro termo da equação é a difusão que ocorre normalmente no cristal e o segundo, devido aos defeitos no cristal. D_i é a difusão independente da temperatura, E_i é a energia de ativação do processo, R é a constante universal para gases, e T é a temperatura em Kelvins.

Os valores D_o e D_1 são obtidos experimentalmente por meio do gráfico de *Arrhenius*, como o gráfico 1 da figura ao lado. O gráfico 2 mais abaixo mostra como a quantidade de defeitos afeta o coeficiente D_1.

Talvez você não esteja familiarizado com esta informação, mas deixe-me mostrar por que ela é importante.

A principal causa de defeitos em zircões que contêm radioisótopos é o estrago causado por radiação. Portanto, cristais com uma radioatividade alta terão um alto valor para D_1, fazendo com que a linha de defeito esteja num local mais alto do gráfico do que a linha de defeitos de cristais com menor radioatividade (gráfico 2).

Obtendo estes valores de difusão do Hélio nos cristais de zircão, precisamos conhecer ainda mais duas variáveis: o tamanho dos cristais e o meio em que eles se encontram. Geralmente os cristais de zircão são encontrados em biotita, que é um mineral comum da classe dos silicatos ($K(Mg,Fe)_3AlSi_3O_{10}(F,OH)_2$), geralmente conhecida como mica-biotita.

Muitas medições têm sido feitas da quantidade de Hélio encontrado na biotita (lembre-se de que o gás Hélio se forma no zircão, e não na rocha que envolve o cristal de zircão). Portanto, o Hélio deve ter migrado de dentro do zircão para dentro da biotita. Como o zircão e a biotita possuem densidades diferentes (4,7 g/cm³ e 3,2 g/cm³ respectivamente), os coeficientes de difusão em cada um deles também são diferentes.

Para os cálculos, muitas vezes o coeficiente de difusão utilizado para os dois é o mesmo, o do zircão.

Podemos através destes cálculos (ver Apêndice K) determinar a quantidade do gás Hélio que ficou retido no zircão após um determinado tempo. Esta quantidade é que oferece uma evidência muito forte contra a datação uniformitarianista dos bilhões de anos.

A quantidade de gás Hélio retida nos pequenos cristais de zircão é conhecida. Os coeficientes de difusão do Hélio no zircão também são conhecidos. Um tempo t_p seria necessário para que uma quantidade Q_o de Hélio fosse produzida pela desintegração nuclear nos cristais de zircão (no caso, a desintegração do Urânio e a do Tório).

Da mesma forma, um tempo t_d seria necessário para a difusão do Hélio dos cristais de zircão para a biotita. Utilizando o modelo naturalista (uniformitariano) para as amostras das montanhas Jemez, datadas com 1,5 bilhão de anos, os coeficientes de difusão do zircão deveriam ser cerca de 100.000 vezes menores do que os medidos! (ver o gráfico 3.) O que isto significa? (ver Apêndice K para os cálculos.) Significa que, pelo valor do coeficiente de difusão do Hélio nos cristais de zircão e pela quantidade de Hélio encontrada, as rochas que contêm esses cristais teriam entre 4.000 a 14.000 anos no máximo! Em outras palavras, a data de 1,5 bilhão de anos atribuída à rocha em que os cristais de zircão foram encontrados está equivocada.

O que o estudo mostra é que as pressuposições naturalistas de uma constância e permanência das situações e condições são, no mínimo, questionáveis. Em outras palavras, admitir que as coisas sempre foram e funcionaram da maneira como elas são e funcionam hoje, seria um equívoco.

O problema da interpretação naturalista das idades obtidas pelos métodos radiométricos é que ela está totalmente baseada nessa pressuposição. Não estamos questionando aqui as técnicas utilizadas pelos métodos de datação, mas as pressuposições e a interpretação que se faz dos valores obtidos, baseados nessas pressuposições.

Voltemos à nossa analogia do lago. O lago ainda não está cheio. Como explicar esta evidência?

Para os naturalistas, o processo de escoamento da água para o lago tem ocorrido por "bilhões de anos". Para eles, o fato de que o lago ainda não

Lago quase vazio. As águas das chuvas ainda não tiveram tempo suficiente para chegar até ele e enchê-lo.

Foto: Bill Walsh

está cheio (evidência científica) significa que o volume de água produzido pelas fontes é muito pequeno (a evidência científica é contrária, como já foi visto). Portanto, para encher o lago demoraria bilhões de anos. Caso seja comprovado que o volume de água produzido pelas fontes é suficiente para encher o lago num curto espaço de tempo, então, uma grande evaporação deve ser a causa do lago não estar cheio (também não há evidência científica). Independentemente de um ou de outro, para os naturalistas "o fato é que o processo existe a bilhões de anos".

Para os criacionistas, pelo volume de água produzido pelas fontes de água e pela quantidade de água que evapora (evidências científicas), o lago deveria estar cheio, caso o processo estivesse ocorrendo por bilhões de anos. Como o lago não está cheio (evidência científica), o processo não tem ocorrido por bilhões de anos, e sim por milhares de anos (cálculo científico — ver Apêndice K).

Todos estes métodos radiométricos datam as rochas e não os fósseis que são encontrados nelas.

Datação com Carbono-14

As evidências apresentadas em favor de uma datação recente ficam ainda mais patentes, quando examinamos o método de datação radiométrica do Carbono-14 e as suas implicações.

Um pensamento predominante nos meios científicos dos nossos dias é que o método de datação com Carbono-14 corrobora a posição naturalista das longas eras. Mas poucos sabem que o método de datação do Carbono-14 oferece datas relativas de até 70 mil anos no máximo, não podendo assim ser usado para datar longos períodos de tempo. Portanto, ele é um método que não é capaz de datar amostras de formas de vida que teriam supostamente centenas de milhares, milhões ou bilhões de anos!

A técnica de datação radiométrica usando o isótopo C-14 foi proposta em 1949 por Willard F. Libby e seus colaboradores na Universidade de Chicago. Ele recebeu um prêmio Nobel no ano de 1960 por esse trabalho.

Este método está baseado na desintegração do Carbono-14 (a página 164 mostra uma listagem dos vários isótopos de Carbono). Este processo pode ser descrito pela equação:

$$^{14}_{6}C \rightarrow {}^{14}_{7}N + {}^{0}_{-1}e + \bar{v}_e \qquad \text{meia-vida: 5.730 anos}$$

Assim, o Carbono-14 (radioativo) se desintegra em Nitrogênio-14 (estável), onde $^{0}_{-1}e$ representa um elétron e $\bar{v}_e$ um antineutrino.

A *Aurora Boreal* é o resultado de partículas (elétrons) que se chocam com átomos da magnetosfera (cerca de 80Km de altitude)

Primeiramente, devemos conhecer alguns aspectos importantes sobre o Carbono-14. A formação do Carbono-14 na atmosfera da Terra é um processo semelhante ao da formação da *Aurora Boreal*.

Entre 9–15km de altitude, partículas altamente energizadas (radiação solar), após passarem pelo campo magnético da Terra, produzem nêutrons que se chocam com moléculas de Nitrogênio (N_2) existentes na atmosfera, transformando o Nitrogênio em Carbono-14. O processo de formação do Carbono-14 é descrito pela seguinte equação:

$$^{14}_{7}N + n \rightarrow \ ^{14}_{6}C + p,$$

em que n é um nêutron e p é um próton.

O Carbono-14, então, se dilui na atmosfera, reagindo especialmente com o Oxigênio, formando o dióxido de carbono (CO_2). Este também aparece em grande quantidade nos oceanos, encontrando-se dissolvido na água.

Plantas absorvem o Carbono-14 existente em forma de CO_2 através do processo de fotossíntese. Animais, tanto pela respiração quanto pela alimentação, também absorvem o Carbono-14.

Portanto, durante o tempo de vida de um animal ou de uma planta, a proporção $^{14}C/^{12}C$ permanece praticamente constante nos seus organismos. Após a morte e fossilização do animal ou da planta, como o Carbono-14 não é mais reposto pelos processos biológicos naturais (respiração e alimentação), esta proporção começa a se alterar devido a desintegração do Carbono-14 existente no corpo do organismo. É justamente essa variação que é medida para que uma idade possa ser atribuída ao fóssil.

Cerca de 90% dos raios cósmicos são prótons, 9% são núcleos de Hélio (partículas α - alfa) e 1% elétrons (partículas β - beta).

Gráfico 4

Variação de Carbono-14 produzida por testes atômicos em 1963. A linha verde representa a quantidade medida no hemisfério sul e a linha vermelha no hemisfério norte. A linha azul representa a quantidade que seria normal sem os testes atômicos (as medições vão de 1954 até 1993).

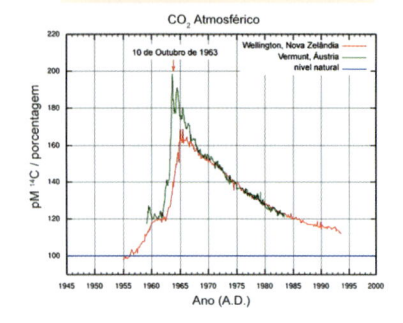

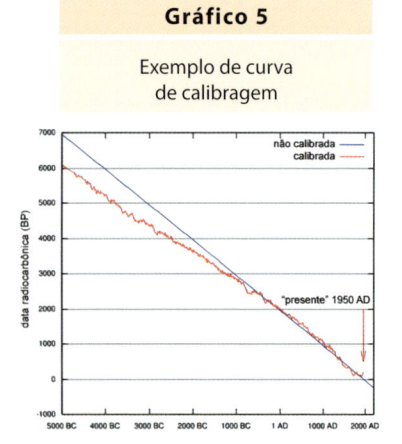

Gráfico 5

Exemplo de curva de calibragem

O que é fato e o que é pressuposição...

É um fato conhecido pela ciência que a radiação cósmica é a fonte de produção do Carbono-14 existente na Terra. A proporção atual de Carbono-14 na atmosfera da Terra é de uma parte-por-trilhão (600 bilhões de átomos/mole ou um átomo de C-14 para cada trilhão de átomos de Carbono). 9,8kg de Carbono-14 são produzidos por ano na atmosfera.

Esta quantidade de Carbono-14 na atmosfera não é constante. Ela pode ser alterada por processos naturais ou relacionados a atividade humana (ver o Gráfico 4 ao lado).

As alterações por meio de processos naturais dependem de pelo menos quatro fatores principais: (1) tempestades solares (variações na intensidade do fluxo que chega à Terra), (2) a magnetosfera (variação da intensidade do campo magnético da Terra que atua como um escudo protetor), (3) reservatórios de Carbono (variações da intensidade absorvida ou liberada pela biomassa no planeta, pelos oceanos e pelas rochas sedimentares) e (4) atividade climática (variação do fluxo do carbono que passa dos reservatórios para a atmosfera).

Portanto, cada uma desses fatores precisa ser compreendido e estudado para que a sua influência na quantidade de Carbono-14 possa ser estabelecida corretamente. Uma implicação direta destas variações é a necessidade de *calibragem* no método de Carbono-14.

Existem várias técnicas de calibragem que estão baseadas em estudos da quantidade de Carbono-14 em ambientes específicos.[15] Por sua vez, algumas destas curvas estão baseadas em idades produzidas por outros métodos de datação (dendrocronologia). Outras curvas estão baseadas em pressuposições questionáveis, como a alteração climática proposta durante o período *Younger Dryas*, 11.000 a 10.000 BP (acredita-se que ela existiu mas não se chegou à conclusão se foi local ou global).

Consideremos os quatro fatores que influenciam a quantidade de Carbono-14 na atmosfera da Terra.

Tempestades Solares

As tempestades solares estão associadas a um fenômeno solar conhe-

---

15 Alguns exemplos de curvas de calibragem podem ser obtidos diretamente das tabelas produzidas por M. Stuiver, P. J. Reimer and T. F. Braziunas, *High-Precision Radiocarbon Age Calibration for Terrestrial and Marine Samples*, Radiocarbon 40, 1127-1151, 1998. (http://depts.washington.edu/qil/datasets/uwten98_14c.tx) e por I. Levin, B. Kromer, H. Schoch-Fischer, M. Bruns, M. Munnich, D. Berdau, J.C. Vogel and K.O. Munnich, *δ14CO2 record from Vermunt*, In Trends, *A Compendium of Data on Global Change. Carbon Dioxide Information Analysis Center*, Oak Ridge National Laboratory, U.S. Department of Energy, Oak Ridge, Tenn., U.S.A., 1994, http://cdiac.esd.ornl.gov/trends/co2/cent-verm.htm

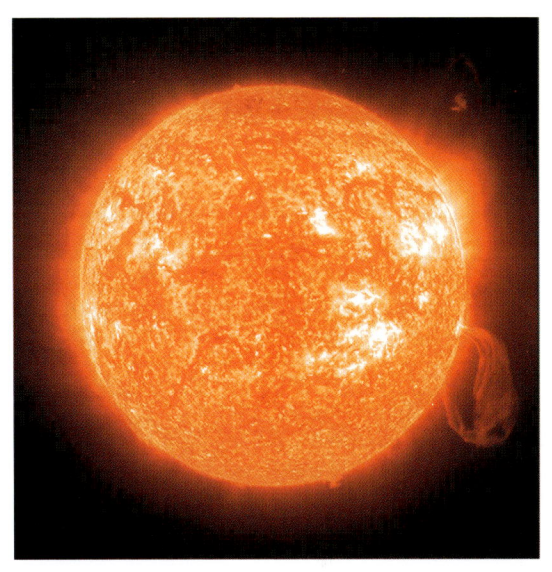

cido como Ejeção de Massa Coronal (CME - Coronal Mass Ejections). Essas explosões gigantescas da atmosfera do Sol liberam radiação com energia da ordem de um bilhão de megatons (a bomba atômica que destruiu Hiroshima era de apenas 20 kilotons – 20 milésimos de um megaton). Esta radiação viaja pelo espaço a uma velocidade média de 1.000.000 km/h! Estas atividades solares têm sido monitoradas pelos cientistas desde 1859.

O Sol possui um ciclo de 11 anos de atividades solares. Durante cada ciclo, um grande número de explosões solares é observado. Não existe uma constância no número de explosões solares nem na intensidade de cada explosão dentro de cada ciclo. Por exemplo, no dia 1 de setembro de 1859 uma área do Sol produziu por quase um minuto um brilho aproximadamente duas vezes maior que o normal. No dia 27 de fevereiro de 2000, o Sol produziu uma explosão com uma CME que chegou a mais de 2.000.000 km da superfície.

Imagem de tempestades solares captadas pelo observatório SOHO (Solar and Heliospheric Observatory)

Estas tempestades atuam na quantidade de Carbono-14 e de outros elementos que são produzidos na atmosfera, através do fluxo de radiação solar que chega até a atmosfera da Terra. De uma forma geral, a ciência sabe que o fluxo não é constante.[16]

Pode-se avaliar a dimensão desta flutuação quando tomamos o isótopo do elemento químico Berílio-10 produzido na atmosfera. O Berílio-10 é produzido por radiação cósmica, e sua quantidade é limitada pela atividade solar. Quanto maior for a atividade solar, menor será a quantidade de Berílio-10 que será produzida na atmosfera. Medindo-se a concentração de Berílio nas camadas de gelo que são sobrepostas anualmente, próximo às regiões polares, pode-se avaliar a atividade solar.

Gráfico 6

Quantidade de Berílio-10 encontrado em camadas de gelo, correlacionada com a atividade solar.

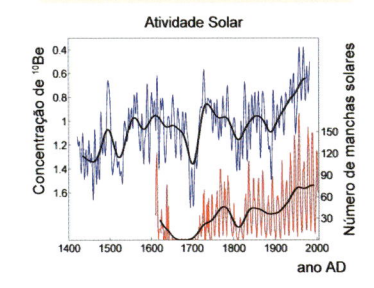

O Gráfico 6 ao lado mostra a concentração de Berílio-10 encontrada em camadas de gelo da Groenlândia. A correlação mostra a variação de atividade solar nestes últimos 400 anos (comparar com o Gráfico 7 da próxima página).

No Gráfico 5, podemos observar a curva de calibragem que vai até 5.000 AC, sendo ela muito próxima da linha *ideal* (não calibrada). No entanto, observando os Gráficos 6 e 7, observamos que a atividade solar deveria produzir uma curva de calibragem muito mais acentuada do que a apresentada no Gráfico 5.

---

16 Devendra Lal, A.J.T. Jullb, David Pollardc and Loic Vacher, *Evidence for large century time-scale changes in solar activity in the past 32 Kyr, based on in-situ cosmogenic 14C in ice at Summit, Greenland,* Earth and Planetary Science Letters 234 (3-4), 335-249.

Gráfico 7

Número de manchas solares observadas durante os últimos 400 anos.

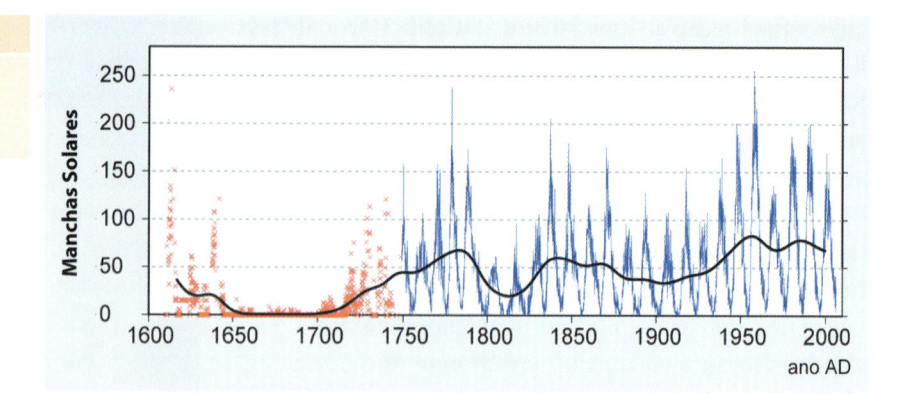

Magnetosfera da Terra
As linhas representam o campo magnético.

Orientação de um campo magnético produzido por uma corrente elétrica.

Portanto, como a intensidade do fluxo de radiação cósmica não é constante e parece estar aumentado, a quantidade de Carbono-14 na atmosfera da Terra no passado foi sem dúvida menor que o valor atual.

O Campo Magnético da Terra

Como já foi visto no Capítulo 3, a Terra possui um campo magnético. Este se estende aproximadamente 70.000 km acima da superfície do planeta. Esta região é conhecida pelo nome de *Magnetosfera*. Este campo magnético gigantesco age como um escudo protetor para o planeta, impedindo que partículas produzidas pelo Sol e pelas estrelas penetrem a atmosfera terrestre.

A fonte e a estabilidade desde campo magnético têm sido o alvo de muitas pesquisas e muitos debates. Todas as teorias aceitas sobre a origem do campo magnético da Terra propõem que uma corrente elétrica (e não depósitos de ferro magnetizado) flui na parte externa do núcleo da Terra, produzindo o campo magnético.

A "regra da mão direita", do campo de eletricidade e magnetismo, pode nos auxiliar a visualizar este mecanismo (ver figura ao lado).

Imagine um fio que está no centro de um quarto e vai do chão ao teto. Uma corrente elétrica está passando pelo fio na direção do chão ao teto. Se você segurar o fio com a sua mão, com o dedo polegar na direção da corrente (como na figura ao lado), os seus dedos ao redor do fio indicarão a direção do campo magnético formado pela corrente elétrica.

Usando ainda o mesmo exemplo. Imagine agora que se coloque um fio ao redor de um globo da terra e se faça com que uma corrente elétrica circule por esse fio. Um campo magnético irá surgir, indo do pólo norte geográfico para o pólo sul geográfico do globo, ou ao contrário, dependendo da direção da corrente (observe no exemplo anterior que, se a corrente vier do teto para o chão, a direção do campo magnético será contrária).

Estas teorias parecem explicar consistentemente a origem do campo magnético da Terra. A questão que fica pendente e influencia principalmente a datação com Carbono-14 é a origem desta corrente. Neste ponto, as teorias divergem. Lembre-se de que o campo magnético age como um escudo protetor. Se a sua intensidade variar, a proteção que ele oferece também variará. E o que pode fazê-lo variar, acima de tudo, é a corrente elétrica que o produz.

Uma das teorias mais conhecidas sobre a origem do campo magnético é a teoria "efeito dínamo". Sua proposta é que através do níquel e do ferro derretidos dentro da parte líquida do núcleo da Terra, sob o efeito *Coriolis*, causado pela rotação do planeta, as correntes elétricas tendem a "organizar-se", alinhando-se. Isto seria a fonte da corrente elétrica. Quando material condutivo atravessa as linhas do campo magnético original, uma corrente elétrica é induzida, o que por sua vez cria um outro campo magnético. Quando este campo magnético produzido reforça o campo magnético original, um dínamo é criado, o qual torna-se auto-sustentável.

Tanto a origem do processo quanto a auto-sustentabilidade proposta pelo efeito dínamo são partes altamente questionáveis da teoria. A origem dessa corrente elétrica continua sendo estudada ativamente em nossos dias. No entanto, algumas evidências deixam claro que o chamado efeito dínamo não é a resposta para uma suposta estabilidade do campo magnético da Terra.

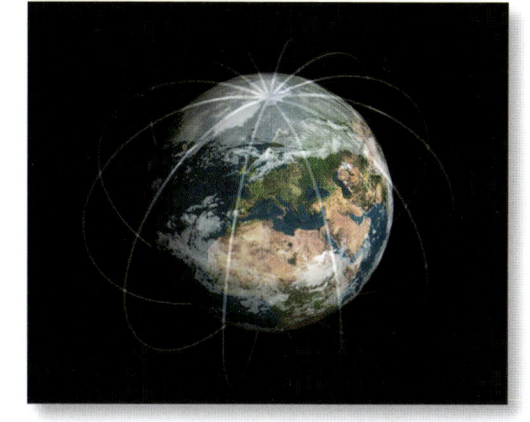

Por mais de 140 anos, este campo magnético tem sido estudado e medido. Durante esse intervalo de tempo, ele perdeu cerca de 15% da intensidade. Estes 15% estão relacionados com a parte principal do campo magnético, chamada dipolar. Estes dados foram apresentados pelo Dr. T.G. Barnes durante as décadas de 70 e 80.[17, 18]

A *International Association of Geomagnetism and Aeronomy* (IAGA) tem publicado no *International Geomagnetic Reference Field* (IGRF) dados precisos sobre o campo magnético da Terra. O conjunto de dados encontrados no 903 IGRF[19] oferece uma descrição do campo magnético terrestre entre 1970 e 2000.

Como já vimos no Capítulo 3, a análise detalhada do Dr. Russel Rum-

---

17 G.T. Barnes, *Decay of the Earth's Magnetic Field and the Geochronological Implications*, CRSQ, 1971, 8:24-29.
18 G.T. Barnes, *Electromganetics of the Earth's Field and Evaluation of Electric Conductivity, Current, and Joule Heating in the Earth's Core*, CRSQ, 1973, 9:222-230.
19 Estes dados podem ser obtidos pela internet no site do National Geophysical Data Center, www.ngdc.noaa.gov.

(1) Atmosfera

(2) Oceanos

(3) Florestas

(4) Carvão

phreys demonstrou que a parte dipolar perdeu aproximadamente 235±5 bilhões de megajoules de energia durante esses 30 anos de dados. Ele também observou que a parte não-dipolar ganhou 129±8 bilhões de megajoules. Ele calculou que a perda geral de energia de todas as partes, durante esse período, foi de 1,41±0,16 %. Em termos práticos, a cada 1465±166 anos o campo magnético da Terra perderia metade da sua energia.[20]

Esta conclusão é consistente com a física: (1) uma corrente elétrica induz um campo magnético e (2) um campo magnético também induz uma corrente elétrica. Um sistema cíclico entre (1) e (2) não produziria um moto contínuo (um motor que trabalhasse perpetuamente) devido as perdas do sistema, sendo a principal delas o calor (primeira e segunda leis da termodinâmica). Um movimento de matéria líquida levaria a energia da parte dipolar para a não-dipolar de forma destrutiva, causando uma alta taxa de perda de energia em forma de calor.[21]

Sabemos que independentemente da origem da corrente que produz o campo magnético, esta não é constante, sendo a sua tendência natural diminuir com o passar do tempo. Podemos afirmar que a intensidade do campo magnético da Terra está diminuindo com o passar do tempo (a proteção tem diminuído) e que a quantidade de Carbono-14 produzida tem aumentado.

Alguns argumentam que este decaimento observado nada mais é que o início de uma inversão do campo magnético. Em outras palavras, o que hoje é o norte magnético se tornará no futuro o sul magnético. Praticamente, as bússolas no futuro em vez de apontarem para o Norte, como fazem hoje, apontarão para o Sul.

Discutiremos a questão da inversão do campo magnético da Terra no próximo capítulo, quando tratarmos do catastrofismo. No momento, é apenas importante enfatizar que, de forma geral, essas inversões não acontecem como um processo de longas eras. Um curto período para as inversões já tem sido descrito na publicação científica.[22]

Reservatórios de Carbono

O carbono encontra-se presente na Terra em quatro reservatórios: (1) na atmosfera, (2) nos oceanos, (3) na biomassa (plantas e seres vivos) e (4) nas rochas e nos fósseis (carvão, petróleo, gás natural).

---

20 D.R. Humphreys, *The Earth's magnetic field is still losing energy*, CRSQ, 2002, 39(1)1–11.
21 K.L. McDonald e R.H. Gunst, *An Analisys of the Earth's Magnetic Field from 1835 to 1965*, ESSA Technical Report IER 4 6 – IES 1, U.S. Government Printing Office, Washington, D.C., p. 25.
22 R.S. Coe, M. Prévot, e P. Camps, *New Evidence for Extraordinarily Rapid Change of the Geomagnetic Field During a Reversal*, Nature 374:687-692.

Ciclo Anual Médio do Carbono

Já vimos que o único reservatório responsável pela produção natural de todo o Carbono-14 encontrado na Terra é a atmosfera. Os demais reservatórios apenas o guardam. A quantidade de carbono na atmosfera depende ainda de quanto Carbono é cedido ou absorvido pelos outros três reservatórios. Por exemplo, se a quantidade de plantas no planeta diminuir consideravelmente, muito menos Carbono será absorvido da atmosfera. Haverá, portanto, uma quantidade alta de Carbono no reservatório atmosférico. Por outro lado, se o Carbono que se encontra "estocado" no registro fóssil, como carvão, petróleo e gás natural, for extraído e utilizado em grande escala (queimado, liberando o Carbono nele contido), isso produzirá um aumento de Carbono no reservatório atmosférico.

A temperatura também atua no mecanismo de liberação e absorção do Carbono da atmosfera, tanto pelas plantas quanto pelos oceanos. O Gráfico 8 ao lado mostra a variação encontrada na temperatura global medida desde os anos 1850. Observa-se assim que o fluxo de Carbono entre os reservatórios da Terra não é constante e, portanto, a proporção de $^{14}C/C$ na atmosfera dificilmente teria se mantido constante, mesmo durante um curto espaço de tempo, seja ele geológico ou não.

Alguns dados atuais do ciclo do Carbono entre os reservatórios podem ser vistos na ilustração acima. O ciclo cobre um ano e todos os números são referentes a bilhões de toneladas de Carbono.

Gráfico 8

Variação da temperatura global destes últimos 150 anos (1850 a 2000)

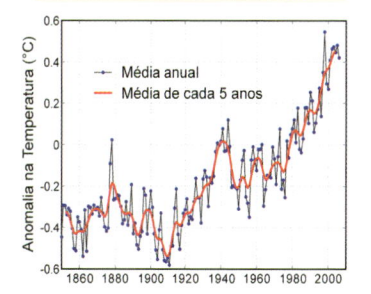

Tronco de árvore fossilizado no estado de Montana, E.U.A.

(Crédito: U.S. Geological Survey)

Um Exemplo Prático

Vamos citar um exemplo prático de datação com Carbono-14, usando as equações do Apêndice L.

Podemos calcular a idade de um fóssil, a partir da concentração de Carbono-14 encontrada nele. Digamos que tenhamos achado uma árvore que foi fossilizada numa erupção vulcânica e gostaríamos de saber quando a erupção vulcânica teria ocorrido. Para tanto, precisamos medir a quantidade de Carbono-14 ainda existente nessa árvore fossilizada. O valor obtido no laboratório foi de 7 desintegrações de Carbono-14 por minuto por grama do Carbono total. O valor admitido para a quantidade inicial de Carbono-14 é o mesmo que o valor atual (quantidade de Carbono-14 constante durante longas eras) de 15,3 desintegrações de Carbono-14 por minuto por grama de Carbono total (o valor atual aceito é de 14 desintegrações de Carbono-14 por minuto por grama de Carbono total, ou 14 dpm (desintegrações por minuto), ou ainda cerca de 230 mBq/g). Assim, a erupção vulcânica teria se dado a 6.500 anos ou em 4.500 AC.[23]

Esta data somente poderia estar correta se a quantidade de Carbono-14 na atmosfera fosse constante. Já vimos que ela não é.

Siga o raciocínio. Admitiu-se neste exemplo que, quando a árvore foi fossilizada na erupção vulcânica, a quantidade de Carbono-14 existente na atmosfera era de 15,3 (a mesma que a atual) e que, portanto, a árvore também possuía essa concentração. Sendo que a concentração de Carbono-14 encontrada na árvore foi de 7,0, uma quantidade de tempo já teria se passado (caso contrário, ela ainda teria a concentração de 15,3). Mas, se quando a árvore foi fossilizada a quantidade de Carbono-14 na atmosfera era de apenas 12,0 e não 15,3? Então, na nossa equação, em vez de usarmos o valor de 15,3, precisaríamos usar o valor de 12,0, o que nos daria uma idade de 4.500 anos, e não os 6.500 anos!

Usamos este exemplo e todos os fatores mencionados anteriormente para ilustrar as dificuldades em admitir pressuposições e em estabelecer curvas de calibragem que auxiliem na obtenção de datas reais pelo método de Carbono-14.

Derrubando um Mito

Seria, então, possível questionar cientificamente as longas eras produzidas pelos métodos de datação radiométrica? Seria possível que as datas atribuídas aos fósseis estejam erradas? Seria possível que as pressuposições que definem a base de funcionamento dos métodos de datação estejam

---

23 O exemplo foi retirado do livro *General Chemistry - 2ª edição*, D. D. Ebbing e M. S. Wrighton, Houghton Mifflin Co., 1987, p. 767-768.

equivocadas? Já vimos que sim. Mas o principal argumento ainda não foi apresentado. Ele está justamente no Carbono-14.

Para a discussão a seguir, vamos admitir que a quantidade de Carbono-14 na atmosfera terrestre permaneceu, senão igual, pelo menos bem próxima dos índices atuais. Isto é muito importante, pois as datas obtidas através dos métodos já mencionados estão baseadas na pressuposição de uma constância das circunstâncias e dos fenômenos durante os longos períodos das eras geológicas. Portanto, ao adotarmos esta pressuposição, estamos favorecendo as datas extremamente antigas produzidas pelos métodos de datação convencionais. Dois fatos muitos importantes sobre o Carbono-14 precisam ser aqui relembrados:

(1) quantidade na atmosfera: 1ppt — $^{14}C/C$
(2) meia-vida do Carbono-14:   5730±40 anos

Visto que a proporção $^{14}C/C$ na atmosfera é tão pequena e a meia-vida do ^{14}C, bem curta, é fácil perceber que existe um valor mínimo de ^{14}C que pode ser detectado. Em 1g de Carbono atual encontraríamos cerca 6×10^{10} átomos de ^{14}C.

Os espectrômetros de aceleração de massa usados para medir a proporção $^{14}C/C$ possuem grande sensibilidade e precisão. Atualmente, o limite da datação com Carbono-14, removidas as incertezas relacionadas à amostra, é da ordem de 58.000 a 62.000 anos (aproximadamente 10 meia-vidas do Carbono-14). Isto equivaleria a um *pmc* (percentual moderno de carbono) de 0,055.

Podemos, portanto, concluir que qualquer amostra que ainda possua uma quantidade de Carbono-14 detectável da ordem de até 0,05 *pmc* (completamente dentro dos limites da maioria dos espectrômetros de aceleração de massa) e que esta quantidade detectável não seja contaminação, e sim intrínseca, essa amostra não pode ter uma idade superior a 63.000 anos (idade equivalente a um pmc de 0,05).

Vamos colocar este argumento ainda da seguinte forma: uma amostra contendo material orgânico que tivesse sido datada por outro método convencional (dos já mencionados anteriormente) com 250.000 anos e que estivesse livre de contaminação apresentaria um *pmc* de $7,34 \times 10^{-12}$. Este valor estaria muito além da sensibilidade dos equipamentos atuais. Para todos os fins, uma amostra com tal idade seria considerada *"carbon dead"* (sem Carbono-14 detectável).

> As equações para transformação de *pmc* em tempo (anos) são:
>
> $$pmc = 100 \times 2^{-t/5730}$$
>
> ou
>
> $$t = -ln\left[\frac{pmc}{100}\right] \times \frac{5730}{ln\ 2}$$

> Vários estudos mostram que ^{14}C tem sido detectado em amostras que não deveriam conter nenhuma quantidade detectável deste elemento, devido às idades atribuídas por outros métodos de datação.

Gráfico 9

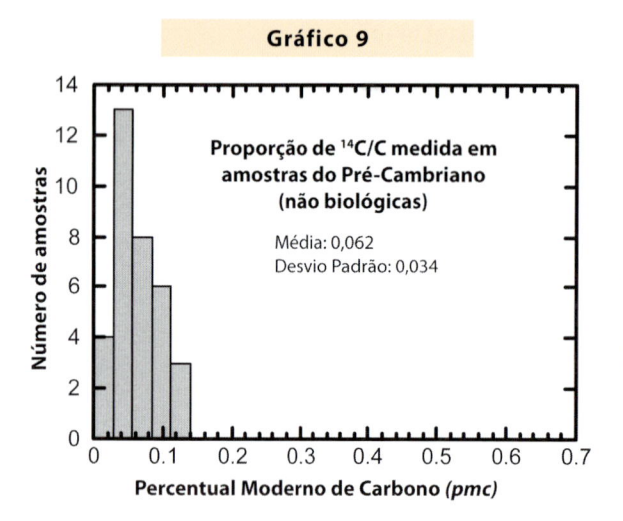

Proporção de ^{14}C/C medida em amostras do Pré-Cambriano (não biológicas)

Média: 0,062
Desvio Padrão: 0,034

Número de amostras / Percentual Moderno de Carbono (pmc)

Gráfico 10

Proporção de ^{14}C/C medida em amostras do Fanerozóico (biológicas)

Média: 0,292
Desvio Padrão: 0,162

Número de amostras / Percentual Moderno de Carbono (pmc)

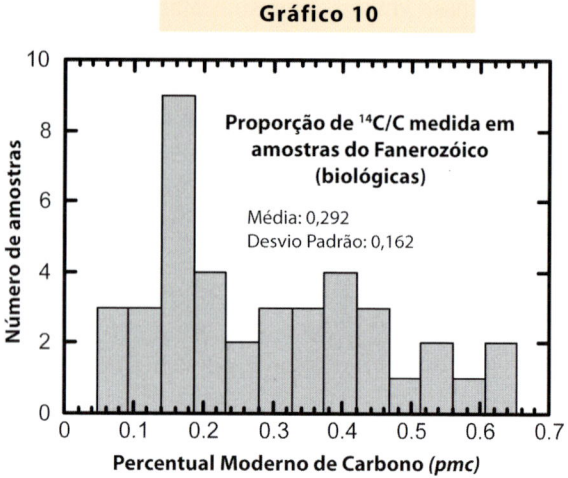

Apenas para exemplificar, vamos apresentar um desses estudos. Uma lista de 28 publicações científicas, compilada pelo Dr. Paul Giem e analisada por Dr. John Baumgardner, a maioria proveniente das publicações *Radiocarbon Journal* e *Nuclear Instruments and Methods in Physics Research B*, serviu de base para um estudo sobre a presença de Carbono-14 (ver Apêndice M).

As amostras foram separadas em três categorias distintas para análise: (1) as que podem ser consideradas como não contendo Carbono de origem biológica (atribuídas geralmente ao período Pré-Cambriano, sendo a maioria grafites), (2) as que sem dúvida possuem Carbono biológico e (3) aquelas cuja origem do Carbono é difícil de ser identificada. Os resultados falam por si só.

Observamos no Gráfico 9 (acima), das amostras que não possuem Carbono biológico, que a média de ^{14}C/C encontrada é de 0,062±0,034 pmc (perfeitamente dentro da capacidade de detecção dos equipamentos). Isto equivale a uma idade média de 61.000 anos, para rochas que datadas por outros métodos receberam centenas de milhões de anos (pelo menos 542 milhões de anos, época em que, segundo os naturalistas, iniciou-se o Cambriano).

Como a data atribuída a uma amostra (de pelo menos 542 milhões de anos) pode ser 10.000 vezes maior do que o limite de ^{14}C/C nela encontrado? Uma amostra que tivesse 542 milhões de anos não possuiria ^{14}C que pudesse ser detectado! Uma amostra com 250.000 anos não possuiria ^{14}C detectável!

No Gráfico 10 (acima), vemos algo ainda mais impressionante. Amostras do período Fanerozóico (material com Carbono biológico) que foram datadas entre 40 milhões e 350 milhões de anos possuem praticamente o mesmo pmc! Se esses fósseis são de organismos que morreram no decorrer de longos períodos de tempo, como seria possível possuírem quase o mesmo percentual de Carbono-14? (pmc = 0,05 equivale a 63.000 anos e pmc = 0.65 equivale a 41.500 anos, aproximadamente.)

Por si mesmos, os dados mostram que essas formas de vida não morreram ao longo da história, mas sim num curto período ou ainda, talvez, num mesmo evento da história. Se Carbono-14 ainda é detectável, a amostra não pode ter mais que 63.000 anos. Se a quantidade de Carbono-14 detectada é praticamente a mesma em várias amostras, isto significa que elas se formaram num curto espaço de tempo (poucos anos) ou ao mesmo tempo.

Seria esta uma interpretação equivocada? Somente se ela não fosse consistente com a evidência. Ela estaria errada por não favorecer os supostos "longos períodos geológicos"? Não. Evidência que é contra uma teoria somente mostra que a teoria é, no mínimo, questionável.

Embora todos os laboratórios que realizaram as datações apresentadas nas publicações científicas são entidades altamente especializadas nestes métodos e exercem extrema cautela quanto a questão da contaminação das amostras, alguns poderiam argumentar que, mesmo assim, poderia ter ocorrido alguma contaminação, o que explicaria a existência de Carbono-14 em material que, devido à idade a ele atribuída, não deveria conter mais nenhum traço deste elemento. Sem dúvida isto seria uma possibilidade.

Mas tal possibilidade desapareceria, se o Carbono-14 pudesse ser detectado em diamantes datados com centenas de milhões de anos. Segundo a teoria, tais diamantes teriam se formado a centenas de quilômetros de profundidade da superfície, muito tempo antes da rocha onde os mesmos foram encontrados. Tal amostra estaria praticamente isenta de contaminação.

Isto já foi feito. Diamantes que se formaram a 200km de profundidade (segundo a informação dos especialistas) e que foram encontrados em rochas datadas do período Pré-Cambriano apresentam Carbono-14 detectável, com índices muito acima do limite dos espectrômetros de massa.[24]

Como explicar a veracidade dos 600 milhões de anos atribuídos a uma rocha em que se encontra um diamante que não poderia ter mais que 58 mil anos, devido à quantidade de Carbono-14 encontrada nele? Lembre-se de que o diamante teria que ter surgido muito tempo antes da rocha na qual ele foi encontrado. Sem dúvida, a idade de 600 milhões de anos atribuída à rocha está totalmente equivocada.

Diamantes

---

24 Jonathan Sarfati, *Refuting Compromise*, 2004, Master Books Inc., AR, p. 387.

Convivendo com um Mito

Segundo o próprio Darwin, a evolução sem os longos períodos de tempo certamente não teria tido a menor chance de ocorrer. A seleção natural necessita dessas longas eras.[25] Para a proposta darwiniana, é fundamental que a "face da natureza permanecesse uniforme por longos períodos de tempo".[26]

Muito embora a evidência científica mostre exatamente o contrário (a inexistência dos longos períodos de tempo e um não uniformitarianismo), sacrifica-se o fato pelo mito, a evidência pela suposição, para que a teoria naturalista sobreviva.

A Ciência sabe que curtas eras são mais que suficientes para o aparecimento de pequenas variações nas espécies e até mesmo para a extinção de muitas espécies. Mas sem as longas eras não haveria tempo suficiente para a evolução das espécies ter ocorrido.

Sem os longos períodos de tempo, a teoria da evolução encontra-se desprovida do elemento mais importante para a sua credibilidade!

Num site que procura citar "evidências de evolução" e critica o criacionismo, o autor diz o seguinte: "Esta é a beleza da ciência — suas teorias são constantemente avaliadas em relação aos dados observados, e, se os dados assim o indicarem, a teoria é modificada ou rejeitada de acordo com o que for assim requerido".[27] Todos nós criacionistas concordamos plenamente!

Esta proposta só falta agora ser aplicada à tese evolucionista, pois à proposta criacionista ela já tem sido amplamente aplicada!

Um Mito que Não Morre

A idéia das longas eras tem impregnado de tal forma o pensamento atual, que mesmo o mais óbvio dos argumentos contra tal proposta não é mais levado em consideração. O que temos visto é a repetição de uma proposta naturalista sobre os milhões e bilhões de anos que continua sendo apresentada vez após vez como verdadeira, mesmo quando a evidência científica lhe é contrária.

Parece tratar-se de uma atitude em que uma mesma idéia, sendo repetida inúmeras vezes, ganhará a credibilidade necessária.

Mas, como já vimos, ao compararmos as implicações originais dos pressupostos básicos dos métodos de datação com a evidência, vemos que,

---

25 Charles Darwin, *On the Origin of Species by Means of Natural Selection*, publicado por John Murray, Londres, 1859, primeira edição, p. 97, 180.
26 Idem, p. 74.
27 www.gate.net/~rwms/crebuttals.html (29 de março de 2007).

em vez de longas eras, o período de tempo foi curto. Isto concorda perfeitamente com a proposta de uma criação recente e com um *design* inteligente; pois a proposta criacionista é perfeitamente coerente e consistente com os fatos científicos, eliminando ainda a necessidade de postulados *ad hoc* e de suposições baseadas em incertezas.

Já a proposta naturalista dos milhões e bilhões de anos necessita ser repetida diariamente, como um eco, tentando, de forma comprometedora para a ciência, estabelecer-se como auto-evidente.

Karl R. Popper, professor emérito de Filosofia da Universidade de Londres disse: "Tenho chegado a conclusão de que o darwinismo não é uma teoria científica testável, mas um *programa de pesquisa metafísico*, um possível plano de referência para teorias científicas testáveis".[28]

Mas toda teoria científica deve possuir propostas testáveis, para que não se criem mitos, como a idéia das longas eras. E este tem sido um mito que não morre!

---

28 Karl R. Popper, *Unended Quest: An Intellectual Autobiography*, 1974, Open Court, La Salle, Ill., Edição Revisada, 1982, p. 168 (ênfase no original).

Cratera Barringer produzida por um meteo

CAPÍTULO 7

A Origem do Catastrofismo:

Geofísica e Hidrodinâmica

"É IMPOSSÍVEL NÃO FALARMOS EM CATÁSTROFES. QUE ELAS EXISTIRAM E CONTINUARÃO A EXISTIR É ALGO ALÉM DA CONTESTAÇÃO. A DIFICULDADE ENCONTRA-SE JUSTAMENTE NA INTERPRETAÇÃO DAS PROPORÇÕES DESSES EVENTOS."

"GEÓLOGOS DEVEM DEIXAR O DOMÍNIO ESPECÍFICO DA CIÊNCIA QUANDO SE TORNAM HISTORIADORES... SE PESSOAS QUE NÃO SE FORMARAM EM GEOLOGIA PUDERAM DESENVOLVER A GEOLOGIA HISTÓRICA ATUAL, ENTÃO, OUTROS QUE TAMBÉM NÃO SÃO GEÓLOGOS DEVERIAM TER A OPORTUNIDADE DE CRITICÁ-LA."

HENRY MORRIS, PH.D., E JOHN C. WHITCOMB, TH.D.

Um Termo Comum

Catastrofismo é uma hipótese científica, utilizada tanto pelos criacionistas quanto pelos naturalistas. Em resumo, ela diz que a Terra tem sido afetada por eventos violentos, repentinos e de curta duração, com implicações locais ou globais.

Um exemplo típico é a teoria associada com a suposta extinção dos dinossauros. Segundo esta teoria, há 65 milhões de anos o impacto causado por um asteróide de cerca de 10 km de diâmetro teria colocado um fim ao período Cretáceo. 70% de todas as espécies, incluindo os dinossauros, teriam sido extintas.

O paradigma dominante da geologia naturalista, o uniformitarianismo, também conhecido por gradualismo, tem sido mais flexível nos dias atuais quanto a esta questão, procurando integrar uma visão em que eventos catastróficos sejam considerados como parte da história do planeta Terra.

O Catastrofismo É Observável

Eugene M. Shoemaker, fundador do campo conhecido por Ciência Planetária, foi o primeiro a provar que impactos causados por meteoros e asteróides afetam tanto a vida quanto o biosistema do planeta Terra.[1] Seus estudos mostraram também que eventos causados por impactos são muito comuns no sistema solar.

O evento mais recente, que ilustra esta descoberta, foi a sequência de impactos causados pelas partes do cometa Shoemaker-Levy 9 no planeta Júpiter, entre os dias 16 e 22 de julho de 1994. Foram 21 impactos ao todo. O maior deles, o do fragmento G, atingiu o planeta Júpiter no dia 18, deixando uma mancha escura de aproximadamente 12.000 km de diâmetro e liberando uma energia equivalente a 6 milhões de megatons (todo o arsenal atômico que existe no planeta liberaria uma energia 750 vezes menor!).

Dr. Shoemaker observou corretamente que tais eventos deixam "marcas" nos corpos celestes, sejam eles planetas ou luas. A nossa própria Lua é um exemplo, com as suas muitas crateras. Estas marcas têm sido fotografadas por sondas espaciais. Na página 223, são vistas várias imagens das luas encontradas orbitando os planetas do sistema solar.

Planetas como Mercúrio, Vênus, Terra e Marte têm a sua crosta marcada por esses impactos. Uma dessas marcas que tem sido estudada extensivamente é a Cratera Victoria, no planeta Marte, pelo robô Opportunity. Um mapeamento da superfície do planeta Marte, mostrando tais impactos, tem

Impacto do cometa Shoemaker-Levy 9 com o planeta Júpiter (Julho de 94).

(Fotos: Hubble Space Telescope Comet Team e NASA)

---

1   www.britannica.com/eb/article-9114891/Shoemaker-Eugene-Merle

Cratera Victoria em Marte
(Foto: NASA - Mars Exploration Rover Opportunity)

sido feito pela sonda Mars Reconnaissance Orbiter.

O planeta Terra possui marcas deixadas por eventos passados. Tais marcas são evidências de eventos transformadores. Uma avaliação da extensão das transformações causadas no sistema por esses eventos pode ser desenvolvida a partir de observações locais e globais.

Por exemplo, uma erupção vulcânica lança cinzas a quilômetros de altitude. Essas cinzas são levadas pelas correntes atmosféricas para diversas regiões do planeta, inclusive áreas remotas como a Antártida. Ali elas ficam depositadas nas camadas acumuladas de gelo. Um estudo da quantidade de cinza encontrada pode se tornar um indicador da intensidade da erupção vulcânica. A dimensão de uma cratera produzida pelo impacto de um meteorito ou asteróide revela a quantidade de energia liberada no momento do impacto. A quantidade de massa ejetada pelo impacto, a intensidade da onda de choque e outros fatores podem também ser avaliados pelo estudo das características da cratera.

Cratera Victoria, em Marte, vista de cima

(Foto: NASA - Mars Reconnaissance Orbiter)

Causas e Efeitos

Catástrofes naturais são decorrentes de várias fontes distintas. Por fontes naturais, a ciência entende que são aquelas não resultantes da intervenção do ser humano. Exemplo de intervenção humana é o aquecimento global que o planeta Terra vem experimentando.

Estas catástrofes naturais podem ser categorizadas especialmente pela sua origem: impactos, atividades vulcânicas, atividades sísmicas e atividades atmosféricas. Para o estudo de cada uma delas, a ciência utiliza áreas que se combinam para dar uma explicação mais completa possível do evento e das suas implicações. De uma maneira geral, o estudo de cada catástrofe, além de possuir alguns aspectos únicos, está diretamente relacionado com três áreas importantes: a intensidade da fonte produtora, a duração do evento e a sua abrangência.

A avaliação dos efeitos de tais eventos, tanto na estrutura geoclimática do planeta como na performance do ecossistema e da biodiversidade que nele existe, é de grande interesse para a ciência, pois possui profundas implicações na averiguação das teorias relacionadas com as origens.

Impactos

Um dos eventos mais dramáticos é o impacto de um meteoro ou um asteróide com a superfície do nosso planeta. A marca deixada por tal impacto revela aspectos relevantes sobre o evento, abrindo portas para o estudo dos seus efeitos.

Um objeto, ao entrar pela atmosfera da Terra, é desacelerado devido ao atrito. A velocidade média que tais objetos penetram na atmosfera terrestre é de 10 a 20 km/s. Uma enorme energia cinética é liberada instantaneamente no momento do impacto, produzindo uma explosão semelhante a uma bomba atômica. Pequenos objetos são geralmente desintegrados na atmosfera devido à pressão e ao calor produzido pelo atrito, muito antes de atingirem o solo. Mas meteoritos com um núcleo metálico de ferro e níquel não sofreriam tantos danos estruturais e atingiriam a superfície do planeta causando uma explosão violenta.

Sismógrafos registram impactos de vários kilotons todos os anos. Os asteróides e meteoritos que conseguissem atravessar a atmosfera e atingir a superfície do planeta deixariam uma marca no formato de uma cratera.

Já foram identificadas cerca de 200 crateras na superfície do nosso planeta. Algumas são de difícil reconhecimento devido a um desgaste produzido pela erosão e, em alguns casos, pela cobertura feita pela vegetação. Uma das crateras mais conhecidas é a de Chicxulub, na península de Yucatan, no México; esta cratera, devido à hipótese proposta por Luis Alvarez, em 1980, é associada ao possível impacto que causou o desaparecimento dos dinossauros.[2]

O diâmetro das crateras identificadas varia de pouco mais de 100 m até cerca de 300 km, como é o caso da cratera Vredefort, na África do Sul. Um dos grandes problemas associados a estes eventos são as datas atribuídas a eles. Os métodos discutidos no capítulo anterior são os métodos utilizados para a datação. Já vimos que eles são, no mínimo, questionáveis.

Um pouco do nosso conhecimento com respeito à formação das crateras vem de estudos similares de crateras resultantes da explosão subterrânea de bombas atômicas. Utilizando o conhecimento da energia liberada e o tamanho da cratera produzida em tais eventos, os cientistas têm conseguido avaliar a dimensão de alguns impactos causados por meteoros e asteróides.

Acredita-se que os impactos oceânicos poderiam causar danos maiores que os impactos em terra firme. A quantidade de água deslocada pelo impacto de um asteróide como o da cratera de Chicxulub poderia ter produzido

Cratera Kaali - 110 m
(Saaremaa, Estônia)

Cratera de Chicxulub - 170 km
Yucatan, México

---

2 Embora o trabalho de Alvarez tenha sido publicado em 1980, outro trabalho muito anterior já apresentava tal hipótese. Ver M. W. DeLaubenfels, *Dinosaur Extinctions: One More Hypothesis*, Journal of Paleontology, Vol 30, Nº 1, janeiro de 1956, p. 207-218.

Cratera Tenoumer - 1.9 km
Mauritânia

Cratera Lonar - 1.83 km
Buldhana, India

Cratera Barringer - 1,2 km
Arizona, Estados Unidos

Cratera Amguid - 450 m
Algéria

Cratera Sirente - 130 m
Itália

A formação Richat, deserto do Saara (Mauritânia), com cerca de 30 km de diâmetro foi interpretada no início como sendo uma cratera resultante de um impacto. Atualmente esta formação é considerada apenas uma elevação simétrica que tem sido revelada pela erosão.

(Foto: NASA/GSFC/MITI/ERSDAC/JAROS, e U.S./Japan ASTER Science Team)

tsunamis de 50 a 100 metros de altura. Mas ainda pouco é conhecido pela ciência sobre os verdadeiros efeitos causados por tais eventos.

Sabemos por evidência científica que o maior fragmento do meteoro que produziu as nove crateras em Saaremaa, na Estônia (ver foto na página ao lado), teria produzido uma explosão com uma energia maior que a liberada pela bomba lançada em Hiroshima. Árvores num raio de 6 km foram queimadas pelo calor produzido pelo impacto. Observe que estamos tratando dos resultados de um meteorito que produziu uma cratera de 110 m de diâmetro e não de um que produziu uma cratera com dezenas de quilômetros.

Embora tais eventos sejam colocados num passado distante pelos naturalistas, as suas consequências imediatas, tanto na geologia, quanto no clima, como também na biodiversidade, não podem ser minimizadas.

Os estudos sobre tais impactos ainda produzem conclusões gerais, embora alguns resultados possam ser obtidos de forma mais específica, comparando as proporções de uma cratera produzida por uma detonação

Cratera formada por teste atômico (Sedan) realizado na área de testes de Nevada (NTS - Nevada Test Site) (EUA), no dia 6 de julho de 1962.

Foto cortesia da National Nuclear Security Administration / Nevada Site Office

atômica, em subsolo, com o de uma cratera produzida por um impacto. Por exemplo, uma bomba atômica de 100 quilotons, enterrada a uma profundidade de 193,5 m produziu uma cratera (cratera Sedan) de 390 m de diâmetro por 97,5 m de profundidade, deslocando cerca de 12.000.000 de toneladas de solo[3] (1 quiloton é 1 kton de TNT, equivale a 10^{12} calorias, também conhecida como teracaloria (Tcal), que também equivale a 4.184×10^{12} joules (terajoules ou TJ).

Neste exemplo, a bomba estava enterrada (a 193,5 m). No caso de um asteróide ou meteoro, o mesmo já teria liberado muito calor na atmosfera (devido ao atrito com o ar) e produzido uma onda de choque devastadora (devido à pressão com o ar da atmosfera). Também uma quantidade imensa de calor teria sido liberada no momento do impacto, e uma grande quantidade de sedimentos seria lançada na atmosfera (caso o impacto tivesse sido na terra. No oceano teria produzido tsunamis gigantescas).

Somente estes aspectos já teriam sido mais que suficientes para alterar as condições do sistema de forma local e, dependendo do tamanho do impacto, até global. A extensão da destruição quanto ao ecossistema ainda continua não sendo bem compreendida devido à sua complexidade e interatividade com o ecossistema.

Dependendo da quantidade da biomassa destruída (plantas e animais), haveria uma transferência de carbono de um reservatório para os demais (ver página 187) num curto período de tempo (meses, anos ou mesmo décadas), produzindo uma leitura errada de datação dentro de uma escala uniformita-

---

[3] www.nv.doe.gov/library/photos/photodetails.aspx?ID=799

rianista. Dependendo da energia cinética e do momento de inércia transferidos no momento do impacto para as placas tectônicas, estas poderiam produzir uma pressão no magma, o que produziria distúrbios na corrente elétrica geradora do campo magnético da Terra, produzindo oscilações do mesmo. Tais oscilações rápidas poderiam ser identificadas erroneamente como oscilações lentas e graduais do campo magnético terrestre durante longas eras geológicas (uniformitarianismo). Dependendo da quantidade de partículas lançadas na atmosfera, a obstrução da entrada da luz solar poderia produzir um resfriamento rápido, produzindo uma glaciação rápida (dezenas ou centenas de anos), com uma reversão relacionada à diminuição da quantidade de obstrução da luz solar e estabilização do sistema. Tal fenômeno, devido à sua extensão, poderia ser descrito como um processo de glaciação de centenas de milhares de anos (escala uniformitarianista), quando poucos séculos seriam necessários.

Desde a década de 80, o estudo destes eventos tem ganhado interesse pela comunidade científica, principalmente pela Geociência, devido ao seu aspecto principal relacionado com os processos de modificação do planeta. Grupos das áreas de Ciência Planetária e Espacial têm compilado dados e informações que possam auxiliar na compreensão desses eventos. Mas, ainda assim, muito pouco das implicações é conhecido pelas disciplinas da Geologia, Geofísica, Oceanografia, Hidrologia, Glaciologia, Climatologia e Ciências Atmosféricas. Pelo fato delas serem necessárias, simultaneamente, para explicar as transformações na Terra que poderiam ser resultantes de um único evento ocorrido no passado, um grande desafio existe para a descoberta da verdadeira história do planeta Terra.

Mesmo assim, podemos ter uma pequena noção das proporções da devastação causada por um impacto. Sabemos que com crateras identificadas na superfície do planeta Terra, da ordem de 50 a 300 km de diâmetro, o pressuposto de Darwin, de que a "face da natureza permanecesse uniforme por longos períodos de tempo"[4], é, no mínimo, altamente questionável, para não dizermos errado.

Uma palavra final sobre a datação dos impactos. As idades atribuídas às crateras assume o uniformitarismo utilizado pelos métodos de datação. Porém, tais eventos eliminam o uniformitarismo, deixando a pressuposição de estabilidade do sistema (constância das condições e permanência dos fenômenos) sem base científica. Portanto, impactos datados com milhões e bilhões de anos não podem ter suas datas admitidas como absolutas. Como já foi visto no Capítulo 6, os métodos de datação, quando avaliados corretamente, apontam para um sistema jovem.

---

4   Charles Darwin, *On the Origin of Species by Means of Natural Selection,* publicado por John Murray, Londres, 1859, primeira edição, p. 74.

Um impacto de grande magnitude produziria efeitos na:

Atmosfera
    Química atmosférica
    Climatologia
    Meteorologia
    Hidrometeorologia
    Paleoclimatologia

Biosfera
    Biogeografia
    Paleontologia
    Palinologia
    Micropaleontologia
    Geomicrobiologia

Hidrosfera
    Hidrologia
    Glaciologia
    Limnologia
    Hidrogeologia
    Oceanografia
    Oceanografia química
    Biologia marinha
    Geologia marinha
    Paleoceanografia
    Oceanografia física

Litosfera ou geosfera
    Geologia
    Glaciologia
    Sedimentologia
    Estratigrafia
    Geoquímica
    Geomorfologia
    Geofísica
    Geocronologia
    Geodinâmica
    Geomagnetismo
    Gravimetria
    Sismologia
    Hidrogeologia
    Mineralogia
    Cristalografia
    Gemologia
    Petrologia
    Vulcanologia

Pedosfera
    Ciência de solos
    Edafologia
    Pedologia

Vulcão Irazu, Costa Rica
(Foto: Dirk van der Made)

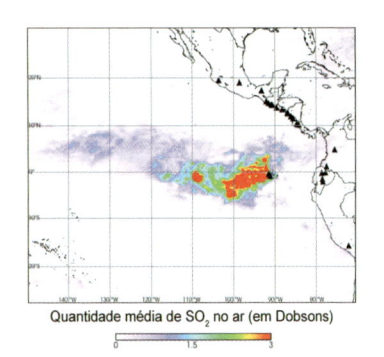

Concentração média de SO_2 entre 23/10 e 1/11 de 2005 sobre o vulcão Sierra Negra (Ilhas Galápagos, Equador).

Quantidade média de SO_2 no ar (em Dobsons)

Atividades Vulcânicas

Vulcões são muito comuns no planeta Terra. Existem mais de 2000 vulcões. Alguns encontram-se nos continentes, outros nos oceanos, e ainda outros, nas geleiras. Alguns estão ativos, enquanto outros adormecidos ou extintos. A maioria deles produz eventos localizados, para uma geologia local. Alguns casos parecem ter tido uma influência global.

Geralmente um vulcão altera, principalmente, a paisagem de um local. Algumas ilhas são de origem vulcânica. Algumas montanhas são vulcões extintos. Algumas formações são resultantes de lava que vazou de um vulcão. Sem dúvida, os vulcões têm mudado a aparência do planeta Terra. Mas isso numa escala relativamente pequena, em se tratando de geologia.

Mas a ciência sabe que as erupções vulcânicas têm uma abrangência muito maior que uma pequena modificação geológica local.

Chuva Ácida

Muito além de influenciar a paisagem, um vulcão pode influenciar diretamente a atmosfera, alterando as proporções entre os elementos químicos ali existentes. Por exemplo, estudos recentes do vulcão Ulawun, na Papua-Nova Guiné, revelaram que em erupções recentes ele chegou a produzir 7 kg de SO_2 (dióxido de enxofre) por segundo, o que corresponde a cerca de 2% da emissão global total desse gás.[5] O gás SO_2 na atmosfera é o responsável pela chamada "chuva ácida" (H_2SO_4).

Esta "chuva ácida" causa a diminuição do pH da água dos lagos e rios,

---

5   A.J.S. McGonigle, C. Oppenheimer, V.I. Tsanev et al, *Sulphur dioxide fluxes from Papua New Guinea's volcanoes,* Geophysical Research Letters, 2004, v. 31, issue 8.

tornando-os mais ácidos, reduzindo a biodiversidade aquática. Existem casos conhecidos em que ela eliminou insetos e até mesmo algumas espécies de peixes em alguns riachos e córregos.[6]

O solo também pode ser alterado de forma prejudicial pela "chuva ácida", através da morte de micróbios que não resistem a um pH baixo. As enzimas desses micróbios deixam de funcionar devido ao ácido. Outros aspectos estão relacionados aos nutrientes do solo e aos minerais que passam também por uma degradação e diminuição.

As florestas e a vegetação de uma forma geral também são afetadas diretamente. "Chuva ácida" desacelera o crescimento das plantas, queima as suas folhas e, em casos extremos, faz com que todas as árvores de uma área específica morram. Vegetação em grandes altitudes é muito mais vulnerável por estar constantemente cercada por nuvens.

Obstrução da Radiação Solar Transmitida

Outro aspecto relacionado ao vulcanismo é a diminuição da radiação solar transmitida, devido ao acúmulo de partículas lançadas na atmosfera (ver gráfico ao lado). No dia 29 de março de 2007, o vulcão Shiveluch, localizado na península Kamchatka, na Rússia, produziu uma erupção que lançou uma nuvem de cinzas a quase 10 km de altitude.

Estas partículas são carregadas e espalhadas pelo vento e produzem uma "película" na atmosfera que reflete a radiação vinda do Sol, causando uma diminuição, principalmente, de temperatura. Esse fenômeno é conhecido como *obscurecimento global* e tem sido muito estudado pela ciência.

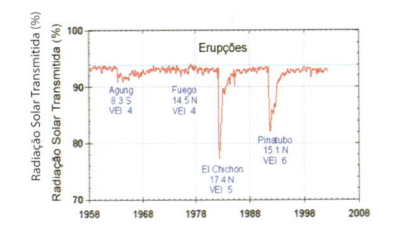

Intensidade da radiação solar
Observatório de Transmissão
Atmosférica, Mauna Loa,
Hawaii, EUA

---

6   Ver site do U.S. Environmental Protection Agency,
    .www.epa.gov/acidrain/effects/surface_water.html

Cinzas lançadas na atmosfera pelo vulcão Agostine (Alaska)

Erupção do vulcão Tungurahua (Equador)

Anak Krakatau (foto NASA, satélite Ikonos - 11/06/2005)

Muito do obscurecimento global atual tem sido causado pela poluição produzida pelos seres humanos.

Um caso de estudo muito interessante envolvendo estes aspectos é o do vulcão Cracatoa, na Indonésia. Uma série de explosões catastróficas culminou com a erupção nos dias 26 e 27 de agosto de 1883. O vulcão lançou mais de 25 km³ de lava, produziu uma coluna de cinzas com cerca de 80 km de altura lançadas na atmosfera e produziu tsunamis de 30 m. Dois terços da ilha foram destruídos pela erupção. Uma série de quatro explosões foram ouvidas na manhã do dia 27. A última foi ouvida por pessoas na Austrália (a 3.500 km de distância) e na ilha Rodrigues (a 4.800 km de distância, no meio do oceano Índico). As ondas de choque na atmosfera produzidas pelas explosões reverberaram pelo planeta sete vezes e puderam ser detectadas durante um período de cinco dias.

Estima-se que aproximadamente 18-21 km³ de material vulcânico (igninbrita) foram depositados numa área de aproximadamente 1.000.000 km². Erupções até a década de 1930 já haviam criado uma nova ilha. Os anos seguintes à erupção do Cracatoa apresentaram uma diminuição da média global de temperatura de 1,2°C, devido à grande quantidade de SO_2 lançada na atmosfera e carregada pelos ventos, através do aumento na concentração global de ácido sulfúrico (H_2SO_4) nos cirros (nuvens de grande altitude), aumentando a refletividade das nuvens.[7] A quantidade de partículas na atmosfera, decorrentes da erupção do vulcão, fez o planeta experimentar por mais de dez anos um céu avermelhado ao amanhecer e ao entardecer, e a Lua, por mais de dois anos, parecer azulada. Atualmente, uma nova ilha vulcânica, chamada Anak Krakatau (filho de Cracatoa), existe no lugar da antiga ilha de Cracatoa. Em agosto de 1930, ela assumiu um lugar acima da superfície do mar. Este exemplo mostra como os dois aspectos relacionados ao vulcanismo são muito importantes para o equilíbrio climático do planeta.

Megaerupções

Devido ao fato de que a maioria das atividade vulcânicas são eventos localizados, pouco tem se falado sobre um possível catastrofismo global.

Outra vez a pergunta é se a atividade vulcânica no planeta Terra foi sempre como o que temos presenciado hoje. A resposta pode surpreender a muitos. O vulcão Cracatoa, no entanto, não parece ter sido o maior evento

---

[7] Ver as publicações de Stephen Self e Micahel R. Rampino, *The 1883 eruption of Krakatau*, 1981, Nature 294: 699-704. DOI:10.1038/294699a0; e Tom Simkin e Fiske S. Richard (editores) *Krakatau, 1883—the volcanic eruption and its effects,* Washington, D.C. , Smithsonian Institution Press, 1983.

relacionado com vulcanismo que o planeta Terra já experimentou.

Um caso que merece atenção é o da região centro-oeste da Índia, chamada Planalto do Decã. Nessa região encontra-se a maior quantidade de lava (basalto) solidificada em camadas do mundo. Essas camadas juntas têm cerca de 1 a 2 km de espessura e cobrem uma área de aproximadamente 500.000 km^2. Acredita-se que inicialmente a área coberta era de 1.500.000 km^2. Com os dados observados atualmente, estima-se que o volume de lava derramado foi da ordem de 500.000 km^3!

Alguns estudos iniciais sugeriam que o evento que produziu o planalto do Decã teria durado cerca de dois milhões de anos (alguns cientistas ainda apóiam esta hipótese). Estudos mais recentes mostram que eles teriam se formado em um milhão de anos. Alguns cientistas têm associado este evento (datado pelos naturalistas entre 68 e 64 milhões de anos, pelo método Ar-Ar) como sendo uma outra possível causa de extinção dos dinossauros.

Estamos lidando novamente com a validade das idades produzidas pelos métodos de datação, discutida no capítulo anterior. O planalto do Decã não é o único local no planeta com tais características. Outros planaltos, como o do Colorado e do Colúmbia (EUA) e o Ontong-Java (Indonésia), também apresentam tais características. Como já vimos, eventos dessa magnitude teriam causado uma grande mudança no planeta Terra, não apenas no aspecto geológico, mas principalmente no aspecto climático.

Um último exemplo relacionado ao vulcanismo que será mencionado é o chamado erupção límnica, na qual uma grande quantidade de CO_2 é lançada abruptamente, do fundo de um lago vulcânico, na atmosfera, alterando a sua proporção de Carbono.

O lago Nyos, localizado na África, lançou, em 1986, cerca de 80 milhões de metros cúbicos de CO_2 na atmosfera, matando cerca de 1700 pessoas asfixiadas. Para que uma erupção límnica ocorra, muito CO_2 necessita estar diluído na água do lago. A fonte principal de CO_2 são os gases vulcânicos que são lançados no fundo do lago. Normalmente a pressão da coluna de água (o lago Nyos tem uma profundidade média de 210m) facilita a diluição do CO_2. O lago, num certo sentido, é como uma garrafa de refrigerante. O lago Nyos tem uma área de aproximadamente 1,58 km^2. O lago Kivu, entre a República do Congo e Ruanda, tem uma área de 2.700 km^2, um volume de água de 500 km^3 e possui um alto de teor de CO_2. Ele ainda não atingiu um limite que produza uma erupção límnica.

Estamos mais uma vez tratando de eventos que, independente da duração, produziram algo que não faz parte do dia-a-dia do planeta (atualismo). Assumir uma pressuposição uniformitarianista, mais uma vez, é um erro que pode ser evitado.

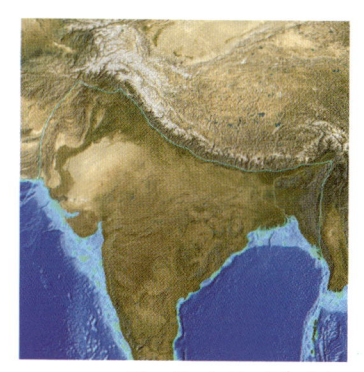

Planalto do Decã (Índia) e cordilheira dos Himalias ao norte

Lago Nyos, Camarões

Lago Kivu, entre a República do Congo e Rwanda.

(Foto NASA: Landsat-5)

Atividade sísmica monitorada entre os anos de 1963 e 1998: 358.214 epicentros foram identificados. Em 1906 um terremoto destruiu a cidade de San Francisco (EUA).

Ao Ning, Tailândia, no momento da chegada da tsunami de 2004

(Foto: David Rydevik)

Vilarejo da região costeira da ilha de Sumatra, após a tsunami de 2004.

(Foto: Philip A. McDaniel)

Atividades Sísmicas

Terremotos e maremotos são atividades sísmicas muito conhecidas. Elas ocorrem naturalmente com grande frequência no planeta devido às falhas e à movimentação das placas tectônicas. Em apenas 35 anos de monitoramento (1963 a 1998), 358.214 epicentros de atividade sísmica foram registrados.

Os terremotos, em geral, têm consequências locais. Segundo as teorias atuais, os terremotos associados às placas tectônicas têm a sua origem a uma profundidade de no máximo 10 km. Muito da energia liberada num terremoto é transformada em calor. Portanto, os terremotos diminuem a energia potencial disponível do planeta, embora essa energia dissipada não pareça ser considerável.[8]

O terremoto de Shaanxi, no dia 23 de janeiro de 1556, tem sido considerado o maior desastre natural no gênero. Cerca de 830.000 pessoas morreram no evento. O segundo maior terremoto e o mais intenso já registrado por um sismógrafo (9,1 e 9,3) foi o do dia 26 de dezembro de 2004. Seu epicentro foi próximo da costa oeste da ilha de Sumatra, Indonésia. O terremoto desencadeou uma tsunami que atingiu o litoral de vários países do oceano Índico (fotos ao lado). Muitas áreas foram completamente devastadas. Cerca de 283.000 pessoas morreram.

Os terremotos afetam diretamente o ecossistema local, alterando características geológicas. O impacto da destruição, embora rápido e massivo, nem sempre apresenta resquícios duradouros. Dois efeitos muito importantes resultantes de terremotos são os tremores e as rachaduras (ou rupturas)

---

8 W. Spence, S. A. Sipkin and G. L. Choy, *Measuring the Size of an Earthquake,* Earthquakes and Volcanoes 21, 1989.

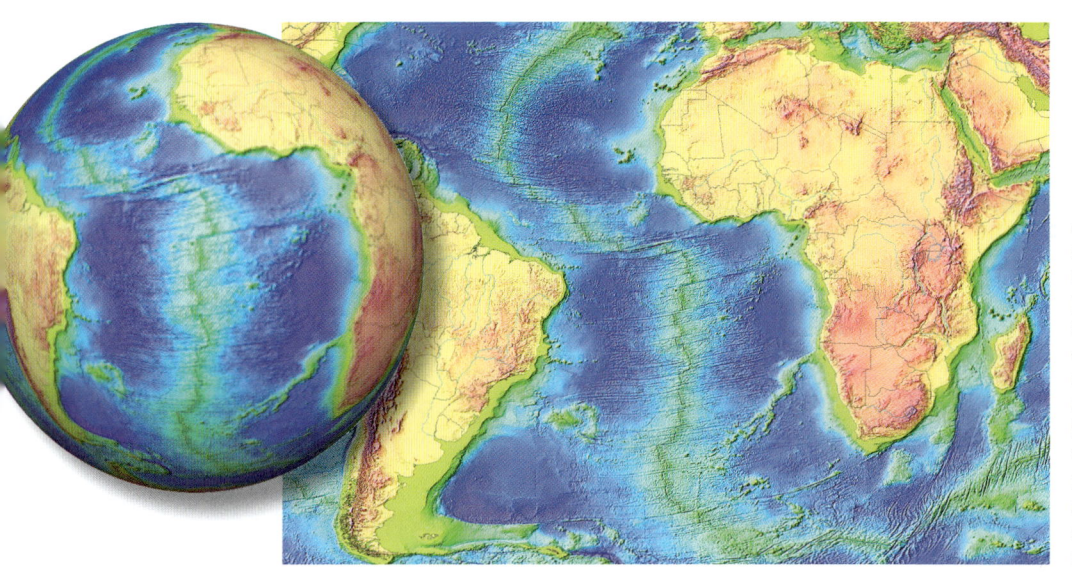

A mais extensa cadeia de montanhas do planeta encontra-se no fundo dos oceanos. Ela é conhecida por dorsal-oceânica. Na ilustração é vista a dorsal meso-oceânica do Oceano Atlântico (a simetria é visível no mapa esférico)

do solo. O segundo, as rachaduras, deixam uma evidência da magnitude do evento. Muitas regiões de rachaduras do planeta Terra têm sido estudadas, como a conhecida Falha de San Andreas (Santo André), na Califórnia, EUA (foto ao lado). Todas elas apresentam aspectos de catastrofismo.

Geralmente essas falhas geológicas são estudadas do ponto de vista uniformitariano. Assim, as conclusões sobre a formação e o desenvolvimento de cada uma delas (taxas de expansão, de movimento e desdobramento, por exemplo) estão consequentemente relacionadas ao atualismo.

Consideremos alguns fatos relevantes relacionados aos aspectos geológicos do planeta, para avaliarmos outra proposta associada a um possível evento no passado do planeta Terra, relacionado com o catastrofismo. A velocidade do som em granito pré-Cambriano é de 5230 m/s.[9] Rachaduras, devido à tensão em rochas, se propagam com velocidades de aproximadamente metade desse valor.[10] Portanto, ao tratarmos de rachaduras na crosta terrestre, estamos tratando de eventos rápidos, onde uma grande quantidade de energia é liberada.

Sabemos que as placas tectônicas e os continentes, por assim dizer, estão em movimento. Uma pergunta de grande interesse é se esse movimento observado tem sido aproximadamente o mesmo durante a história do planeta Terra (atualismo) ou se ele é o efeito final e resultante de um movimento maior e singular no passado (catastrofismo).

Falha de San Andreas, Califórnia, EUA

(Foto NASA)

---

9   Robert S. Carmichael, *Handbook of Physical Properties of Rocks, Vol. 2*, Boca Raton, Fl, CRC Press, 1982, p. 310.
10 B.R. Lawn e T.R. Wilshaw, *Fracture of Brittle Solids*, Cambridge University Press, NY, 1975, p. 91-100.

A deriva continental, proposta por Alfred L. Wegener e por Frank B. Taylor,[11] nos oferece um exemplo prático para essas considerações. A América do Sul está se afastando da África a uma velocidade de 5,7 cm por ano (aproximadamente a velocidade de crescimento de uma unha). Se esta velocidade for constante, este evento deveria estar ocorrendo por cerca de 115 milhões de anos (a distância média entre a África e a América do Sul é de 6.500 km). Esta idade calculada só pode ser verdadeira se a velocidade de afastamento for constante. Portanto, esse movimento tem uma velocidade constante ou não?

Podemos observar que a África e a América do Sul são parecidas com as peças de um quebra-cabeça. Elas se encaixam (imagem ao lado). O mesmo acontece também com a América do Norte e a Europa. A dorsal meso-oceânica (cadeia de montanhas bem no meio do oceano), tanto do Atlântico Norte quanto do Atlântico Sul, encontra-se perfeitamente centrada entre o continentes americanos e os continentes europeu e africano.

Isto sugere o aparecimento de uma fissura, que no passado teria separado essas duas partes, produzindo um subsequente afastamento por meio de um movimento longitudinal e não por um deslocamento envolvendo rotação, como o sugerido pelo modelo das tectônicas de placas. Observe no mapa de projeção esférica da página anterior onde a simetria é ainda mais visível.

Esta fissura deve ter sido parte de um único evento. A simetria sugere isso. Para tanto, teríamos uma rachadura da antiga Pangéia (o único continente nos primórdios do planeta Terra), do seu limite norte (hoje a região entre a Groenlândia e a Noruega) até o seu limite sul (hoje a região entre a Terra do Fogo e a África do Sul).

Se limitarmos a nossa atenção apenas a essa região, veremos que o comprimento da dorsal meso-oceânica do Atlântico, entre os pontos norte e sul citados, corresponderia a extensão de uma ruptura ocorrida na Pangéia continental. Esta ruptura daria origem a um novo continente, as Américas, e ao atual oceano Atlântico.

Um evento tectônico como este não poderia ser comparado com nenhum outro da história do planeta. Ele estaria longe do atualismo aceito pela geologia de hoje. A magnitude de tal abalo sísmico excederia em muito a todas as unidades utilizadas para medir os terremotos atuais, produzindo uma devastação global muito acima das conhecidas pela civilização moderna.

Se tomarmos o comprimento da dorsal meso-oceânica como a marca deixada por esta ruptura, a mesma teria nesta região cerca de 20.000 km. Pode ser observado a mesma dinâmica em relação à África e à Ásia, que se

Movimento longitudinal da deriva dos continentes (América do Sul e África)

---

11 Frank Bursley Taylor, *Bearing of the Tertiary Mountain Belt on the Origin of the Earth's Plan*, Geological Society of America Bulletin, junho de 1910.

afastaram da Antártida. Basta observar a dorsal meso-oceânica no leito dos oceanos Índico e Pacífico. Considerando a velocidade do som em granito pré-Cambriano de 5,23 km/s, uma fissura para percorrer tal distância demoraria:

20.000 km ÷ (5,23 km/s ÷ 2) = 7.500 segundos ou 2h e 8min!

Isto se considerarmos a rachadura indo numa só direção e não seguindo em direções opostas simultaneamente. Seria uma teoria como esta plausível? Ou seja, teria a divisão dos continentes se dado num único evento tectônico catastrófico ou seria parte de uma sequência de eventos lentos e graduais?

Existem muitas razões para crermos que foi um único evento desencadeando vários eventos que se desenrolam até hoje. Trataremos dessa questão na última parte deste capítulo.

Furacão Katrina (28 de agosto 2005)

(Foto NASA: satélite Terra)

ATIVIDADES ATMOSFÉRICAS

O ano de 2005 foi marcado por várias catástrofes relacionadas com atividades atmosféricas. A que deixou a maior marca foi o furacão Katrina, que destruiu completamente a cidade de New Orleans, nos Estados Unidos. Eventos desse tipo são muito comuns no planeta Terra.

As atividades atmosféricas, além de produzirem furacões, ciclones, tufões e tornados, também produzem inundações, secas, ondas de calor, tempestades de neve e muitos outros desastres naturais.

Geralmente esses eventos produzem resultados locais, como a seca da década de 1930 na província de Sichuan, na China, que se tornou uma das maiores secas conhecidas. Dependendo da duração, estes fenômenos podem alterar definitivamente o ecossistema de uma determinada área do planeta.

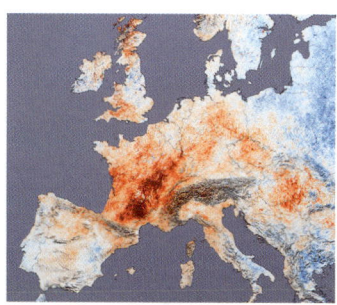

Anomalia na temperatura (°C)

Onda de calor na Europa durante o verão de 2003

(Imagem NASA: satélite Terra)

Hoje, a atmosfera tem uma função muito importante para o planeta, principalmente devido aos pólos. No entanto, tanto a Antártica como as regiões do Círculo Polar Ártico já foram regiões com climas quentes. A explicação dada pela Geologia convencional diz que a alteração climática da Antártica está relacionada com a movimentação desse continente, que num passado de 170 milhões de anos fazia parte do supercontinente Gondwana. Por aproximadamente 145 milhões de anos ele teria ficado à deriva, até chegar à posição atual há 25 milhões de anos. Estas datas e a explicação têm a sua origem naqueles que acreditam na pressuposição naturalista do uniformitarismo.

O fato é que essas regiões não foram sempre frias como elas são hoje, nem inóspitas. O planeta já foi muito diferente do que ele é hoje.

Inundação causada pelo rio Limpopo, em Moçambique, no ano 2000.

Permanecendo no Erro

Até aqui vimos que o planeta Terra não pode ter sido sempre igual ao que ele é hoje. Vimos também que o atualismo (uniformitarismo) não é uma pressuposição científica consistente com a evidência. No entanto, as teses naturalistas sobre o planeta e a vida continuam sendo amplamente aceitas como verdadeiras e acima de qualquer contestação.

Mudanças que ocorreram na superfície da Terra no passado podem ser explicadas por meio de causas que estão em operação hoje. "O presente é a chave do passado." (Sir Charles Lyell)[12]

> "... contudo, num longo espaço de tempo as forças são balanceadas tão gentilmente, que a face da natureza permanece uniforme por longos períodos de tempo, embora, seguramente, a mais simples futilidade dá a vitória a um organismo sobre outro. Todavia, a nossa ignorância é tão profunda, e tão alta a nossa presunção, que nos maravilhamos quando ouvimos da extinção de um organismo; e, como não vemos a causa, nós invocamos cataclismas para devastar o mundo ou inventar leis sobre a duração das formas de vida!" (Charles Darwin)[13]

Quando comparamos estas citações, que são a base do pensamento naturalista, nos perguntamos: até quando a ciência permanecerá de olhos fechados para a evidência? Até quando ela falará de destruição em massa devido a eventos cataclísmicos e continuará aceitando o atualismo?

Marte, Terra e a Água

O planeta Marte e o planeta Terra possuem muitas similaridades. Ambos possuem um período de rotação de aproximadamente 24 horas: a Terra, de 23hr 56min 4seg, e Marte, de 24hr 37min 23seg. Suas inclinações com respeito ao eixo de rotação são muito parecidas: a Terra, 23,439 281°, e Marte, 25,19°. Suas atmosferas possuem Carbono (CO_2) embora em proporções muito diferentes: a Terra, 0,038%, e Marte, 95,72%.

Os dois planetas também guardam um mesmo mistério: a água. As superfícies dos dois planetas mostram que a água teve um papel fundamental no decorrer das suas histórias. A imagem ao lado, região Valles Marineris, em Marte, aponta para uma movimentação de líquidos (talvez água) e condições geoquímicas no passado.

Fraturas tectônicas na região Valles Marineris (Candor Chasma) em Marte.
(Foto NASA, Mars Reconnaissance Orbter, MRO)

---

12 Charles Lyell, *Principles of Geology*, John Murray, London, 1ª edição, 1830, Vol 1.
13 Charles Darwin, *On the Origin of Species by Means of Natural Selection,* publicado por John Murray, Londres, 1859, 1ª edição, p. 74.

Erosão produzida pelo oceano nos penhascos de Southerndown, no país de Gales.

Muitas características relacionadas com a erosão são encontradas nos dois planetas, como nas fotos acima e ao lado. Tais marcas produzidas por agentes como as correntes oceânicas, vento, chuva, água e gelo, deixadas pelo tempo, fazem parte de um grande quebra-cabeça que a ciência procura desvendar. Note mais uma vez que a evidência existe. As interpretações é que podem ser questionáveis.

Estudando o que a água fez

Os cientistas estão estudando intensamente esse aspecto da água, não só aqui na Terra, mas também no planeta Marte. Existem sinais que indicam uma possibilidade de água líquida ter existido em Marte no passado. Nada conclusivo ainda.

A história da água em Marte será escrita no decorrer deste século com o que iremos aprender. Se ela existiu em forma líquida no passado e onde estaria ela hoje são questões que a pesquisa poderá nos revelar. As teorias sobre o que teria acontecido também aparecerão. Mas, e a nossa história — a história do planeta Terra?

Quando tratamos dos fósseis, vimos que eles não são produzidos em situações normais, mas em situações anormais relacionadas com água e lama. Petróleo parece estar relacionado a um processo similar.

Os cânions do planeta não parecem ter sido o resultado de um processo de erosão lento e gradual. Montanhas (com camadas) aparecem dobradas por um processo de compressão antes da solidificação. Todos esses aspectos geológicos do nosso planeta estão relacionados diretamente com a água.

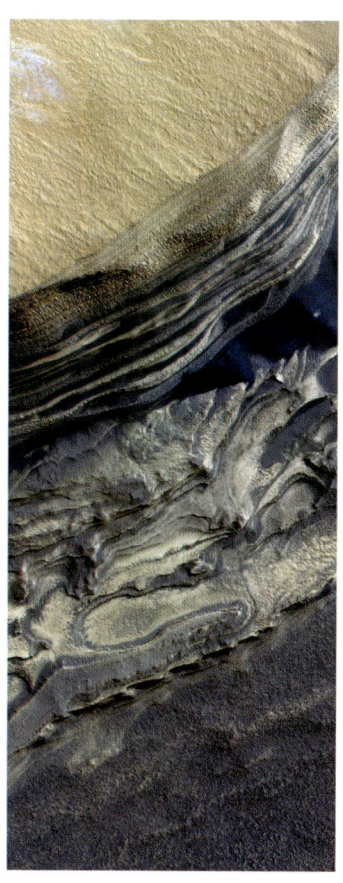

Abismo Boreale, região polar norte de Marte, mostrando camadas e erosão

Foto: NASA/JPL-Caltech/ Universidade do Arizona, Mars Reconnaissance Orbter, MRO

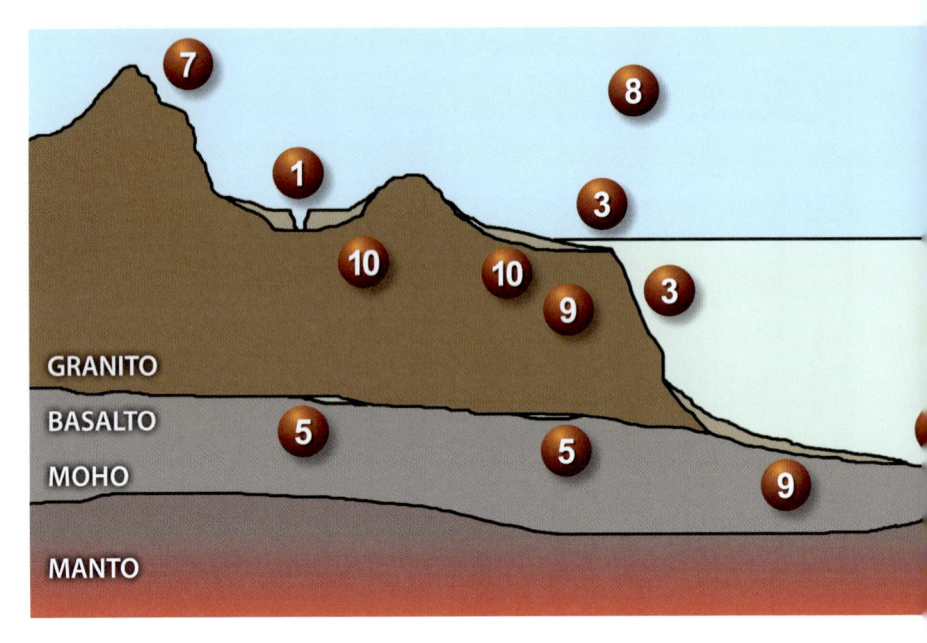

[Diagrama com corte geológico mostrando as camadas GRANITO, BASALTO, MOHO e MANTO, com numerações 1, 3, 5, 7, 8, 9, 10 indicando fenômenos geológicos.]

Juntando as peças do quebra-cabeça

Portanto, para entender a história do nosso planeta, um estudo sobre as "marcas" deixadas pelos processos hidrodinâmicos do passado deve ser desenvolvido. Para tanto, relacionaremos apenas alguns poucos fenômenos gelógicos atuais, que representam um desafio para a ciência.

- 1. Cânions
- 2. Dorsal Meso-Oceânica
- 3. Plataformas Oceânicas e Talude Continental
- 4. Vulcões e Lava Vulcânica
- 5. Água Subterrânea
- 6. Variações Magnéticas no Fundo dos Oceanos
- 7. Principais Cadeias de Montanhas
- 8. Encaixe dos Continentes
- 9. Petróleo e Carvão
- 10. Cemitérios de Fósseis

A origem de cada um desses fenômenos permanece amplamente controversa. Embora existam muitas explicações, principalmente atualistas, elas não são completamente consistentes e, em alguns casos, chegam a ser até mesmo contrárias às leis científicas. Muitas ainda são consideradas um mistério dentro da proposta.

Portanto, um modelo científico apropriado procuraria associar uma causa (ou causas) do aparecimento desses fenômenos e explicar a relação (se existir) entre o maior número deles. Isto é o que faremos aqui.

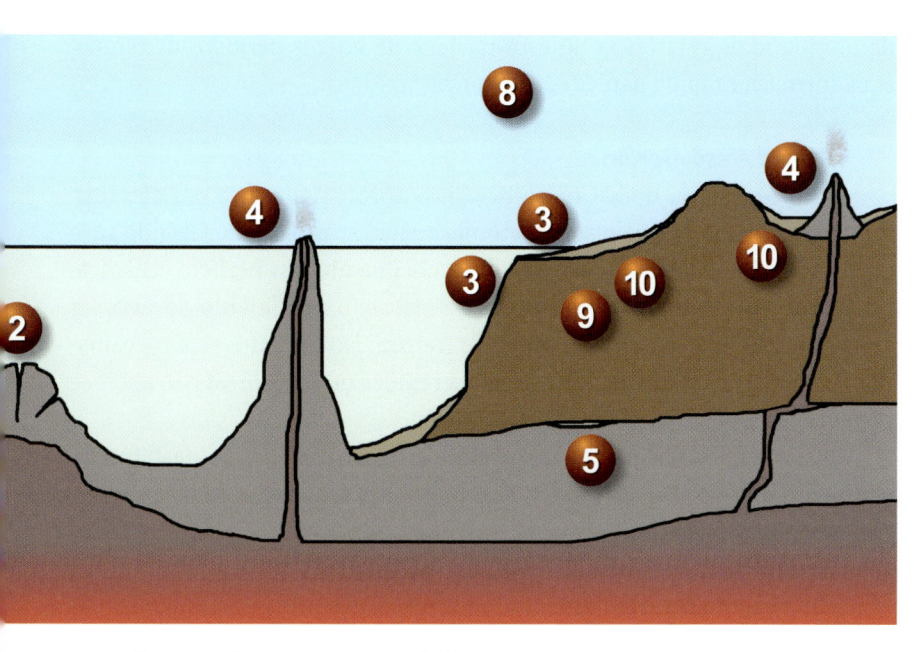

O que estamos procurando?

Para desenvolver tal modelo, precisamos conhecer os fenômenos e como foram produzidos. Alguns dos que estão relacionados na página ao lado já foram tratados neste livro.

Cânions

O processo de erosão dos cânions é por água. Mas quanta água e por quanto tempo? Vários cânions conhecidos foram produzidos pelo escoamento rápido de muita água represada em um lago, por um processo de ruptura de uma das suas paredes. O Marble Canyon nos Estados Unidos é um exemplo.[14]

No fundo dos oceanos existem centenas de cânions que excedem as dimensões, tanto em largura como em profundidade, dos grandes cânions conhecidos, como o Grand Canyon nos Estados Unidos. O cânion que é uma extensão do rio Congo tem 800 km de comprimento e cerca de 1.200 m de profundidade. O maior é o Zhemchug Canyon no mar de Bering.

Todavia, as velocidades das correntes marítimas medidas nestes cânions são da ordem de 1 km/h.[15] Velocidades tão pequenas como estas não oferecem uma explicação plausível para a formação dos cânions submarinos, dentro

---

[14] R.B. Scarborough, *Cenozoic Erosion and Sedimentation in Arizona*, Arizona Bureau of Geology and Mineral Technology, 16 de novembro 1984.
[15] G.H. Keller e F.P. Shepard, *Currents and sedimentary processes in submarine canyons off the northeast United States*, em D.J. Stanley and G. Kelling (editores), *Sedimentation in submarine canyons, fans and trenches*. Dowden, Hutchinson and Ross, Pennsylvania, p. 395.

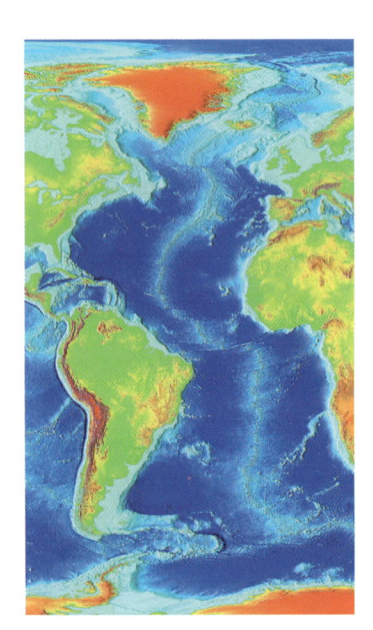

As regiões da plataforma continental estão indicadas pela cor ciano. A dorsal meso-oceânica atlântica pode ser vista em toda a sua extensão.

de um plano de referência uniformitariano de longos períodos de tempo. Uma formação rápida parece ser a explicação lógica.

Dorsal Meso-Oceânica

A formação da dorsal meso-oceânica apresentada pela posição uniformitariana sugere que placas tectônicas estão se afastando, fazendo com que material localizado embaixo suba e chegue até a superfície oceânica. De acordo com a teoria da tectônica de placas, o movimento deveria ser sempre paralelo as chamadas zonas de fratura. No entanto, este mecanismo fica comprometido devido às muitas regiões onde a dorsal não aparece paralela[16] e em alguns casos ela se sobrepõe.[17]

A sua origem não parece estar ligada a um mecanismo de afastamento lento e gradual, como o sugerido pela teoria das tectônicas de placas.

Plataformas Oceânicas e Talude Continental

Um aspecto interessante em todos os continentes é a chamada plataforma oceânica, que começa nas praias e desce suavemente até uma profundidade de 200 metros, onde começa o talude continental com o seu declive muito acentuado. Esta região é coberta por sedimentos do continente, sendo que a quantidade transportada por rios é insignificante quando comparada com a quantidade ali existente. Os naturalistas acreditam que esses sedimentos foram depositados durante a chamada "última era glacial", quando os oceanos, segundo eles, eram de 100 a 120 metros mais rasos do que nível atual.[18] O acúmulo medido hoje seria o equivalente a 30 cm a cada 1.000 anos[19], caso o processo tenha permanecido constante.

Como já foi visto, admitir uma constância nas condições e permanência dos processos é um equívoco que pode ser evitado.

Os depósitos de sedimentos encontrados nessas regiões mais parecem com o que aconteceria se houvesse uma elevação continental súbita, fazendo com que a água retida no relevo geográfico se escoasse em direção aos oceanos. Uma erosão acentuada seria produzida pelo início do escoamento nas regiões em que hoje temos as plataformas continentais, e o final do escoamento depositaria ali os sedimentos.

---

16 W.J. Morgan, *Rises, Trenches, Great Faults, and Crustal B,* Journal of Geophysical Research, Vol. 73, Nº 6, 15 de março de 1968.
17 R. Monastersky, *Mid-Atlantic Ridge Survey Hits Bull's-eye,* Science News, Vol. 135, 13 de maio de 1989, p. 295.
18 P. R. Pinet, Paul R., *Invitation to Oceanography,* St. Paul, MN, West Publishing Co., 1996, p. 84-86.
19 G.M. Gross, *Oceanography: A View of the Earth,* Englewood Cliffs, Prentice-Hall, Inc., 1972, p. 127.

Vulcões e Lava Vulcânica

A origem dos vulcões é atribuída às chamadas câmaras magmáticas, localizadas a cerca de 90 km de profundidade. É importante notar que a 10 km de profundidade a pressão é tão grande que qualquer fissura seria fechada hermeticamente pelo peso das rochas em cima. Mesmo que uma pequena rachadura se formasse, o magma teria que se deslocar por entre rochas mais frias, o que faria com que ele se solidificasse, formando um tipo de tampão.

Um outro fato importante é que o calor se difunde. Isto é, ele tem a tendência natural de se espalhar. Provar a existência e a permanência de uma câmara magmática é algo que ainda está por ser feito.

Ainda, o chamado calor geotérmico apresenta um aspecto interessante quanto à idade do planeta Terra. Alguns acreditam que a origem desse calor está na especulação de que a Terra primitiva seria uma esfera de rocha derretida. Com o passar do tempo ela foi esfriando até chegar às temperaturas atuais. Portanto, um período de tempo extremamente longo teria sido necessário para que o planeta pudesse esfriar.

É importante observar que existe um aumento de temperatura em função da profundidade, com uma variação de 10 a 60°C por quilômetro. Dois poços de grande profundidade (ver *Águas Subterrâneas*) encontraram rochas com temperaturas muito acima das esperadas. Se a Terra têm esfriado por bilhões de anos, como o calor normalmente se difunde, deveria haver uma gradiente de temperatura uniforme na crosta da Terra, com valores inferiores aos encontrados.

Água Subterrânea

Água é encontrada no subsolo da Terra nos lençóis freáticos e nos aquíferos. Os primeiros estão a poucos metros de profundidade; os aquíferos, como o Aquífero Guarani, tem 1.800 m de profundidade.

Os dois poços mais profundos feitos pelo homem, um na península de Kola, na Rússia, e outro na parte norte da Bavária, Alemanha[20], produziram resultados surpreendentes. A profundidade do primeiro foi de 12 km e a do segundo de 9 km.

Nenhum dos dois poços atingiu a zona limite entre granito e basalto. No entanto, no poço perfurado na Rússia, foi encontrado um fluxo de água

Aquífero Guarani na América do Sul

---

20 R.A. Kerr, *German Super-Deep Hole Hits Bottom*, Science, Vol. 266, 28 outubro 1994, p. 545. Ver também do mesmo autor, *Looking Deeply into the Earth's Crust in Europe*, Science, Vol. 261, 16 julho 1993, p. 295-297 e *Continental Drilling Heading Deeper*, Science, Vol. 224, 29 junho 1984, p. 1418.

quente, mineralizada (incluindo água salgada) com granito esmiuçado.[21] No poço da Alemanha foi encontrada água em rachaduras, com uma salinidade duas vezes superior a da água do mar.

A existência de água a tal profundidade é um mistério. Processos naturais conhecidos hoje não explicam como a água teria chegado a tal profundidade.

Variações Magnéticas no Fundo dos Oceanos

O campo magnético da Terra deixa a sua impressão durante o processo de formação de algumas rochas enquanto elas estão no processo de resfriamento. Essas impressões auxiliam no estudo do campo magnético da Terra no passado.

Anomalias são encontradas frequentemente nas rochas. No entanto algumas dessas anomalias têm sido interpretadas como inversão da polaridade do campo magnético da Terra, quando, na verdade, são apenas flutuação na intensidade do campo magnético. Uma corrente que circula num meio, no interior da Terra, produz campo magnético. Distúrbios neste meio produziriam variações na corrente, o que produziria variações no campo magnético da Terra (ver *O Campo Magnético da Terra*, Capítulo 6, páginas 184-186).

Uma movimentação maciça das placas tectônicas produziria pressão em pontos específicos no manto da Terra, que, por sua vez, alteraria as características do meio por onde circula a corrente que dá origem ao campo magnético. Tais flutuações, dependendo da intensidade da movimentação e do distúrbio do meio pelo qual a corrente elétrica circula, poderiam produzir efeitos localizados de inversão da corrente e flutuações da intensidade da mesma. Essas variações ficariam registradas na formação das rochas que seriam parte do evento, o qual de forma nenhuma descreveria um processo lento, mas sim abrupto e catastrófico.

Principais Cadeias de Montanhas

As principais cadeias de montanhas do planeta apresentam duas características distintas. Primeira, elas aparecem alinhadas quase paralelamente à dorsal meso-oceânica (ver figura da página ao lado). Segunda, elas apresentam um aspecto de compressão horizontal e não de levantamento (ver capítulo 5, página 145). Isto não pode ocorrer simplesmente pelo movimento de duas placas tectônicas sobrepostas (fig. 1). Para que as cadeias de montanhas se formassem, a placa superior em relação à inferior precisaria estar lubrificada (fig. 2); caso contrário, a força nela aplicada a esmiuçaria (fig. 3). Ver Apêndice N.

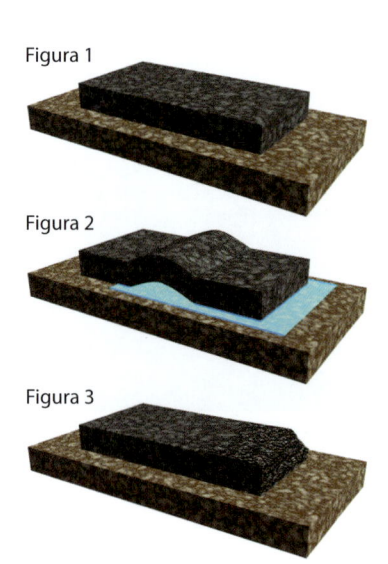

Figura 1

Figura 2

Figura 3

---

21 Y.A. Kozlovsky, *Kola Super-Deep: Interim Results and Prospects,* Episodes, Vol. 1982, Nº 4, p. 9-11.

Cadeia de Montanhas
Dorsal Meso-Oceânica
Deriva Continental

Uma pequena velocidade das placas continentais, como a medida hoje, também não teria energia suficiente para causar grandes deformações continentais.

O deslocamento de um continente com uma velocidade muito acima dos índices atuais teria energia suficiente para gerar um encavalamento principal numa das extremidades (formando uma cadeia principal de montanhas, como a Cordilheira dos Andes), um levantamento uniforme central (como os planaltos e planícies da América do Sul) e um pequeno encavalamento secundário (como a Serra do Mar) num curto espaço de tempo.

Encaixe dos Continentes

A teoria de um supercontinente no passado da história do planeta Terra é aceita pelos criacionistas e os naturalistas. Discorda-se do processo e do tempo da separação continental. Um movimento lento e gradual como o que se observa hoje não produziria as cadeias de montanhas, nem o talude continental, nem a quantidade de sedimentos encontrados nas regiões costeiras dos continentes.

Petróleo e Carvão

Tanto o petróleo quanto o carvão encontrados sob a superfície da Terra são de origem biológica. Um exemplo interessante de carvão é o encontrado na Antártica. Árvores fossilizadas e carvão já foram encontrados ali com certa abundância.[22,23] Teria sido possível que alguma vegetação crescesse num local tão inóspito? Pela teoria da tectônica de placas, a Antártica nunca esteve numa região que lhe permitisse um clima quente.[24]

---

22 S. Weisburd, *A Forest Grows in Antartica*, Science News, Vol. 129, 8 março 1986, p. 148.
23 R.S. Lewis, *A Continent for Science: The Antarctic Adventure*, Viking Press, N.Y., 1965, p. 130.
24 C.K. Seyfert e L.A. Sirkin, *Earth History and Plate Tectonics*, Harper & Row, N.Y., 1979, 2ª edição, p. 312.

Plataforma para extração submarina de petróleo.

Seria possível que muitos desses troncos de árvores, hoje fossilizados, tivessem flutuado até ali. Obviamente isto não seria parte de um evento uniformitariano. O próprio petróleo, aceito como sendo de origem biológica, deixa claro que algo no passado ocorreu soterrando uma grande quantidade da biomassa do planeta. Muitos geólogos acreditam que o petróleo é o resultado da compressão e do aquecimento de material dessa biomassa soterrada, preservada em condições não oxidantes por longos períodos de tempo. Alguns cientistas (como o astrônomo Thomas Gold) têm proposto uma origem inorgânica do petróleo.

O petróleo é geralmente encontrado em mistura com lama e água. A pressão e a temperatura são os elementos determinantes do tempo de maturação do petróleo. A maior parte do petróleo encontrado possui temperaturas entre 60 e 120°C. A pressão está relacionada com o peso dos sedimentos depositados sobre a biomassa soterrada. Caso houvesse um grande acúmulo de sedimentos num curto período de tempo, mais uma temperatura apropriada, o tempo para que o petróleo se formasse seria muito pequeno.

Outra vez, isto implicaria um catastrofismo envolvendo água e não um uniformitarianismo tectônico de sedimentação lenta. No entanto, esta possibilidade é perfeitamente científica.

Cemitérios de Fósseis

Como já vimos no Capítulo 5, os cemitérios de fósseis mostram uma destruição em massa e simultânea de muitas formas de vida. Novamente, o elemento água é a chave para a compreensão da formação desses cemitérios. Como animais de espécies diferentes teriam sido arrastados por um grande volume de água e lama?

MONTANDO O QUEBRA-CABEÇA

Todos esses aspectos mencionados podem ser relacionados por meio de uma teoria científica.

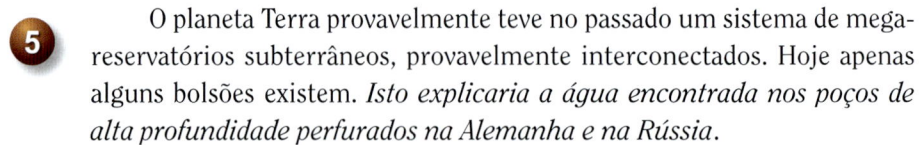

5 O planeta Terra provavelmente teve no passado um sistema de megareservatórios subterrâneos, provavelmente interconectados. Hoje apenas alguns bolsões existem. *Isto explicaria a água encontrada nos poços de alta profundidade perfurados na Alemanha e na Rússia.*

6 Esta água contida nesses megareservatórios funcionaria como um lubrificante para um movimento tectônico com pouco atrito entre a camada de rocha superior (do topo do reservatório) e a camada inferior (do fundo do reservatório). Sem o atrito entre as rochas, a placa superior poderia se deslocar com velocidades muito acima das medidas hoje no deslocamento dos continentes. *Isto explicaria como as cadeias de montanhas teriam se formado por meio de um processo de compressão horizontal.*

O rompimento desses megareservatórios deve ter acontecido durante o período da Pangéia. O rompimento produziria uma rachadura praticamente ininterrupta na crosta do planeta. Para que a água chegasse à superfície, por meio da rachadura, uma pressão lateral seria produzida nas paredes opostas, produzindo um movimento horizontal de afastamento das duas partes em relação à rachadura. Ocorreria uma erosão acentuada das paredes laterais da rachadura e da parte superior do reservatório subterrâneo. *Isto explicaria o porquê do formato quase vertical do Talude Continental e o suave declínio das Plataformas Oceânicas e o encaixe do contorno continental*

À medida que as placas continentais se afastassem umas das outras, o piso do novo oceano apareceria. Agora sem o peso da placa superior, a pressão existente no piso seria aliviada através de uma elevação do mesmo, o que se pareceria com a formação de uma cadeia de montanhas no fundo do novo oceano. *Isto explicaria o aparecimento da dorsal meso-oceânica, com toda a atividade vulcânica a ela relacionada.*

Já na superfície da placa continental, a grande quantidade de água lançada, misturada com sedimentos, devido à erosão produzida, soterraria rapidamente em meio a muita lama uma grande quantidade da biomassa do planeta. Com a estabilização do sistema no decorrer do tempo, os movimentos da maré (pressão e descompressão) fariam com que sedimentos, plantas e animais fossem categorizados por densidade. *Isto explicaria a origem da estratigrafia, da coluna geológica, dos fósseis e dos fósseis poliestrata, dos cemitérios fósseis e da grande quantidade do petróleo existente.*

Muito da água lançada sobre as placas continentais ficaria represada em superlagos. Outra parte escoaria novamente para a região oceânica trazendo consigo uma grande quantidade de sedimentos e organismos. Os superlagos, devido à instabilidade das placas, não seriam permanentes. Rupturas em uma das suas paredes produziria um escoamento rápido de um grande volume de água. *Isto explicaria a formação rápida dos grandes cânions terrestres e submarinos e os depósitos de árvores e animais fossilizados encontrados em muitas regiões do planeta.*

A alteração da quantidade da biomassa do planeta faria com que o carbono passasse de um reservatório para outro de forma acelerada, alterando a proporção de $^{14}C/^{12}C$ na atmosfera. *Isto explicaria por que o método de datação com Carbono-14, que oferece uma datação precisa e livre de pressupostos, produz idades recentes para rochas e fósseis.*

(7) (2) À medida que a lâmina de água subterrânea fosse diminuindo, o contato entre a placa superior (granito) e a placa inferior (basalto) produziria uma desaceleração abrupta, transformando a energia cinética em deformação e calor. Este fenômeno produziria uma compressão horizontal na placa superior, mudando o seu antigo relevo em um novo. Dobras acentuadas, devido a uma compressão horizontal, ocorreriam na extremidade à frente da direção do movimento de deslocamento, onde a desaceleração ocorreria primeiro e seria maior. Na região central, haveria uma compressão menor, produzindo elevação com poucas dobras acentuadas. Já na outra extremidade da placa, formaria uma quantidade de dobras não tão acentuadas como a da primeira, porém mais acentuadas que as do meio. Este evento pode ser visualizado por meio de um trem que batesse num corpo com uma massa muito maior. A locomotiva e os vagões próximos a ela se encavalariam. Os vagões do meio do comboio cairiam uns para a direita e outros para a esquerda. Os vagões no final se encavalariam devido o ricochetear do trem. Isto explicaria a formação das cadeias principais de montanhas, dos planaltos e planícies, e as cadeias secundárias de montanhas encontradas nos continentes, e a posição paralela que elas ocupam em relação a dorsal meso-oceânica em função da direção do deslocamento.

(6) Uma frenagem abrupta causaria distúrbios na parte não sólida do planeta, fazendo com que a corrente que por ali passa e que produz o campo magnético oscilasse. *Isto explicaria as oscilações da intensidade do campo magnético da Terra registradas nas rochas do fundo dos oceanos.*

Esta teoria foi proposta há quase trinta anos. O seu nome é Teoria das Hidroplacas. O seu autor é o Dr. Walt Brown, que obteve o seu doutorado pelo Massachusetts Institute of Technology (M.I.T.).

A razão pela qual essa teoria não é amplamente aceita, ou pelo menos avaliada com o rigor científico que lhe é devido, ainda permanece como prova do posicionamento científico atual, altamente presunçoso, no qual teorias que possam ter implicações religiosas são descartadas como se não possuíssem nenhum valor ou estivessem cientificamente incorretas.

Mas, à medida que novas descobertas têm trazido luz ao conhecimento humano, mais evidente fica que a história deste planeta foi marcada por uma ou mais catástrofes, confrontando assim, de forma direta, as duas propostas principais do naturalismo defendido ainda hoje.

O Nosso Planeta É Frágil

Durante estes últimos 100 anos de pesquisa científica, temos desco-

Aceh - Indonésia
Tsunami 2004

(Fotos NASA, Satélite Ikonos)

berto que moramos num sistema muito bem balanceado, cuja fragilidade e precisão começam agora a ser descobertas.

Descobrimos que o planeta é muito mais frágil do que imaginávamos. Estamos aprendendo que a natureza foi precisamente planejada para funcionar dentro de certos limites específicos. Estamos agora diante da crise da energia, do aquecimento global, das ameaças de auto-aniquilação e das possíveis catástrofes siderais. O que fazer?

DE VOLTA ÀS ORIGENS

O crescimento do conhecimento humano durante este período nos mostrou que o universo e a vida são muito mais complexos do que imaginávamos. Novas tecnologias nos têm dado ferramentas para a compreensão destes grandes mistérios que nos cercam, com um nível de pesquisa nunca antes atingido. Novas técnicas têm aberto portas que até a pouco considerávamos incapazes de serem abertas.

Mas, mesmo com tudo isso, continua-se a usar as mesmas ferramentas de interpretação (muitas delas inadequadas) para se descobrir a verdadeira origem e o verdadeiro desenvolvimento dos dois maiores mistérios que nos cercam: o universo e a vida.

Muitos dizem que, se os nossos antepassados tivessem o conhecimento que nós temos do universo e da vida, o criacionismo jamais teria chegado a

Poluição atmosférica

existir. Pelo que foi mostrado através deste livro, parece que o oposto é que é o verdadeiro.

Embora estejamos experimentando um progresso real no conhecimento, existe um conhecimento que não é sobreposto por ele. A própria possibilidade de progresso demanda que exista algum elemento imutável. Novas garrafas para novos vinhos, mas não novos estômagos e gargantas. Caso assim fosse, o vinho não seria mais vinho para nós.

Não nos deixemos enganar: nenhuma complexidade que possamos adicionar à imagem que fazemos do universo e da vida poderia nos esconder da evidência de uma origem inteligente e proposital. Não existe nada descoberto pelo ser humano até o presente que possa dar uma cobertura espessa o suficiente, para que a intensa luz que revela um universo e uma vida criados com inteligência e propósito seja ofuscada.

Respondendo à última pergunta feita na página anterior.

O Que Fazer?

Sem descobrirmos o propósito do universo e da vida, jamais entenderemos o valor que eles possuem; e sem entendermos o seu valor, jamais seremos capazes de zelar por eles com o devido cuidado.

Sem dúvida, ao avançarmos nessa direção, poderemos compreender de forma clara o significado da nossa existência e responder a maior questão que todos nós temos...

Mas esta questão eu deixo para que você a formule... e encontre a resposta.

A ORIGEM DO CATASTROFISMO   225

Tethys (Saturno)

Rhea (Saturno)

Mimas (Saturno)

Callisto (Júpiter)

Europa (Júpiter)

Lua (Terra)

Crateras na lua Calisto (Júpiter)

Enceladus (Saturno)

Crateras na Lua (Terra)

Luas encontradas orbitando os planetas do sistema solar. *Fotos NASA (Voyager 1, Voyager 2, Cassini)*

CONCLUSÕES

CONCLUSÕES

EM BUSCA DA VERDADE

"Todos os homens se enganam,
mas só os grandes homens reconhecem que se enganaram"
Fontenelle

"A verdade é sempre estranha, mais estranha que a ficção."
Lord Byron

CAPÍTULO I

A Origem Das Teorias: Como Tudo Começou?

- Teorias e Leis científicas devem andar juntas.

- A Teoria Criacionista enfatiza a experiência do dia-a-dia e o bom senso: A Teoria do Bolo de Chocolate

- Naturalismo e criacionismo são duas cosmovisões antigas, defendidas por mais de 2.500 anos.

- São também dois modelos para o entendimento e a reconstrução da história.

- As propostas da Teoria Criacionista são passíveis
    ¬ de observações científicas
    ¬ de testes científicos
    ¬ da lógica científica
    ¬ das leis científicas

- A relevância da complexidade nos estudos das origens deve ocupar um papel objetivo e não subjetivo. Complexidade e sua origem podem ser analisadas.

- Argumentos racionais também incluem a existência de Deus.

CAPÍTULO 2

A Origem Da Informação: Design Inteligente

- A proposta de um *Design Inteligente* antecede os escritos de Darwin, não sendo, portanto, uma tentativa para refutar tais escritos.

- O próprio Charles Darwin, no seu livro "A Origem das Espécies" questiona o seguinte: "Ficaríamos surpresos, então, se os produtos da natureza fossem muito mais 'verdadeiros' em caráter que os produtos dos homens; se eles fossem infinitamente mais bem adaptados às mais complexas condições da vida e dessem claramente testemunho das marcas de uma arte e destreza muito superior?"[1]

- A complexidade existe e é real. O *design* existe e é real. Os naturalistas acreditam que ele não foi intencional.

- Qual a origem da informação que encontramos no universo e na vida?

- A complexa molécula do DNA não produz informação, nem por si só é informação. Ela apenas guarda a informação do código da vida na sua estrutura. Qual a origem da informação guardada pelo DNA? Obviamente não pode ser o DNA.

- O universo e tudo o que nele há (matéria e energia) são regidos por leis da natureza. No entanto, matéria e energia (que é tudo o que nós chamamos de Natureza) não produzem tais leis, elas apenas obedecem essas leis. Qual a origem das leis que regem a natureza? Obviamente não pode ser a própria natureza.

---

1 Charles Darwin, *On the Origin of Species by Means of Natural Selection*, publicado por John Murray, Londres, 1859, primeira edição, p. 83

CAPÍTULO 3

A Origem Do Universo: Astronomia e Cosmologia

- O que podemos ver a olho nu é uma parte insignificante do universo, pois existem mais estrelas nos céus do que todos os grãos de areia juntos de todas as praias e desertos do nosso planeta.

- O universo é um agrupamento de mundos. Sua dimensão, segundo os cálculos atuais, excede os 10 bilhões de anos-luz de raio, ou seja, 100.000.000.000.000.000.000.000 km de raio!

- A ciência percorreu um longo caminho no conhecimento do universo: de um sistema geocêntrico e um universo estático da cosmologia antiga até um sistema heliocêntrico e um universo dinâmico da cosmologia atual.

- A origem naturalista do universo sugere que ele tenha começado por meio de um evento sobrenatural conhecido como *big bang*. O evento é sobrenatural porque ele não pode ser descrito pelas leis científicas conhecidas.

- A radiação de fundo equivale a uma temperatura de 2,7 kelvins, cerca de 270 °C negativos. Os naturalistas dizem que o universo poderia ter começado com uma temperatura extremamente alta há 14 bilhões de anos atrás e teria esfriado até a temperatura presente dos 2,7 kelvins. Os criacionistas dizem que o universo começou completamente frio no instante da criação, possuindo todos os corpos celestes (galáxias e suas estrelas) perfeitamente funcionais; o tempo para aquecê-lo até os 2,7 kelvins seria de milhares de anos.

- Galáxias com distâncias diferentes aparentam ter uma mesma idade.

- O planeta Terra é acima de tudo um planeta privilegiado, que ocupa um lugar especial no universo.

CAPÍTULO 4

A Origem Da Vida: Biologia e Genética

- A origem da vida ainda permanece um mistério para a teoria naturalista.

- A suposta evolução bioquímica apresentada por Oparin e Miller já foi comprovada não ser possível.

- A ontogênese nunca foi a recapitulação curta e rápida da filogênese.

- A biodiversidade é real e tem sido estudada extensivamente. Mutações não apresentam respostas plausíveis para um suposto mecanismo evolutivo.

- A informação contida na molécula do DNA não pode ter sido resultante de processos randômicos ou aleatórios.

- A proposta criacionista não é um esboço religioso. As muitas áreas da ciência apontam para uma fonte inteligente como a origem da vida. As probabilidades de vida ter surgido ao acaso e ter se desenvolvido por meio de processos aleatórios é tão pequena, que exige uma fé superior a uma proposta religiosa racional.

- A vida está baseada numa linguagem estrutural codificada, perfeitamente compatível com os padrões de uma origem inteligente e propositada.

- A capacidade de adaptação limitada e as reservas genéticas propostas pelos criacionistas são observadas em todos os organismos diariamente, através dos mecanismos de especiação e especialização.

- Pelo que tudo indica, a vida apresenta apenas uma aparência de ter evoluído.

CAPÍTULO 5

A Origem Dos Fósseis: Paleontologia e Geologia

- A variedade de organismos no registro fóssil é imensa.

- Existem vários processos pelos quais os organismos são fossilizados.

- A formação de um fóssil é, acima de tudo, um evento não tradicional. Organismos, na sua grande maioria, não estão se tornando fósseis, pois eles morrem e se decompõem naturalmente.

- Os fósseis são catalogados dentro de uma linha evolutiva pelo seu posicionamento nas camadas. Portanto, há uma grande necessidade de se compreender como estas camadas se formam.

- As camadas da coluna geológica foram formadas por processos hidrodinâmicos rapidamente. Os fósseis poliestratas e as dobras encontradas em montanhas em que as camadas são visíveis apresentam provas reais. Testes em laboratórios apresentam provas empíricas deste fato.

- O registro fóssil não apresenta uma sequência que possa sugerir diretamente uma evolução da vida, principalmente devido à grande quantidade de lacunas. As propostas de ligações para que uma sequência virtual exista são teóricas e não empíricas.

- O registro fóssil mostra que complexidade sempre fez parte da vida no planeta Terra. Não foi algo que foi adquirido ao longo da história.

- A suposta cronologia apresentada pela coluna geológica encontra-se equivocada desde a sua base. Faltam-lhe períodos, fósseis aparecem na ordem errada, uma grande quantidade de espécies de organismos fossilizados ainda existe no planeta.

CAPÍTULO 6

A Origem dos Bilhões de Anos: Métodos de Datação

- Nenhuma rocha ou fóssil vem com certidão de nascimento. Portanto, a avaliação da sua idade depende de métodos de datação.

- Existem métodos de datação incrementais e radioativos.

- Os métodos incrementais geralmente são utilizados para datação "recentes", ao passo que os radiométricos para datações "antigas".

- Os métodos de datação radiométricos estão baseados em pressuposições questionáveis.

- As idades antigas apresentadas por esses métodos estão equivocadas.

- A desintegração nuclear acelerada é um processo estudado que mostra a deficiência da datação radiométrica convencional.

- O método de datação radiométrico com Carbono-14 oferece uma metodologia confiável para testar as idades produzidas pelos demais métodos de datação.

- As longas eras apresentadas constantemente pelos naturalistas é um mito que não passa pelo rigor dos testes científicos. Milhares de anos, e não milhões ou bilhões de anos, é o que se mede sem os pressupostos uniformitarianos *ad hoc*.

- Este mito das longas eras tem sido algo com o que a ciência moderna tem aprendido a conviver por quase dois séculos. As conclusões que ele tem produzido são mais dogmáticas do que científicas.

Capítulo 7

A Origem do Catastrofismo: Geofísica e Hidrodinâmica

- A terminologia associada ao catastrofismo é comum tanto para os criacionistas como para os naturalistas.

- O catastrofismo é uma proposta observável, e suas causas e efeitos podem e devem ser estudados pela ciência.

- Impactos de corpos celestes são a causa principal de catastrofismo no planeta Terra. Estes impactos são estudados também nos demais planetas e luas do sistema solar. A Terra possui muitas marcas gigantes deixadas por esses impactos.

- Embora as atividades vulcânicas estejam limitadas geograficamente, o impacto causado pode ter proporções globais, principalmente na atmosfera e no clima do planeta. Muito material vulcânico existe na superfície do planeta e não corresponde às taxas de escoamento. Uma intensidade de atividades vulcânicas no passado é diferente das atuais.

- A atividade sísmica atual tem uma intensidade menor que a evidência deixada pelo passado.

- A evidência encontrada mostra que a atividade atmosférica influencia diretamente o clima do planeta e, portanto, diretamente o biossistema.

- Os sinais de devastação causados pela água no planeta Terra é algo que não pode ser negado. Avaliar a intensidade e a duração de tais eventos é o que tem sido proposto pela teoria das hidroplacas.

- A ciência naturalista atual descarta o catastrofismo e baseia-se na frase "o presente é a chave para o passado", quando ironicamente procura usar "as chaves do passado" para explicar o presente.

$$e^{ix} = 1 + ix - \frac{x^2}{2!} - \frac{ix^3}{3!} + \frac{x^4}{4!} + \frac{ix^5}{5!} - \ldots$$

$$\cos x = 1 - \frac{x^2}{2!} + \frac{x^4}{4!} - \frac{x^6}{6!} - \ldots$$

$$i \sin x = ix - \frac{ix^3}{3!} + \frac{ix^5}{5!} - \ldots$$

$$\therefore e^{ix} = \cos x + i \sin x \qquad \rightarrow x = \pi$$

$$e^{i\pi} = \cos \pi + i \sin \pi \qquad \therefore e^{i\pi} = -1$$

APÊNDICES

Um Pouco de Equações

... para quem gosta!

"Não se pode ensinar tudo a alguém,
pode-se apenas ajudá-lo a encontrar por si próprio."
Galileu Galilei

"Devemos aprender durante toda a vida
sem imaginar que a sabedoria vem com a velhice."
Sêneca

Apêndice A

Lista parcial de cientistas com posicionamento criacionista.

Francis Bacon (1561–1626) método científico
Galileu Galilei (1564–1642) física e astronomia
Johannes Kepler (1571-1630) astronomia
Athanasius Kircher (1602–1680) inventor
Walter Charleton (1619–1707) presidente do Royal College of Physicians
Blaise Pascal (1623-1662) hidrostática
Sir William Petty (1623 –1687) estatística e ciência da economia
Robert Boyle (1627–1691) química e dinâmica dos gases
John Ray (1627–1705) história natural
Isaac Barrow (1630–1677) matemática
Nicolas Steno (1638–1686) estratigrafia
Thomas Burnet (1635–1715) geologia
Increase Mather (1639–1723) astronomia
Nehemiah Grew (1643–1712) medicina e botânica
Isaac Newton (1642–1727) física clássica, cálculo diferencial
Gottfried Wilhelm Leibniz (1646–1716) matemática
John Flamsteed (1646–1719) fundador do Observatório de Greenwich
William Derham (1657–1735) ecologia
Cotton Mather (1663–1728) medicina
John Harris (1666–1719) matemática
John Woodward (1665–1728) paleontologia
William Whiston (1667–1752) física, geologia
John Hutchinson (1674–1737) paleontologia
Johathan Edwards (1703–1758) física, ciência atmosférica
Leonhard Euler (1707-1783) matemática, funções transcendentais
Carolus Linnaeus (1707–1778) taxonomia
Jean Deluc (1727–1817) geologia
Richard Kirwan (1733–1812) mineralogia
William Herschel (1738–1822) astronomia galáctica; descobridor de Urano
James Parkinson (1755–1824) medicina
John Kidd, M.D. (1775–1851) química sintética
William Kirby (1759–1850) entomologia
Jedidiah Morse (1761–1826) geografia
Benjamin Barton (1766–1815) botânica e zoologia
John Dalton (1766–1844) pai da teoria atômica moderna

George Cuvier (1769-1832) anatomia comparada e paleontologia
Charles Bell (1774–1842) anatomia
Humphry Davy (1778–1829) termocinética
Benjamin Silliman (1779–1864) mineralogia
Peter Mark Roget (1779–1869) medicina e fisiologia
David Brewster (1781–1868) mineralogia óptica
William Buckland (1784–1856) geologia
William Prout (1785–1850) química alimentar
Michael Faraday (1791–1867) eletromagnetismo, inventor do gerador
Samuel F. B. Morse (1791-1872) inventor do telégrafo
John Herschel (1792–1871) astronomia
Joseph Henry (1797–1878) inventor do motor elétrico e do galvanômetro
Richard Owen (1804–1892) zoologia e paleontologia
Matthew Maury (1806–1873) oceanografia e hidrodinâmica
Louis Agassiz (1807-1873) glaciologia, ictiologia e poligenia
Henry Rogers (1808–1866) geologia
James Glaisher (1809–1903) ciência atmosférica
Philip H. Gosse (1810–1888) ornitologia e zoologia
Sir Henry Rawlinson (1810–1895) arqueologia
James Simpson (1811-1870) ginecologia e anestesiologia
James Dana (1813–1895) geologia
Sir Joseph Henry Gilbert (1817-1901) química agrícola
James P. Joule (1818–1889) termodinâmica
Thomas Anderson (1819–1874) química
Charles Piazzi Smyth (1819–1900) astronomia
George Stokes (1819–1903) mecânica dos fluídos
John William Dawson (1820–1899) geologia
Rudolph Virchow (1821–1902) patologia
Gregor Mendel (1822–1884) genética
Louis Pasteur (1822–1895) bacteriologia e bioquímica
Henri Fabre (1823–1915) entomologia de insetos vivos
William Thompson, Lord Kelvin (1824–1907) temperatura absoluta
William Huggins (1824–1910) espectrometria astronômica
Bernhard Riemann (1826–1866) geometria não-Euclideana
Joseph Lister (1827–1912) cirurgia antiséptica
Balfour Stewart (1828–1887) eletricidade ionosférica
James Clerk Maxwell (1831–1879) eletrodinâmica e termodinâmica
P. G. Tait (1831–1901) análise vetorial
John Bell Pettigrew (1834–1908) anatomia e fisiologia
John Strutt, Lord Rayleigh (1842–1919) análise por modelos

Sir William Abney (1843–1920) astronomia
Alexander MacAlister (1844–1919) anatomia
A. H. Sayce (1845–1933) arqueologia
John Ambrose Fleming (1849–1945) eletrônica (válvula elétrica)
George Washington Carver (1864–1943) inventor
L. Merson Davies (1890–1960) geologia e paleontologia
Douglas Dewar (1875–1957) ornitologia
Howard A. Kelly (1858–1943) ginecologia
Paul Lemoine (1878–1940) geologia
Frank Lewis Marsh (1899-1992) biologia
Ernest John Mann (1925-2005) agricultura, controle biológico
Edward H. Maunder (1851–1928) astronomia
William Mitchell Ramsay (1851–1939) arqueologia
William Ramsay (1852–1916) isótopos, elementos de transmutação
Charles Stine (1882–1954) química orgânica
Sir Cecil P. G. Wakeley (1892–1979) medicina (cirurgia)
Wernher von Braun (1912-1977) engenharia espacial e propulsão
Verna Wright (1928-1998) reumatologia

Dois nomes especiais do criacionismo do século XX

O pioneiro do criacionismo moderno:
Arthur E. Wilder-Smith (1915–1995) possuidor de 3 doutorados (PhDs)

O fundador do Institute for Creation Research (ICR)
Henry M. Morris (1918–2006) geologia

Uma lista recente contendo nomes de muitos pesquisadores criacionistas pode ser encontrada no site www.icr.org

Apêndice B

A série definida pelo paradoxo de Zenão é:

$$S_n = \frac{1}{2} + \frac{1}{4} + \frac{1}{8} + \frac{1}{16} \ldots + \frac{1}{2^{n-1}} + \frac{1}{2^n}$$

cuja forma em termos gerais é:

$$S_n = a + ar + ar^2 + ar^3 + \ldots + a\,r^n.$$

Esta série geométrica é convergente se $|r| < 0$.
No nosso caso, $|r| < 0$, pois $r = \frac{1}{2}$.
Consideremos o seguinte:

$$S_n = a + ar + ar^2 + ar^3 + \ldots + a\,r^{n-1} \quad \text{e}$$

$$r\,S_n = ar + ar^2 + ar^3 + \ldots + a\,r^{n-1} + ar^n$$

Subtraindo as duas equações teremos:

$$(1 - r)\,S_n = a - ar^n.$$

$$S_n = \frac{a}{(1-r)} - \frac{ar^n}{(1-r)}.$$

Faremos uso de limites aproximando n ao infinito:

$$\lim_{n \to \infty} S_n = \lim_{n \to \infty} \left(\frac{a}{(1-r)} - \frac{ar^n}{(1-r)} \right)$$

$$\lim_{n \to \infty} S_n = \lim_{n \to \infty} \frac{a}{(1-r)} - \lim_{n \to \infty} \frac{ar^n}{(1-r)}$$

Para $r < 0$

$$\lim_{n \to \infty} \frac{ar^n}{(1-r)} = 0, \text{ porque } r^n \to 0.$$

Portanto,

$$S_n = \frac{a}{(1-r)}$$

No nosso caso, uma vez que $a = \frac{1}{2}$ e $r = \frac{1}{2}$ o resultado será:

$$S_n = \frac{\frac{1}{2}}{\left(1 - \frac{1}{2}\right)} = \frac{\frac{1}{2}}{\frac{1}{2}} = 1.$$

Apêndice C

Como medir a informação matematicamente?[1] Estatisticamente seria a resposta correta.

Contudo, para medir a informação, não é suficiente apenas contar o número de possibilidades que foram excluídas, afirmando que este número serve como um avaliador relevante de informação. O problema deste raciocínio é que uma simples enumeração de possibilidades de exclusão não nos daria nenhuma informação sobre como estas possibilidades possuem uma individualidade específica.

Por exemplo, se admitirmos que a probabilidade de selecionarmos um símbolo dentre vários (isto é, as letras do alfabeto) é totalmente independente dos símbolos (isto é, a letra "q" nem sempre seria seguida pela letra "u") e que todos os símbolos possuem uma mesma probabilidade de serem selecionados, então, poderíamos escrever a probabilidade de aparecimento de um dos símbolos.

Esta probabilidade de aparecimento de qualquer símbolo x_i seria dada por

$p_i = 1/N,$

em que N é a quantidade total de símbolos existentes.

Segundo Shannon, três condições precisariam ser preenchidas:

1. Se existe um número n de mensagens independentes (símbolos ou sequências de símbolos), então, o conteúdo total de informação é dado pela soma: $I_{total} = I_1 + I_2 + ... + I_n$.

2. O conteúdo de informação dado a uma mensagem aumenta à medida que o elemento surpresa é maior. O aparecimento da letra "x" (pequena probabilidade) numa frase possui um elemento surpresa maior que o aparecimento da letra "a" (grande probabilidade). Portanto, o valor atribuído à informação do símbolo x_i aumenta, à medida que a sua probabilidade p_i diminui. Matematicamente isto pode ser escrito como uma probabilidade inversa: $I \sim 1/p_i$.

3. No caso da simetria mais simples em que ocorrem apenas dois símbolos diferentes (isto é, "0" e "1") com a mesma frequência ($p_1 = 0,5$ e $p_2 = 0,5$),

---

[1] Este trabalho do Dr. Werner Gitt aparece na íntegra no livro *In the Beginning was Information*, Christliche Literatur-Verbreitung e. V., 1997, p. 94-96 e Apêndice A1.

o conteúdo de informação *I* de cada símbolo seria exatamente um bit.

A probabilidade de ocorrerem dois eventos independentes é igual ao produto das probabilidades de cada evento, ou seja:

$p = p_1 \times p_2$

Portanto, para satisfazermos a primeira condição matematicamente,

$I(p) = I(p_1 \times p_2) = I(p_1) + I(p_2)$,

aplicamos a função logarítmica à equação $p = p_1 \times p_2$.

A segunda condição pode ser satisfeita tomando os recíprocos de p_1 e p_2. Portanto,

$I(p_1 \times p_2) = \log(1/p_1) + \log(1/p_2)$

Para encontrar uma base apropriada que satisfaça a terceira condição, teríamos o seguinte:

$I = \log_b(1/p_1) = \log_b(1/0{,}5) = \log_b(2) = 1$ bit.

Obviamente a base dois (b=2) satisfaz a condição. Claude E. Shannon designa o logaritmo de base dois como *logaritmo binário*.

Portanto, o conteúdo *I* de um único símbolo com a probabilidade de aparecimento *p* pode ser definido como:

$I(p) = \log_2(1/p) = -\log_2(p) \geq 0$.

O conteúdo da informação de uma quantidade de símbolos pode ser avaliado como a soma dos seus valores individuais, conforme a primeira condição,

$I_{total} = \log_2(1/p_1) + \log_2(1/p_2) + ... + \log_2(1/p_n)$, ou

$I_{total} = \sum_{i=1}^{n} \log_2(1/p_i)$.

Werner Gitt[2] demonstrou que esta equação é equivalente a

$I_{total} = n \times \sum_{i=1}^{N} p(x_i) \times \log_2(1/p(x_i)) = n \times H$,

---

2 Werner Gitt, *Ein neuer Ansatz zur Bewertung von Information - Beitrag zur Semantischen Informationstheory* - em H. Kreikebaum et al. (Hrsg.), Verlag Duncker & Humblot, Berlin, 1985, p. 210-250.

em que
n = número de símbolos em uma sequência
N = número possível de símbolos diferentes
x_i = sequência dos N símbolos diferentes ($i = 1... N$)
I_{total} = informação contida numa sequência completa de símbolos
H = conteúdo médio de informação de cada símbolo

Como exemplo, tomemos o código genético. Este é um caso excepcional em que os símbolos têm uma mesma probabilidade.

$$p_1 = p_2 = p_3 = ... = p_N = p$$

Portanto,

$$I_{total} = n \times \sum_{i=1}^{N} \log_2 (1/p_i) = n \times \log_2 (1/p) = - n \times \log_2 (p)$$

em que o conteúdo médio de informação de cada símbolo é dado por,

$$H = \log_2 N.$$

O DNA humano (código genético humano) tem cerca de 2,10 m de comprimento. Ele usa 4 nucleotídeos (número de símbolos):

> No RNA, em vez da timina, é utilizada a uracila (U).

$N = 4$ (A, C, T e G, ou adenina, citosina, timina e guanina)

e aproximadamente 3,146 bilhões de bases (número de símbolos usados):

$n = 3{,}146 \times 10^9$

Sendo assim, o conteúdo médio de informação é

$H = \log_2 (4) = 2$ bits,

e a informação contida numa sequência completa seria

$I_{total} = 3{,}146 \times 10^9 \times 2 = 6{,}292 \times 10^9$ bits.

A quantidade de informação do DNA seria equivalente à informação contida em 3.146.000 páginas A4 com 2000 letras por página!

Ainda é possível obtermos mais algumas informações interessantes sobre as características do código genético.

Existem 20 diferentes aminoácidos no código genético, portanto, vinte possíveis combinações diferentes ($N = 20$). Segundo a teoria de Shannon, a média de conteúdo de informação é

$i_M = I_{total} / n$, em que n seria o número de aminoácidos.

Portanto,

$i_M = -n \times \log_2 (p) \div n = \log_2 (p)$, em que $p = 1/N$,

admitindo que todos os símbolos ocorrem com a mesma frequência. Logo,

$i_M = \log_2 20 = 4,32$ bits/aminoácido.

O diâmetro da helicoidal do DNA é de aproximadamente 2 nm (2×10^{-9} m), e a distância entre os nucleotídeos é de 0,34 nm. Uma volta completa da espiral do DNA engloba dez nucleotídeos (10 letras). Portanto, é possível calcular a densidade de informação contida no DNA.

$V = \frac{\pi}{4} \times h \times d^2$, ou

$V = \frac{\pi}{4} \times (3,4 \times 10^{-7} \text{cm}) \times (2 \times 10^{-7} \text{cm})^2 = 10,68 \times 10^{-21} \text{cm}^3$

Usando o conteúdo médio de informação i_M e observando que os aminoácidos usam trípletos (também chamados códons, exemplo Alanina, código genético: GCA GCC GCG GCU), teríamos $4,32 \div 3 = 1,44$ bits/letra, e a densidade de informação genética seria:

$\rho = \dfrac{10 \text{ letras}}{10.68 \times 10^{-21} \text{cm}} = (0.94 \times 10^{21} \text{ letras/cm}^3) \times (2 \text{ bits/letra})$

$\rho = 1.88 \times 10^{21}$ bits/cm³! A maior conhecida pela ciência atual.

Um DVD de 18GB (vídeo) possui uma densidade de informação de aproximadamente:

$\rho = \dfrac{18.432.000.000 \text{ bits}}{0.009345452746 \text{ cm}^3} = 2 \times 10^{12}$ bits/cm³.

O DNA armazena cem milhões de vezes mais informação por volume que um DVD! É a maior densidade conhecida pela ciência atual.
Consideremos ainda o que faz com que o sistema de codificação do DNA seja o sistema mais eficiente conhecido até hoje.

As moléculas de DNA possuem 4 letras químicas (os nucleotídeos A,C,T e G), portanto é um código quaternário. Três pares de nucleotídeos adjacentes correspondem a um aminoácido especial, portanto, o número de letras por palavra é 3. O DNA utiliza-se de 20 aminoácidos diferentes.

Portanto, a média de informação seria,

conteúdo de informação por letra:
$$i = \log_2 (4) = 2 \text{ bits/nucleotídeo}$$
conteúdo de informação num trípleto (códon):
$$i = 3 \text{ (nucleotídeos/trípleto)} \times 2 \text{ (bits/nucleotídeo)}$$
$$i = 6 \text{ bits/trípleto}$$
conteúdo de informação por aminoácido:
$$i = \log_2 20 = 4,32 \text{ bits/aminoácido}$$
conteúdo de informação por letra em relação aos aminoácidos:
$$i = 4,32 \text{ (bits/aminoácido)} \div 3 \text{ (nucleotídeos/aminoácido)}$$
$$i = 1,44 \text{ bits/nucleotídeo ou}$$
$$i = 1,44 \text{ bits/letra,}$$
sendo que um nucleotídeo corresponde a uma letra.

Vamos comparar o código do DNA, base 4, com sistemas base dois e base seis (bases três e cinco não foram consideradas porque o processo de replicação utiliza um número par de símbolos).

código base	*letras por palavra (L)*		
	2	3	4
dois $n = 2$ $i_p = 1$	$c_p = 4$ $i_L = 2,0$	$c_p = 8$ $i_L = 3,0$	$c_p = 16$ $i_L = 4,0$
quatro $n = 4$ $i_p = 2$	$c_p = 16$ $i_L = 4,0$	$c_p = 64$ $i_L = 6,0$	$c_p = 256$ $i_L = 8,0$
seis $n = 6$ $i_p = 2,585$	$c_p = 36$ $i_L = 5,170$	$c_p = 216$ $i_L = 7,755$	$c_p = 1296$ $i_L = 10,340$

$i_p = \log_2 (n)$ conteúdo de informação por palavra (bits/palavra)

$i_L = L \times \log_2 (n)$ conteúdo de informação por letra (bits/letra)

$c_p = n^L$ combinações possíveis para formar uma palavra com L número de letras, usando n letras diferentes

O código genético utiliza apenas vinte aminoácidos, significando que existem pelo menos 20 possibilidades diferentes.

Três condições precisam ser satisfeitas para descobrirmos o sistema mais eficiente para o código genético:

- Espaço de armazenamento deve ser mínimo. Portanto, quanto maior o número de letras, maior o espaço necessário.
- Número par de letras, para que o processo de replicação aconteça e haja espaço para redundância e para a limitação de erros, através de muitos processos de replicação.
- Quanto menor for o número de símbolos (letras) utilizados, menor a incidência de erros, e menos complexos os mecanismos.

Pela segunda condição proposta, sistemas de base 3 ($n = 3$) e base 5 ($n = 5$) estariam comprometidos. Portanto, nos restariam os sistemas base dois, quatro e seis.

Uma vez que o conteúdo médio de informação dos 20 aminoácidos é de 4,32 bits/aminoácido ($i_L = \log_2 20$), teríamos as seguintes opções:

- código base 2 ($n = 2$) com L > 4 (para L = 4, $i_L = 4,0$)
- código base 4 ($n = 4$) com L > 2 (para L = 2, $i_L = 4,0$)
- código base 6 ($n = 6$) com L = 2 (para L = 2, $i_L = 5,170$)

Pela primeira condição, um código base 2 ($n = 2$), com um L = 5 ocuparia muito mais espaço que um código base 4 ($n = 4$), com um L = 3 (trípletos). Cinco símbolos, em vez de três, representa um aumento de 40% no espaço de armazenamento. Por outro lado, um código base 6 ($n = 6$) necessitaria apenas de um L = 2.

Temos assim, duas alternativas

- código base 4 ($n = 4$) com L = 3 (para L = 2, $i_L = 6,0$)
- código base 6 ($n = 6$) com L = 2 (para L = 2, $i_L = 5,170$)

Pela terceira condição, um código base 4 ($n = 4$) com L = 3 teria uma menor incidência de erros, com um mecanismo menos complexo de codificação e decodificação que um código base 6 ($n = 6$) com L = 2. Também ofereceria uma capacidade de redundância maior ($i_L = 5,170$ do código base 6, contra $i_L = 6,0$ do código base 4), oferecendo uma precisão maior nos processos de transferência da informação.

Desta forma, o sistema de codificação usado pelas formas de vida é um sistema altamente otimizado, do ponto de vista da engenharia, o que fortalece ainda mais a proposta de um *design* intencional.

Apêndice D

Estudos feitos por W. S. Adams e T. Dunham Jr. revelaram algumas linhas de absorção, as quais foram identificadas como moléculas interestelares de CH, CH⁺ e CN.[1] A molécula de cianido (CN) tem uma linha de absorção que é conhecida como primeiro estado rotacional de excitação. Estados quânticos rotacionais possuem espaçamento de energia correspondente ao da radiação de microondas.

$$E = h\nu = \frac{hc}{\lambda}, \text{ em que}$$

E = energia; h = constante de Planck; ν = frequência; c = velocidade da luz; e λ = comprimento de onda.

Nestes casos, quanto maior for a temperatura, maior será a probabilidade de preenchimento dos estados de maior energia, conforme a distribuição de Boltzmann,

$$\frac{N_2}{N_1} = \exp\left[-\frac{\Delta E}{k T}\right], \text{ em que}$$

a proporção de preenchimento de dois estados com energias diferentes (ΔE) é dada em função de uma temperatura T (em Kelvin), sendo k a constante de Boltzmann.

Andrew Mckellar analisou os dados, observando as devidas proporções dos preenchimentos destes estados de energia, e calculou que as moléculas de cianido estavam em equilíbrio térmico a uma temperatura de 2,3 K.[2] A radiação de fundo foi a origem considerada desta temperatura. A transição entre dois estados rotacionais pode emitir ou absorver uma radiação de microondas de 2,64mm de comprimento de onda, muito perto do pico de espectro de um corpo negro a 3 Kelvins.

---

1 T. Dunham Jr. e W.S. Adams, Publ. American Astronomical Society 9:5, 1937.
2 Citado por R.W. Wilson, *The Cosmic Microwave Background Radiation,* Nobel Lecture, 8 de dezembro de 1978. Ver original A. McKellar, Proc. Ast. Soc. Pac. 52:187, 1940 e Publ. Dominion Astrophysical Observatory Victoria B.C. 7(15):251, 1941.

Apêndice E

Vários modelos cosmológicos têm sido desenvolvidos para descrever o universo. O mais utilizado atualmente é o modelo ΛCDM (Lambda-Cold Dark Matter). Este modelo, utilizado atualmente pela cosmologia *big bang*, procura explicar as observações da microradiação cósmica de fundo (cosmic microwave background), das estruturas de grande escala e das supernovas. É o modelo usado também para determinar a idade teórica do universo (13,7 x 10^9 anos). O modelo usa uma constante cosmológica Λ introduzida por Albert Einstein através da equação de campos modificada:

$$R_{\mu v} - \frac{1}{2} R g_{\mu v} + \Lambda g_{\mu v} = \frac{8 \pi G}{c^4} T_{\mu v} \qquad (1)$$

onde R e g representam a estrutura do tempo-espaço, T representa a matéria (que afeta a estrutura tempo-espaço), G e c representam fatores que usam unidades tradicionais. Quando Λ=0, a equação 1 reduz-se a equação relativista original de campos. Quando T=0, a equação 1 descreve o espaço vazio (vácuo).

Observações feitas por C. Kochanek demonstraram que o valor da constante cosmológica não poderia ultrapassar o valor de 10^{-46} km^{-2}.[1] Valores atuais da constante cosmológica encontrados por meio de um fator de proporcionalidade de 8π, podem ser calculados através da equação

$$\Lambda = 8\pi \rho_{vac} \qquad (2)$$

onde ρ_{vac} é a energia de densidade do vácuo (atualmente conhecida como densidade de energia negra). Um valor positivo da densidade de energia do vácuo, implicaria numa pressão negativa, promovendo uma aceleração da expansão do espaço vazio. Os valores atuais atribuídos a constante cosmológica Λ dependem das unidades de conversão, e são normalmente avaliados em 10^{-35} s^{-2}, 10^{-47} GeV^4, ou 10^{-29} g/cm^3.

Normalmente, as várias teorias encontradas na cosmologia não citam diretamente a constante cosmológica Λ, e sim a proporção entre a densidade de energia relacionada com a constante cosmológica e a densidade crítica do universo. Esta proporção é conhecida por Ω_Λ.

O valor atual de Ω_Λ é 0,74 para um universo considerado plano. Isto significa que 74% da densidade de toda a energia presente no universo é do tipo "energia negra".

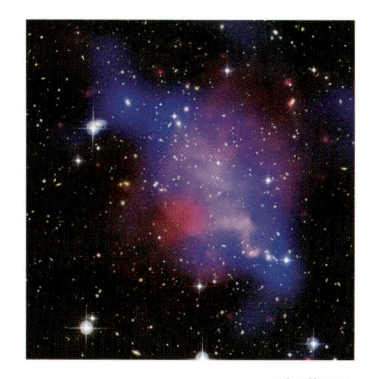

Abell 520
(distribuição de gases superaquecidos em vermelho; distribuição por inferência de matéria escura em azul)

(Foto NASA)

Bullet Cluster 1E0657-56
(distribuição de gases superaquecidos em vermelho; distribuição por inferência de matéria escura em azul)

(Foto NASA)

---

[1] Christopher S. Kochanek, *Is There a Cosmological Constant?*, The Astrophysical Journal, agosto de 1996, 466 (2), p.638-659.

Um outro valor associado ao modelo ΛCDM é o da matéria escura. Matéria escura pode ser explicada como sendo não relativística (velocidade muito menor que a da luz), não bariônica, que não se resfria através da emissão de fótons e que interage apenas através da gravidade. A matéria escura aceita do modelo equivale a 22% da energia do universo.

Portanto, a densidade de energia utilizada para calcular a idade do universo é composta de 74% de energia negra e 22% de matéria escura. Apenas 4% do que foi utilizado para os cálculos é proveniente de matéria bariônica conhecida (3,6% gases intergalácticos + 0,4 estrelas, etc.).

É importante notar que o modelo ΛCDM não fala absolutamente nada da origem nem da energia negra e nem da matéria escura. São valores aceitos para uma parametrização.

Alexander Friedmann, em 1922, desenvolveu uma série de equações a partir das equações de campo desenvolvidas por Albert Einstein. Elas ficaram conhecidas por equações de Friedmann, e expressam a expansão do espaço através de um modelo homogêneo e isotrópico do universo, dentro do contexto da relatividade geral:

$$H^2 = \frac{8\pi G\rho + \Lambda}{3} - K\frac{c^2}{a^2} \qquad (3)$$

onde G é a constante gravitacional, c é a velocidade da luz no vácuo, a é um fator de proporcionalidade, e K é a curvatura Gaussiana quando $a=1$ (valor que corresponde ao tempo presente).

Pode-se observar através da equação 3 que, se a curvatura $K = 0$ (geometria tempo-espaço plana) e $\Lambda = 0$, um parâmetro crítico de densidade do universo pode ser obtido,

$$\rho_c = \frac{3H^2}{8\pi G} \qquad (4)$$

Os parâmetros de densidade (Ω) são expressos na forma,

$$\Omega \equiv \frac{\rho}{\rho_c} = \frac{8\pi G}{3H^2}\rho \qquad (5)$$

Outros parâmetros que expressam densidade são também incorporados na equação de Friedmann, a qual assume a forma de:

$$\frac{H^2}{H_0^2} = \Omega_R a^{-4} + \Omega_M a^{-3} + \Omega_\Lambda - Kc^2 a^{-2}, \qquad (6)$$

onde Ω_R representa a densidade de radiação atual, Ω_M a suposta densidade de matéria encontrada no universo hoje (matéria negra e bariônica), Ω_Λ a constante cosmológica, e H_0 o valor atual da constante de Hubble.

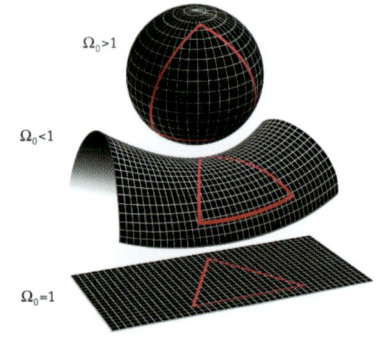

Possíveis curvaturas decorrentes do modelo cosmológico adotado.

A curvatura do espaço-tempo encontrada pelas medições da sonda WMAP é aproximadamente plana, significando que o parâmetro de curvatura K é zero.

O valor H pode variar com o tempo, aumentando ou diminuindo, dependendo do coeficiente de desaceleração q definido por:

$$q = -H^2\left(\frac{dH}{dt} + H^2\right) \qquad (7)$$

Se o valor de $q \neq 0$, é necessário integrar a equação de Friedmann desde o tempo presente até o tempo zero. Se o valor da desaceleração for igual a zero ($q = 0$) a equação 7 reduz-se para

$$H = \frac{1}{t}, \qquad (8)$$

onde H é o valor da constante de Hubble e t é o tempo da *era Hubble*.

O parâmetro atual calculado da constante de Hubble, 70,9 km/s/Mpc, atribui ao universo a idade de 13,73 bilhões de anos.

É importante observar aqui que tanto o destino do universo quanto a sua idade podem ser determinados teoricamente através da constante de Hubble (H_0), extrapolando-a em relação ao parâmetro de desaceleração (q), caracterizado pelos parâmetros de densidade (Ω).

A figura ao lado mostra que um universo aberto ($\Omega \leq 1$) expandiria para sempre, tendo uma idade muito próxima do valor aceito atualmente da *era Hubble*. Um universo em aceleração teria o mesmo valor da *era Hubble* calculada (modelo aceito). No caso de um universo fechado ($\Omega > 1$), a sua idade seria consideravelmente menor que a da *era Hubble*, e o seu fim seria num *Big-Crunch*.

Considerações sobre o modelo ΛCDM

O modelo ΛCDM apresenta problemas básicos, até o presente, irreconciliáveis. Ele não pode, simultaneamente, satisfazer as condições para as grandes e pequenas escalas (grande escalas são as observadas no universo pelos satélites COBE e WMAP e as pequenas escalas são as observadas em partes do universo, como a nossa galáxia e o sistema solar).

O parâmetro de Hubble (H) não pode ser medido diretamente por variar com o tempo (e dentro do modelo ΛCDM ser uma função também das várias densidades). Portanto, a *era Hubble* pode assumir diferentes valores dependendo da função adotada.

Assim sendo, a idade do universo pode variar consideravelmente.

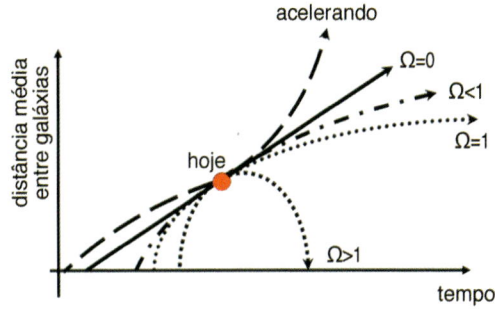

Por exemplo, as densidades (Ω_R, Ω_M e Ω_Λ) são valores utilizados para o cálculo da idade do universo (13,7 bilhões de anos). O parâmetro de Hubble, obtido por meio da equação 6, depende dessas densidades (Ω). Isto significa que a idade teórica calculada para o universo depende em 74% de energia negra + 22% de matéria escura (96% de informação não comprovada pela ciência).

M. J. Jee e seus colegas anunciaram, em maio de 2007, a descoberta de um anel de matéria negra com uma extensão de aproximadamente 2,6 milhões de anos-luz, no agrupamento de galáxias conhecido por CL0024+17 (figura ao lado)[2]. Esta assim chamada "descoberta" foi feita através de um único equipamento (atualmente danificado) do Telescópio de Hubble. Muitos acreditam que a suposta "descoberta" nada mais é do que um sinal do equipamento utilizado (ruído) e não sinal vindo da fonte observada. A foto ao lado mostra uma sobreposição de imagens feitas por observatórios diferentes, procurando separar as partes infravermelha (detectável diretamente) e visível (detectável diretamente), da energia negra (não detectável).

Escrevendo na Scientific American, David B. Cline[3] e Mordehai Milgrom[4] afirmaram que a matéria escura e a energia negra são hipóteses que nunca poderão ser verdadeiramente compreendidas, a menos que possam ser estudadas nos nossos laboratórios. Nas suas próprias palavras, "os termos que usamos para descrever seus componentes, 'matéria escura' e 'energia negra', servem apenas como expressão da nossa ignorância". S.S. McGaugh afirmou que a informação obtida através do experimento denominado BOOMERanG (*Balloon Observations Of Millimetric Extragalactic Radiation and Geophysics*) sugere um universo constituído apenas de matéria bariônica.[5]

CDM pode ser matéria bariônica invisível ainda hoje, por limitação do próprio equipamento utilizado ou das técnicas empregadas. Um exemplo são os neutrinos, cuja massa própria (*rest mass*) é da ordem de 20eV. Caso os neutrinos sejam tão abundantes quanto se pensa, teríamos aí a resposta para a massa faltante e o universo seria fechado.

Mas independentemente da possibilidade da CMD existir ou não, ainda existem outros modelos com valores diferentes de densidade (inclusive

Agrupamento de Galáxias CL0024+17

(Foto NASA)

Experimento BOOMERanG

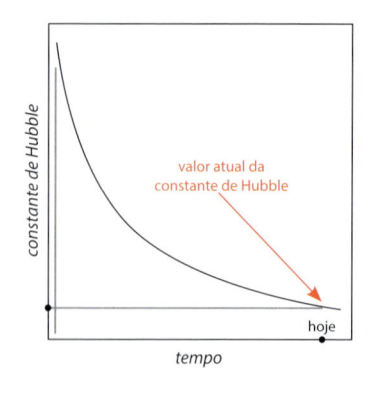

Possível variação do parâmetro de Hubble em função do tempo

2   M. J. Jee et al., *Discovery of a Ringlike Dark Matter Structure in the Core of the Galaxy Cluster Cl0024+17*, The Astrophysical Journal, Volume 661, 2007, p. 728-749.
3   D. B. Cline, *The Search for Dark Matter*, Scientific American, março de 2003.
4   M. Milgrom, *Does Dark Matter Really Exist?*, Scientific American, agosto de 2002.
5   S.S. McGaugh, *Boomerang Data Suggest a Purely Baryonic Universe*, Astophysics Journal, 541: L33-L36, 2000.

$\Omega_\Lambda=0)^6$, sendo alguns deles consistentes com dados obtidos pela sonda WMAP. Diferentes valores para o parâmetro de Hubble podem ser assim encontrados (no caso de $\Omega_\Lambda=0$, $H_o = 32,5$ km/s^{-1}/Mpc^{-1}).

O que ainda não é conhecido pela ciência é a variação do parâmetro de Hubble ao longo da história do universo. Admite-se que esse parâmetro seja uma constante. O cálculo feito para determinar a idade do universo usando a equação (8), assumiu que o universo teria tido uma expansão uniforme durante a sua existência (H constante). Se for assumido que o parâmetro de Hubble tem um valor constante, pode-se observar que quanto maior for esse valor, menor será a idade do universo (equação 8).

Se o parâmetro de Hubble não for uma constante, e sim uma função real (ver figura ao lado), a idade do universo calculada pareceria extremamente jovem quando comparada com o valor do modelo ΛCDM.

Além dos problemas com a existência da CDM, a própria radiação de fundo (*Cosmic Microradiation Background*, CMB) apresenta-se extremamente bem distribuída, praticamente sem variações.

Estes dois problemas são abordados por Stephen Hawking, no seu livro: *Uma Breve História do Tempo*, onde ele diz: "Esta (*big bang*) imagem do universo... está de acordo com todas as evidências observacionais que temos hoje"; mas, ele ainda admite que: "Contudo, isso deixa um número de questões importantes sem serem respondidas..."[7] As questões importantes que não foram respondidas são as que abordam a origem das estrelas e das galáxias.

Segundo a cosmologia atual, cerca de 400.000 anos após o *big bang* a temperatura do universo teria sido de 3.000 Kelvins, o que corresponderia a uma energia de 0,25eV. Devido a suposta expansão, o universo teria esfriado até os 2,7 Kelvins medidos atualmente. Portanto, desde o tempo conhecido por *período da recombinação* (13.699.600.000) o universo teria esfriado cerca de 1.100 vezes. Isso seria aproximadamente $2,18998 \times 10^{-7}$ K/ano. Obviamente este valor está relacionado com a taxa de expansão do Universo.

A temperatura de 3.000 Kelvins implica num fator de aproximadamente 1000 em relação à temperatura observada. Este fator está relacionado ao considerado efeito *Doppler*, quando a fonte da radiação está em movimento em relação ao observador (na Terra). Um corpo negro afastando-se de um observador manteria as características da sua distribuição de intensidades, apresentando apenas uma alteração aparente na sua temperatura.

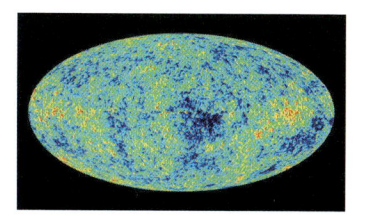

Mapa da CMB produzido pelo satélite WMAP

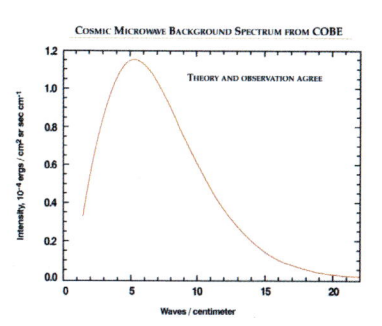

Espectro da CMB obtido por meio do instrumento FIRAS no satélite COBE

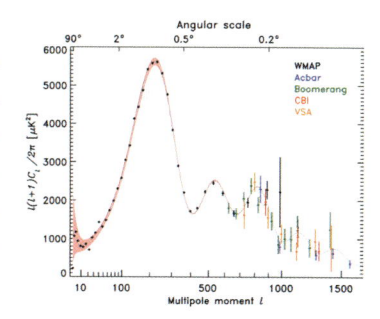

O chamado "power spectrum" da CMB em função da escala angular (ou momento multipolar). Os dados são provenientes dos instrumentos do WMAP, ACBAR, BOOMERanG e VSA.

---

6   D. N. Spergel et al., *First-Year Wilkinson Microwave Anisotropy Probe (WMAP) Observations: Determination of Cosmological Parameters,* The Astrophysics Journal Supplement, 148:175-194, setembro de 2003, p. 188.
7   S. Hawking, *A Brief History of Time: from the Big Bang to Black Holes*, Bantam Press, London, 1988.

Apêndice F

A força gravitacional entre dois corpos é dada pela equação:

$$F = G \frac{M_1 M_2}{R^2} \quad * \qquad (1)$$

A força da Lua no centro da Terra é proporcional a $1/R^2$. Uma partícula de água do oceano diretamente sob a Lua sofreria uma atração maior por estar mais próxima, proporcional a $1/(R-r)^2$. Sendo que r (o raio da Terra) é muito menor que R (a distância entre a Terra e a Lua), a diferença entre essas duas forças é de aproximadamente:

$$\frac{1}{(R-r)^2} - \frac{1}{R^2} = \frac{R^2 - (R-r)^2}{R^2(R-r)^2} = \frac{2rR - r^2}{R^2(R-r)^2} \approx \frac{2rR}{R^4} = \frac{2r}{R^3} \qquad (2)$$

Sendo que r é constante, a altura das marés será inversamente proporcional ao cubo da distância entre a Terra e a Lua $(1/R^3)$. Se a distância entre a Terra e Lua dobrasse, as marés teriam apenas 1/8 dos níveis atuais.

Para entendermos o recessão lunar, precisamos entender o sistema Terra-Lua, com as forças envolvidas, como na figura ao lado.

A Lua pode ser considerada como uma esfera sólida. Já a Terra seria uma junção de duas partes: uma sólida (cinza) e uma não sólida, a dos oceanos em azul.

A Lua exerce uma força gravitacional sobre a Terra puxando-a na sua direção. A parte sólida (massa maior) sofre uma pequena deformação, mas a parte líquida, os oceanos (massa menor), sofre uma grande deformação observável: as marés. Sendo que a Terra possui uma rotação superior à da Lua ($\approx$ 24 hrs, da Terra, e $\approx$ 27 dias, da Lua), o acúmulo das águas nas marés altas nos pontos A e B é arrastado pela rotação da Terra.

Portanto, a parte sólida da Terra exerce uma força G na Lua. O acúmulo de água da maré alta em A produz uma força G_1 na Lua, um pouco maior (por estar mais próximo da Lua) que a força G_2 produzida pelo acúmulo das águas da maré alta em B.

Os acúmulos de água da maré alta nos pontos A e B produzem duas componentes na Lua, F_1 (que acelera a Lua na direção da sua rotação) e F_2 (que retarda a Lua). Sendo que F_1 é um pouco maior que F_2, uma pequena aceleração tangencial na direção de F_1 pode ser deduzida da equação:

$$F_1 - F_2 = M_{Lua}\, a = M_{Lua} \frac{dv}{dt} \qquad (3)$$

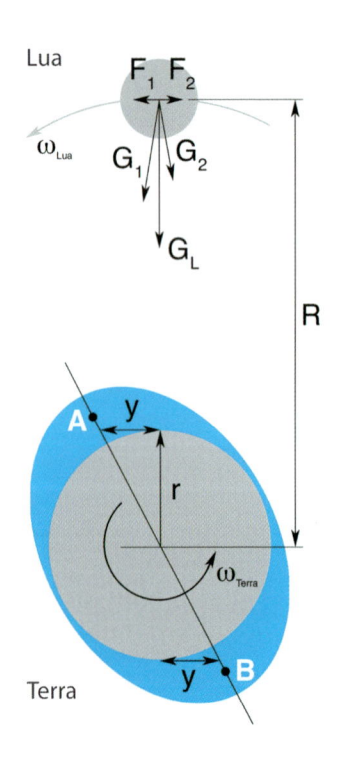

---

*   G sem o subscrito refere-se a constante gravitacional

A aceleração resultante dessas duas forças faz com que a Lua se afaste da Terra. O afastamento atual é de 3,82±0,07 cm por ano.

Esta força resultante ($F_1 - F_2$) nos possibilita encontrar uma idade limite para esta interação entre a Terra e a Lua.

Usando-se os triângulos da figura ao lado, podemos estabelecer a proporcionalidade entre as forças e as distâncias.

$$\frac{F_1}{G_1} = \frac{y}{\sqrt{(R-r)^2 + y^2}} \approx \frac{y}{R-r} \text{, sendo que } R \gg r \quad (4)$$

$$\frac{F_2}{G_2} = \frac{y}{\sqrt{(R+r)^2 + y^2}} \approx \frac{y}{R+r} \text{, sendo que } R \gg r \quad (5)$$

As forças F_2 e F_2 resultantes das forças gravitacionais G_1 e G_2, podem ser expressas como:

$$F_1 = G_1 \frac{y}{(R-r)} = G \frac{M_{Lua} M_{ma}}{(R-r)^2} \frac{y}{(R-r)} \quad (6)$$

$$F_2 = G_2 \frac{y}{(R+r)} = G \frac{M_{Lua} M_{ma}}{(R+r)^2} \frac{y}{(R+r)} \quad (7)$$

onde M_{Lua} é a massa da Lua e M_{ma} é a massa da água acumulada referente a maré alta nos pontos A e B.

Portanto,

$$F_1 - F_2 = G M_{Lua} M_{ma} \frac{y}{(R-r)^3} - G M_{Lua} M_{ma} \frac{y}{(R+r)^3} \quad (8)$$

onde:

$$\frac{1}{(R-r)^3} - \frac{1}{(R+r)^3} = \frac{6R^2r + 2r^3}{(R-r)^3 (R+r)^3} \quad (9)$$

Sendo que $r \ll R$, podemos fazer a seguinte aproximação:

$$\frac{6R^2r + 2r^3}{(R-r)^3 (R+r)^3} \approx \frac{6R^2r}{R^6} = \frac{6r}{R^4} \quad (10)$$

Teremos, então,

$$F_1 - F_2 \approx G M_{Lua} M_{ma} \frac{6ry}{R^4} \quad (11)$$

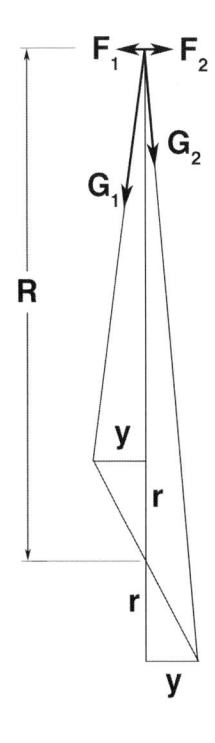

Pode ser visto através da equação 2 que M_{ma} é proporcional a R^3,

$$M_{ma} \approx \frac{C}{R^3} , \qquad (12)$$

onde C é uma constante de proporcionalidade. Podemos, então, reescrever a equação 11 com a seguinte forma:

$$F_1 - F_2 \approx 6ryG\, M_{Lua} \frac{C}{R^7} \qquad (13)$$

A velocidade de um corpo de massa m em órbita circular referente a um outro corpo central de massa M é

$$v = \sqrt{\frac{G(M+m)}{R}} \qquad (14)$$

Diferenciando-se os dois lados da equação em relação ao tempo temos:

$$\frac{dR}{dt} = (-2)\left(\frac{dv}{dt}\right) \frac{R^{3/2}}{\sqrt{G(M+m)}} \qquad (15)$$

Da equação 3, temos que

$$\frac{dv}{dt} = \frac{F_1 - F_2}{M_{Lua}} \qquad (16)$$

Substituindo as equações 13 e 16 na equação 15, com as respectivas massas identificadas, temos:

$$\frac{dR}{dt} = (-2)\left(6ryG \frac{C}{R^7}\right) \frac{R^{3/2}}{\sqrt{G(M_{Terra} + M_{Lua})}} \qquad (17)$$

É importante notar que o deslocamento da massa de água da maré alta nos pontos A e B (y) é proporcional à velocidade angular da Terra (ω_{Terra}) e à velocidade angular da Lua (ω_{Lua}):

$$y = K(\omega_{Terra} - \omega_{Lua}) \qquad (18)$$

onde K é outra constante de proporcionalidade.

Substituindo a equação 18 na equação 17, poderemos combinar as duas constantes (C da equação 12 e K da equação 18) em uma única equação,

$$\frac{dR}{dt} = (-2)\left(6rG\frac{CK}{\sqrt{G(M_{Terra} + M_{Lua})}}(\omega_{Terra} - \omega_{Lua})\right)\frac{R^{3/2}}{R^7} \quad (19)$$

$$\frac{dR}{dt} = \varphi(\omega_{Terra} - \omega_{Lua})\frac{1}{R^{11/2}}, \quad (20)$$

em que:

$$\varphi = (-2)\left(6rG\frac{CK}{\sqrt{G(M_{Terra} + M_{Lua})}}\right), \quad (21)$$

Portanto, da equação 20 podemos obter,

$$\varphi = \left(\frac{dR}{dt}\right)\frac{R^{11/2}}{(\omega_{Terra} - \omega_{Lua})} \quad (22)$$

Todos os valores desta equação são conhecidos experimentalmente. Por exemplo, dR/dt é o afastamento da Lua, 3,82 ± 0,07 cm/ano.

Precisamos agora obter as equações que nos mostrem como as velocidades angulares da Terra e da Lua afetam no afastamento da Lua.

A 3ª Lei de Kepler nos mostra que:

$$\omega_{Lua} = \sqrt{\frac{G(M_{Terra} + M_{Lua})}{R^3}} \quad (23)$$

Se aplicarmos a conservação do momento angular para o sistema Terra-Lua, obteremos:

$$L = P_{Terra}\omega_{Terra} + \frac{M_{Terra}M_{Lua}}{(M_{Terra} + M_{Lua})}R^2\omega_{Lua} \quad (24)$$

onde L é uma constante (momento angular do sistema Terra-Lua) e P_{Terra} é o momento polar de inércia da Terra.

Combinando as equações 23 e 24, obteremos:

$$\omega_{Terra} = \frac{L}{P_{Terra}} - \frac{M_{Terra}M_{Lua}}{P_{Terra}}\sqrt{\frac{GR}{(M_{Terra} + M_{Lua})}} \quad (25)$$

A solução desta equação pode ser obtida por meio de interação numérica, utilizando-se as equações 20 e 23 e as três variáveis (dR/dt, ω_{Terra} e ω_{Lua}).

Observam-se dois fenômenos importantes à medida que o tempo regride: (1) uma aproximação da Lua com a Terra e (2) uma desaceleração da rotação da Terra. Na próxima página são dados alguns valores resultantes desses cálculos.

Os valores das constantes utilizadas para os cálculos expressas em segundos, minutos, etc., foram transformadas e expressas em anos.

G	$6{,}6353 \times 10^{-5}$ m³/kg•ano²	Constante Gravitacional
M_{Terra}	$5{,}9736 \times 10^{24}$ kg	Massa da Terra
M_{Lua}	$7{,}3477 \times 10^{22}$ kg	Massa da Lua
L	$1{,}0871 \times 10^{36}$ kg•km²/ano	Momento Angular Terra-Lua
P_{Terra}	$8{,}0680 \times 10^{31}$ kg•km²	Momento de Inércia da Terra
R	384.400 km	Distância entre Terra e a Lua
R_{min}	8.116,277 km	Terra e Lua em contato
dR	0,0000382 km/ano	Afastamento da Lua
w_{Terra}	2301,2569 rad/ano	Velocidade Angular da Terra[2]
w_{Lua}	84,0480 rad/ano	Velocidade Angular da Lua[3]

Tomando-se as equações 2, 22, 23 e 25 obtem-se os seguintes valores:

Distância (km)		Altura da Maré (m)	Data (anos)	Rotação[4] (hr:min)
384.400	(1/1)	0,75	hoje	23h 56m
192.200	(1/2)	6,00	1.199.616.330	9h 54m
128.133	(1/3)	20,25	1.205.766.808	7h 51m
96.100	(1/4)	48,00	1.206.103.948	6h 59m
76.880	(1/5)	93,75	1.206.147.587	6h 30m
38.440	(1/10)	750,00	1.206.160.335	5h 32m
19.220	(1/20)	6.000,00	1.206.160.495	5h 03m
15.376	(1/25)	11.718,00	1.206.160.499	4h 57m

Tempo no passado (anos)	Distância Terra-Lua (km)	Velocidade Angular da Terra (período de rotação- horas)
1.000	384.400,0	23h 58m
10.000	384.399,6	23h 58m
100.000	384.396,2	23h 58m
1.000.000	384.361,8	23h 57m
10.000.000	384.016,5	23h 54m
100.000.000	380.420,3	23h 23m
1.000.000.000	307.204,1	15h 49m

2   Referente ao movimento de rotação da Terra ao redor do seu eixo.
3   Referente ao movimento de translação da Lua ao redor da Terra.
4   Valor calculado, transformado para refletir a duração da rotação da Terra ao redor do seu próprio eixo (dia).

Apêndice G

O desvio espectrográfico para o vermelho (*redshift*) tem sido estudado durante estes últimos 80 anos.

No ano de 1929 Edwin Hubble publicou os resultados de suas pesquisas sobre o *redshift*. Ele demonstrou que havia uma relação entre o comprimento de onda (λ), o desvio ($\delta\lambda$) e a distância da fonte de luz em relação à Terra (r):

$$\frac{\delta\lambda}{\lambda} \approx \frac{H}{c} r \tag{1}$$

Suas considerações seguiam as mesmas linhas interpretativas de Vesto Slipher e outros, argumentando que as mudanças nos comprimentos das ondas era um efeito *Doppler*, produzido pela velocidade da fonte de luz em relação à Terra. Se a velocidade da fonte (v) for muito menor que a velocidade da luz (c), então:

$$\frac{\delta\lambda}{\lambda} \approx \frac{v}{c}, \tag{2}$$

portanto,

$$v \approx H\,r, \tag{3}$$

onde H é a constante de Hubble.

Normalmente, a quantidade de desvio para o vermelho é expressa como um número não dimensional z.

$$z \equiv \frac{\delta\lambda}{\lambda}. \tag{4}$$

William Tifft, durante a década de 70, começou a utilizar uma técnica padrão de estatística para averiguar regularidades nos dados obtidos. Nestes estudos, Tifft observou que os valores de z agrupavam-se em intervalos de 0,024% ($z = 0,00024$), o que corresponderia em termos de um efeito *Doppler* a uma velocidade equivalente de 72 km/s. Seu trabalho revelou que havia uma periodicidade acentuada para submúltiplos exatos (1/3 e 1/2) da velocidade equivalente de 72,45 km/s.

Tifft demonstrou que os *redshifts* apresentados pelas galáxias eram quantizados.

Em 1996, Tifft uma vez mais demonstrou a importância em compensar os *redshifts*, levando em consideração o movimento da nossa própria galáxia em relação à micro-radiação de fundo (CMBR). Os agrupamentos antes observados tornaram-se ainda mais distintos e algumas periodicidades menores tornaram-se mais aparentes.

Dr. Hussell Humphreys demonstrou que os agrupamentos dos *redshifts* identificados por Tifft corresponderiam a agrupamentos relacionados com distâncias.

O formato espacial de tais agrupamentos seria o equivalente a círculos concêntricos (Figura 1). Combinando-se equações 1 e 4, obtém-se

$$r = \frac{c}{H} z. \tag{5}$$

Portanto,

$$\delta r = \frac{c}{H} \delta z. \tag{6}$$

Da equação 3 podemos concluir que:

$$\delta r = \frac{\delta v}{H}. \tag{7}$$

Os valores atuais para a constante de Hubble estão entre 70 e 80 km/s/Mpc. Pode-se estimar a constante de Hubble como,

H = 75±5 km/s/Mpc ou 23±1,5 km/s por milhão de anos-luz.

$$\delta r = \left[43.700 \pm 2.900 \; \frac{\text{anos luz}}{\text{km/s}} \right] \delta v \tag{8}$$

Dois intervalos de *redshift* encontrados por Napier e Guthrie, um de 37,5 km/s e outro de 71,5 km/s corresponderiam à duas distâncias com intervalos de 1,6 e 3,1 milhões de anos-luz, respectivamente.

Estas descobertas têm implicações profundas no que diz respeito à nossa compreensão do universo e à sua origem.

Tomemos a Figura 2 como base, para entendermos as implicações.

Usando as lei dos cossenos, temos:

$$r' = \sqrt{r^2 + a^2 - 2\,a\,r\,\cos\theta} \tag{9}$$

Se *a* for muito menor que *r*, então, a equação 9 pode ser reescrita por meio de uma aproximação:

$$r' \approx r - a\,\cos\theta \tag{10}$$

Observa-se que a variação para qualquer círculo deve estar entre *r-a* e *r+a*, onde o desvio padrão em função do ângulo θ é:

$$\sigma_\theta = \frac{1}{\sqrt{2}} a \tag{11}$$

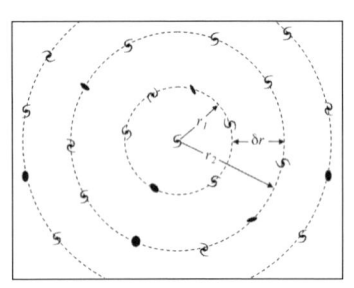

Figura 1

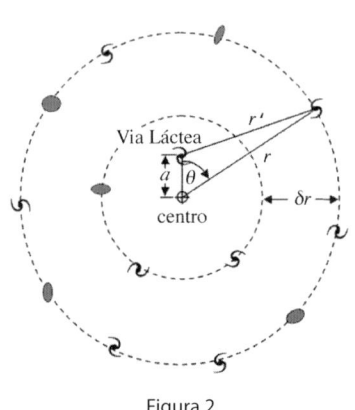

Figura 2

O desvio padrão σ em função da distribuição de r é:

$$\sigma = \sqrt{\sigma_r^2 + \sigma_\theta^2} = \sqrt{\sigma_r^2 + \frac{1}{2}a^2} \qquad (12)$$

É importante notar que se σ fosse muito maior que o espaçamento dos círculos concêntricos, δr, então os grupos formados pelos *redshifts* se tornariam indistinguíveis. Pelo fato deles serem observáveis, uma segunda inferência pode ser feita:

$$a < \delta r.$$

Isto significa que pelo fato de podermos observar esses agrupamentos, tomando-se o menor intervalo observado por Nappier e Guthrie, de 1,6 milhões de anos-luz, devemos estar a não mais que 100.000 anos-luz do centro desse agrupamento radial.

Assumindo que o universo tenha um raio máximo de 20 bilhões de anos-luz, qual seria a probabilidade de estarmos tão próximos do centro por um mero acidente cósmico? A probabilidade pode ser definida por

$$P = \frac{\frac{4}{3}\pi a^3}{\frac{4}{3}\pi R^3} < \left[\frac{\delta r}{R}\right]^3$$

o que nos daria uma probabilidade menor que 5,12 x 10^{-13}!

Estas descobertas mostram que a nossa proximidade do centro do universo está longe de ter sido um mero acidente cósmico.

Este trabalho, foi apresentado D. Russell Humphreys, sob o título *Our galaxy is the centre of the universe, 'quantized' red shifts show*. A versão eletrônica pode ser encontrada em www.answersingenesis.org/tj/v16/i2/galaxy.asp

Apêndice H

As evidências encontradas no registro fóssil sobre a vida existente no passado, no planeta Terra, são os fósseis. Portanto, sabemos que vida existiu, no passado, tanto nas formas conhecidas atualmente quanto em outras que estão extintas. A suposta evidência evolucionista de que essa vida teria evoluído é uma questão de interpretação do registro fóssil.

Um exemplo seria a interpretação baseada em fósseis (evidência) que levariam a uma conclusão de que o ser humano teria evoluído de forma primitiva (interpretação).

Muitos fósseis, que por um período de tempo foram interpretados como tendo sido antepassados do ser humano, nada mais foram do que interpretações equivocadas (homem de Nebraska, homem de Java, homem de Piltdown e homem de Pequin). Outros supostos antepassados do ser humano teriam sido apenas variações de orangotangos, gorilas e chimpanzés (Ramapithecus[1] e o Australopithecus afarensis[2]). Alguns outros foram seres humanos reais com anomalias conhecidas pela medicina moderna (artrite, microcefalia, e outras).

Para ilustrar podemos citar o caso de Antonio Cabecinha, um brasileiro portador de microcefalia. A reportagem feita pela equipe do Jornal Meio Norte (ano 2000) descreve um homem com as mesmas características encontradas nos livros evolucionistas sobre os supostos antepassados do ser humano: características faciais rudimentares, caixa craniana pequena (cérebro pequeno), habilidade limitada de comunicação, habilidade limitada de manuseio, produção de ferramentas rudimentares, alimentação limitada, agilidade nas matas (no caso dele, matas brasileiras) e postura ereta.

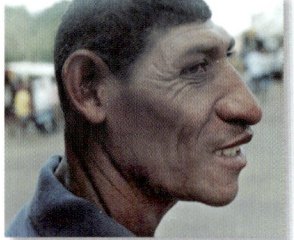

Antonio "Cabecinha"
(portador de microcefalia)

---

1 Adrienne L. Zihlman e J. Lowestein, *False Start of the Human Parade*, Natural History, agosto/setembro de 1979, p. 86-91.
2 Jack T. Stern Jr. e Randall L. Susman, *The Locomotor Anatomy of Australopitecus Afarensis*, American Journal of Physical Anthropology, Vol. 60, março de 1983, p.307.

Apêndice I

A taxa de desintegração dN/dt é diretamente proporcional ao número de radioisótopos que ainda não se desintegraram,

$\dfrac{dN}{dt} = -\lambda N$, em que λ é uma constante de desintegração.

Integrando a equação,

$$\int \dfrac{1}{N}\, dN = -\int \lambda\, dt$$

Resolvendo as integrais, obtemos:

$\ln N - \ln N_o = -\lambda t$

$\ln (N/N_o) = -\lambda t$

$N = N_o\, e^{-\lambda t}$

É importante que se defina a constante de desintegração λ em função da meia-vida do elemento, por ser λ um valor que é obtido experimentalmente.

Observe que o tempo necessário para $N = 1/2\, N_o$ é $t_{1/2}$, que é exatamente o conceito de meia-vida. Portanto, substituindo N na equação, obtemos:

$\dfrac{1}{2} N_o = N_o e^{-\lambda t_{1/2}}$ ou $\dfrac{1}{2} = e^{-\lambda t_{1/2}}$

Portanto, a meia vida pode ser obtida pela expressão

$t_{1/2} = \dfrac{\ln 2}{\lambda}$

A idade de uma amostra (tempo t), conhecendo-se a concentração inicial (N_o) e a concentração final (N) do elemento radioativo com meia-vida $t_{1/2}$, é dada pela equação:

$$t = \dfrac{1}{\ln 2}\, t_{1/2}\, \ln\left[\dfrac{N_o}{N}\right] \text{ ou } t = \dfrac{2.302585092994}{0.6931471805599}\, t_{1/2}\, \log\left[\dfrac{N_o}{N}\right]$$

Apêndice J

Derivação da equação *isochron*, utilizando o método Rubídio-Estrôncio (Rb-Sr). Todas as amostras devem ser de uma mesma rocha maior. Várias rochas da mesma origem podem ser usadas. Três condições devem ser satisfeitas para que o método funcione.

1. Todas as amostras possuem a mesma idade.
2. Todas possuem a mesma proporção inicial de $^{87}Sr/^{86}Sr$.
3. Minérios possuem um certa variação nas proporções de Rb/Sr.

As quantidades originais dos isótopos na amostra são: $^{87}Rb_o$, $^{87}Sr_o$ e $^{86}Sr_o$. Quantidades atuais são escritas sem o subscrito. O isótopo radiogênico de Estrôncio é designado por $^{87}Sr_{rad}$.

As equações relacionadas com a desintegração são:

$$^{87}Rb = {}^{87}Rb_o\, e^{-\lambda t}. \tag{1}$$

$$^{87}Rb_o = {}^{87}Rb + {}^{87}Sr_{rad} \tag{2}$$

$$^{87}Sr_{rad} = {}^{87}Sr - {}^{87}Sr_o \tag{3}$$

Substituindo (2) e (3) na equação (1), temos:

$$^{87}Rb = ({}^{87}Rb + {}^{87}Sr - {}^{87}Sr_o)\, e^{-\lambda t} \tag{4}$$

Dividindo os dois lados da equação pelo isótopo estável ^{86}Sr, presente em todas as amostras, temos:

$$^{87}Rb/^{86}Sr = ({}^{87}Rb/^{86}Sr + {}^{87}Sr/^{86}Sr - {}^{87}Sr_o/^{86}Sr)\, e^{-\lambda t} \tag{5}$$

Agrupando a equação (5) em função de $^{87}Sr/^{86}Sr$, temos:

$$^{87}Sr/^{86}Sr = (e^{-\lambda t} - 1)\, {}^{87}Rb/^{86}Sr + {}^{87}Sr_o/^{86}Sr, \tag{6}$$

Em que:

$^{87}Sr/^{86}Sr$ representa a quantidade acumulada de ^{87}Sr,

$(e^{-\lambda t} - 1)\, {}^{87}Rb/^{86}Sr$ representa a quantidade acumulada de ^{87}Rb e

$^{87}Sr_o/^{86}Sr$ representa a quantidade inicial desses isótopos.

A equação da página 166 é a forma generalizada da equação (6).

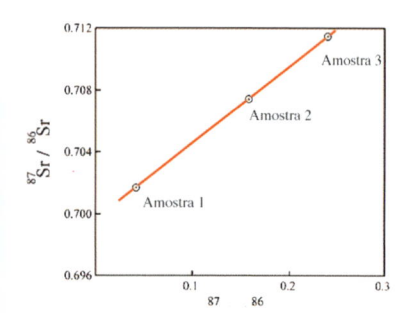

Gráfico *Isochron*
$y = mx + b,$
em que
m determina a idade da rocha:
$m = e^{\lambda t} - 1.$

Portanto,
$t = 1/\lambda \ln (m + 1).$

Apêndice K

A difusão do Hélio em cristais de zircão obedece à equação:

$$\frac{\partial C}{\partial t} = D \, \nabla^2 C \qquad (1)$$

em que $C(x,y,z,t)$ é uma função que define a concentração.

$\nabla^2 = \dfrac{\partial^2}{\partial x^2} + \dfrac{\partial^2}{\partial y^2} + \dfrac{\partial^2}{\partial z^2}$ é o operador Laplaciano.

D é o coeficiente de difusão, definido pela equação (2). Ele é obtido experimentalmente. O primeiro termo é a parte intrínseca, e o segundo termo é atribuído aos defeitos:

$$D = D_0 \exp\left[-\frac{E_0}{RT}\right] + D_1 \exp\left[-\frac{E_1}{RT}\right] \qquad (2)$$

Normalmente, os parâmetros relacionados ao segundo termo (defeitos, D_1 e E_1) são menores que os do primeiro termo (intrínsecos, D_0 e E_0).

$E_1 < E_0$ e $D_1 < D_0$

No caso do zircão, o Hélio migra do cristal para a circunvizinhança (biotita). Para simplificação, sem perda da generalização, admite-se uma aproximação através de uma simetria esférica para a questão tridimensional do problema (tamanho dos cristais de zircão, raio "a" e da biotita em que o cristal se encontra, raio "b"). A difusão do Hélio no zircão é considerada isotrópica, fluindo essencialmente nas três direções com as mesmas taxas, mas, no caso da biotita, não é isotrópica, porque a grande maioria do Hélio flui ao longo de um plano bidimensional (plano de clivagem). Ainda por questão de simplificação, será considerado uma isotropia, no caso da biotita (a anisotropia poderá ser considerada como um refinamento a ser apresentado num trabalho futuro).

Um decaimento nuclear acelerado criaria inicialmente uma grande concentração C_0 de He, uniformemente distribuída no zircão, mas não na biotita circunvizinha. O He se propagaria (difusão) para fora do zircão, adentrando à biotita, durante um período de tempo t.

Se o período de tempo t for curto, uma quantidade adicional Q de He produzida pela desintegração nuclear seria muito pequena comparada com a quantidade inicial Q_0.

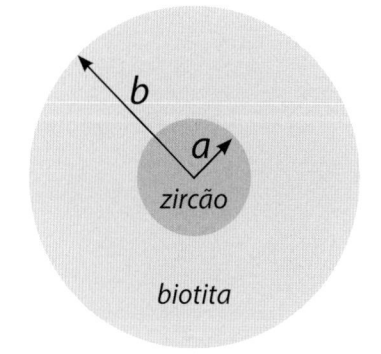

Admite-se como condições iniciais nas quais $t = 0$ que:
$C(r) = C_o$ para $r < a$, e $C(r) = 0$ para $r > a$.

Após o tempo $t = 0$, deve haver continuidade tanto para C quanto para o fluxo de He, para $r = a$.

A solução da equação (1) em forma radial, e com múltiplos coeficientes para as duas regiões diferentes, foi publicada em 1945 por R. P. Bell. Tomando-se o coeficiente de difusão de He no zircão como sendo o mesmo para os dois meios, o trabalho matemático pode ser simplificado, deixando um erro no valor do fluxo de saída do He de aproximadamente 30% (mais lento do que o real) e, portanto, um tempo de difusão maior que o real.

Com estas simplificações, a solução original de Bell reduz-se a uma nova equação derivada por Carslaw e Jaeger. Todas estas equações tratam do

$$C(r,t) = \frac{2 C_o}{r} \sum_{n=1}^{\infty} \frac{1}{n\pi} \left[\frac{b}{n\pi} \sin\frac{n\pi a}{b} - a \cos\frac{n\pi a}{b} \right] \sin\frac{n\pi r}{b} \exp\left[-n^2\frac{\pi^2 D t}{b^2} \right]$$

A fração de He retida no zircão, Q/Q_o, após o tempo t de difusão, pode ser calculada através da integral volumétrica de cada termo:

$$Q(t) = 4\pi \int_0^a C(r,t) r^2 \, dr \tag{4}$$

$$Q_o = \frac{4}{3}\pi a^3 C_o \tag{5}$$

Substituindo $C(r,t)$ da equação (3) na equação (4), integrando e depois dividindo pela equação (5), obtemos a quantidade de He retida no zircão após um tempo t, através da equação (6):

$$\frac{Q(t)}{Q_o} = \sum_{n=1}^{\infty} \frac{6b^3}{n^4\pi^4 a^3} \left[\sin\frac{n\pi a}{b} - \frac{n\pi a}{b} \cos\frac{n\pi a}{b} \right]^2 \exp\left[-n^2\frac{\pi^2 D t}{b^2} \right]$$

A solução pode ser obtida através da seguinte transformação:

$$F(x) = \sum_{n=1}^{N} S_n \exp[-n^2 x] \tag{7}$$

em que S_n é a função definida por:

$$S_n = \frac{6b^3}{n^4\pi^4 a^3} \left[\sin\frac{n\pi a}{b} - \frac{n\pi a}{b} \cos\frac{n\pi a}{b} \right]^2 \tag{8}$$

Os demais termos são:

$$F(x) = \frac{Q(t)}{Q_o} \qquad \text{e} \qquad x = \frac{\pi^2 D\, t}{b^2} \qquad (9,10)$$

Com estas substituições, e usando-se um valor para $N = 300$, pode-se obter um excelente grau de precisão nos cálculos, utilizando-se programas como *Mathematica, Maple* ou *Mathcad*.

As amostras analisadas possuíam o seguintes valores:

	Profundidade (m)	Temperatura (°C)	He (10^{-9} cm^3/μg)	Q/Q_o	Erro
0	0	20	8,2	–	–
1	960	105	8,6	0.58	±0,17
2	2170	151	3,6	0,27	±0,08
3	2900	197	2,8	0,17	±0,05
4	3502	239	0,16	0,012	±0,004
5	3930	277	≈0,02	≈0,001	–
6	4310	313	≈0,02	≈0,001	–

Tabela 1 - Retenção de Hélio em zircões da Granodiorito de Jemez

Sendo que os cristais de zircão avaliados possuíam entre 50μm e 75μm de comprimento, o valor do raio *a* adotado foi de ≈30μm. Já as amostras de biotita possuíam aproximadamente uma espessura de 0,2mm e cerca de 2mm de diâmetro. Portanto, o valor adotado para o raio *b* foi de ≈1.000μm.

Com estes dados e com a equação (7) pode-se, então, calcular quais seriam os coeficientes de difusão (cm^2/s) do Hélio em função do tempo decorrido e compará-los com os valores das amostras.

O modelo, chamado aqui de naturalista, deve utilizar a idade datada pelo método U-Th-Pb, cujo valor foi de 1,5 bilhão de anos (4,73 x 10^{16} segundos). Os valores calculados para *D* estão na tabela abaixo.

	Profundidade (m)	Temperatura (°C)	Q/Q_o	D (cm^2/s)	Erro
1	960	105	0.58±0,17	2,1871 x 10^{-23}	±30
2	2170	151	0,27±0,08	4,6981 x 10^{-23}	±30
3	2900	197	0,17±0,05	7,4618 x 10^{-23}	±30
4	3502	239	0,012±0,004	1,0571 x 10^{-23}	±30
5	3930	277	≈0,001	1,2685 x 10^{-23}	—

O modelo criacionista apresenta apenas como exemplo os diferentes valores de D, caso a rocha tivesse apenas poucos milhares de anos. Para efeito de cálculo, foi utilizado o tempo $t = 6.000$ anos ($1,892 \times 10^{11}$ segundos).

	Profundidade (m)	Temperatura (°C)	Q/Q_o	D (cm²/s)	Erro
1	960	105	0,58±0,17	$3,2103 \times 10^{-18}$	+122 -67
2	2170	151	0,27±0,08	$1,3175 \times 10^{-17}$	+49 -30
3	2900	197	0,17±0,05	$2,1937 \times 10^{-17}$	+39 -24
4	3502	239	0,012±0,004	$1,7798 \times 10^{-16}$	+33 -18
5	3930	277	≈0,001	$9,7368 \times 10^{-16}$	—

O gráfico abaixo mostra os valores do coeficiente de difusão (D) do He encontrado nas amostras estudadas com os coeficientes gerados pelos dois modelos com escalas de tempo diferentes.

O estudo mostra que um tempo relativamente curto deve ser atribuído aos zircões e à rocha onde foram encontrados (4.000 a 14.000 anos) para que os coeficientes de difusão calculados sejam compatíveis com os encontrados nas amostras estudadas.

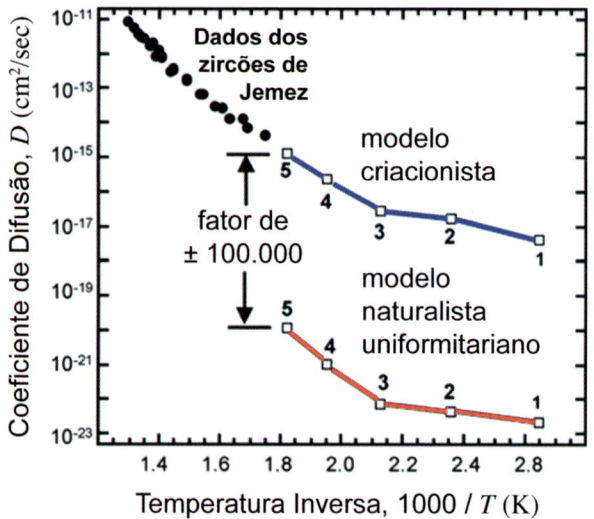

Este estudo também coloca em dúvida a validade da interpretação dos longos períodos de desintegração nuclear admitidos pelos métodos de datação radiométrica.

D.R. Humphreys, S.A. Austin, J.R. Baumgardner e A.A. Snelling, *Helium Diffusion Rates Support Accelerated Nuclear Decay*, Institute for Creation Research (www.icr.org/pdf/research/Helium_ICC_7-22-03.pdf)

Apêndice L

O método de datação do Carbono-14 segue o modelo de desintegração radioativa:

$$\frac{dN}{dt} = -\lambda N, \tag{1}$$

que tem por solução a equação

$$N = N_0 e^{-\lambda t}, \text{ em que} \tag{2}$$

N_0 é a quantidade de átomos de Carbono-14 no tempo $t = 0$.
N é a quantidade de átomos que sobraram após um tempo t.
λ é a constante de desintegração do Carbono-14.

$$t_{avg} = \frac{1}{\lambda}, \text{ em que} \tag{3}$$

t_{avg} é a média de vida dos átomos de Carbono 14 (8.033 anos*)

$$t_{1/2} = t_{avg} \ln 2, \text{ em que} \tag{4}$$

$t_{1/2}$ é a meia-vida dos átomos de Carbono-14 (5.568 anos*).

Portanto, para um cálculo da data de determinada amostra, sem nenhuma calibragem, podemos usar a média de vida do Carbono-14

$$t_{BP} = \frac{1}{\lambda} \ln \frac{N}{N_0} \text{ para datas ou} \tag{5}$$

$$t_{BP} = -\frac{1}{\lambda} \ln \frac{N}{N_0}, \tag{6}$$

para eras; nesta equação, o sinal negativo indica apenas que o tempo deve ser contado de 1950 para trás.

Ou pode-se usar a meia-vida do Carbono-14 através da equação

$$t_{BP} = -t_{1/2} \log_2 \frac{N}{N_0}. \tag{7}$$

---

* Estes valores foram calculados por Williard Libby e ainda são utilizados para os cálculos não calibrados, oferecendo datas no formato *BP* (Before Present), sendo o ano de 1950 considerado o ano de referência.

Apêndice M

Lista das publicações científicas, compilada por P. Giem e J. Baumgardner, que documentam a existência de Carbono-14 em amostras que não deveriam conter nenhum traço desse elemento.

1[1] Aerts-Bijma, A.T., Meijer, H.A.J., and van der Plicht, J., **AMS Sample Handling in Groningen**, *Nuclear Instruments and Methods in Physics Research B*, 123(1997), p. 221-225.

1 [2] Arnold, M., Bard, E., Maurice, P., and Duplessy, J.C., **^{14}C Dating with the Gif-sur-Yvette Tandetron Accelerator: Status Report**, *Nuclear Instruments and Methods in Physics Research B*, 29(1987), p. 120-123.

1 [8] Beukens, R.P., **High-Precision Intercomparison at Isotrace**, *Radiocarbon*, 32(1990), p. 335-339.

1 [9] Beukens, R.P., **Radiocarbon Accelerator Mass Spectrometry: Background, Precision, and Accuracy**, *Radiocarbon After Four Decades: An Interdisciplinary Perspective*, Taylor, R.E., Long, A., and Kra, R.S., Editors, 1992, Springer-Verlag, New York, p. 230-239.

[10] Beukens, R.P., **Radiocarbon Accelerator Mass Spectrometry: Background and Contamination**, *Nuclear Instruments and Methods in Physics Research B*, 79(1993), p. 620-623.

[11] Beukens, R.P., Gurfinkel, D.M., and Lee, H.W., **Progress at the Isotrace Radiocarbon Facility**, *Radiocarbon* 28(1992), p. 229-236.

[12] Bird, M.I., Ayliffe, L.K., Fifield, L.K., Turney, C.S.M., Cresswell, R.G., Barrows, T.T., and David, B., **Radiocarbon Dating of "Old" Charcoal Using a Wet Oxidation, Stepped-Combustion Procedure**, *Radiocarbon*,

41:2(1999), p. 127-140.

[13] Bonani, G., Hofmann, H.-J., Morenzoni, E., Nessi, M., Suter, M., and Wölfli, W., **The ETH/SIN Dating Facility: A Status Report**, *Radiocarbon* 28(1986), p. 246-255.

[15] Donahue, D.J., Beck, J.W., Biddulph, D., Burr, G.S., Courtney, C., Damon, P.E., Hatheway, A.L., Hewitt, L., Jull, A.J.T., Lange, T., Lifton, N., Maddock, R., McHargue, L.R., O'Malley, J.M., and Toolin, L.J., **Status of the NSF-Arizona AMS Laboratory**, *Nuclear Instruments and Methods in Physics Research B*, 123(1997), p. 51-56.

[16] Donahue, D.J., Jull, A.J.T., and Toolin, L.J., **Radiocarbon Measurements at the University of Arizona AMS Facility**, *Nuclear Instruments and Methods in Physics Research B*, 52(1990), p. 224-228.

[17] Donahue, D.J., Jull, A.J.T., and Zabel, T.H., **Results of Radioisotope Measurements at the NSF-University of Arizona Tandem Accelerator Mass Spectrometer Facility**, *Nuclear Instruments and Methods in Physics Research B*, 5(1984), p. 162-166.

[19] Gillespie, R., and Hedges, R.E.M., **Laboratory Contamination in Radiocarbon Accelerator Mass Spectrometry**, *Nuclear Instruments and Methods in Physics Research B*, 5(1984), p. 294-296.

[20] Grootes, P.M., Stuiver, M., Farwell, G.W., Leach, D.D., and Schmidt, F.H., **Radiocarbon Dating with the University of Washington Accelerator Mass Spectrometry System**, *Radiocarbon*, 28(1986), p. 237-245.

[21] Gulliksen, S., and Thomsen, M.S., **Estimation of Background Contamination Levels for Gas Counting and AMS Target Preparation in Trondheim**, *Radiocarbon*, 34(1992), p. 312-317.

[22] Gurfinkel, D.M., **An Assessment of Laboratory Contamination at the Isotrace Radiocarbon Facility**, *Radiocarbon*, 29(1987), p. 335-346.

[24] Jull, A.J.T., Donahue, D.J., Hatheway, A.L., Linick, T.W., and Toolin, L.J., **Production of Graphite Targets by Deposition from CO/H_2 for Precision Accelerator ^{14}C Measurements**, *Radiocarbon*, 28(1986), p. 191-197.

[25] Kirner, D.L., Taylor, R.E, and Southon, J.R., **Reduction in Backgrounds of Microsamples for AMS ^{14}C Dating**, *Radiocarbon*, 37(1995), p. 697-704.

[26] Kirner, D.L., Burky, R., Taylor, R.E., and Southon, J.R., **Radiocarbon Dating Organic Residues at the Microgram Level**, *Nuclear Instruments and Methods in Physics Research B*, 123(1997), p. 214-217.

[27] Kitagawa, H., Masuzawa, T., Makamura, T., and Matsumoto, E., **A Batch Preparation Method for Graphite Targets with Low Background for AMS ^{14}C Measurements**, *Radiocarbon*, 35(1993), p. 295-300.

[28] Kretschmer, W., Anton, G., Benz, M., Blasche, S., Erler, E., Finckh, E., Fischer, L., Kerscher, H., Kotva, A., Klein, M., Leigart, M., and Morgenroth, G., **The Erlangen AMS Facility and Its Applications in ^{14}C Sediment and Bone Dating**, *Radiocarbon*, 40(1998), p. 231-238.

[29] McNichol, A.P., Gagnon, A.R., Osborne, E.A., Hutton, D.L., Von Reden, K.F., and Schneider, R.J., **Improvements in Procedural Blanks at NOSAMS: Reflections of Improvements in Sample Preparation and Accelerator Operation**, *Radiocarbon*, 37(1995), p. 683-691.

[30] Nadeau, M-J., Grootes, P.M., Voelker, A., Bruhn, F., Duhr, A., and Oriwall, A., **Carbonate ^{14}C Background: Does It Have Multiple Personalities?**, *Radiocarbon*, 43:2A(2001), p. 169-176.

[31] Nakai, N., Nakamura, T., Kimura, M., Sakase, T., Sato, S., and Sakai, A., **Accelerator Mass Spectroscopy of ^{14}C at Nagoya University**, *Nuclear Instruments and Methods in Physics Research B*, 5(1984), p. 171-174.

[32] Nelson, D.E., Vogel, J.S., Southon, J.R., and Brown, T.A., **Accelerator Radiocarbon Dating at SFU**, *Radiocarbon*, 28(1986), p. 215-222.

[33] Pearson, A., McNichol, A.P., Schneider, R.J., and Von Reden, C.F., **Microscale AMS ^{14}C Measurements at NOSAMS**, *Radiocarbon*, 40(1998), p. 61-75.

[35] Schleicher, M., Grootes, P.M., Nadeau, M-J., and Schoon, A., **The Carbonate ^{14}C Background and Its Components at the Leibniz AMS Facility**, *Radiocarbon*, 40(1998), p. 85-93.

[36] Schmidt, F.H., Balsley, D.R., and Leach, D.D., **Early Expectations of AMS: Greater Ages and Tiny Fractions. One Failure? — One Success**, *Nuclear Instruments and Methods in Physics Research B*, 29(1987), p. 97-99.

[37] Snelling, A.A., **Radioactive "Dating" in Conflict! Fossil Wood in An-

cient Lava Flow Yields Radiocarbon, *Creation Ex Nihilo*, 20:1(1997), p. 24-27.

[43] Terrasi, F., Campajola, L., Brondi, A., Cipriano, M., D'Onofrio, A., Fioretto, E., Romano, M., Azzi, C., Bella, F., and Tuniz, C., **AMS at the TTT-3 Tandem Accelerator in Naples**, *Nuclear Instruments and Methods in Physics Research B*, 52(1990), p. 259-262.

[44] Van der Borg, K., Alderliesten, C., de Jong, A.F.M., van den Brink, A., de Haas, A.P., Kersemaekers, H.J.H., and Raaymakers, J.E.M.J., **Precision and Mass Fractionation in ^{14}C Analysis with AMS**, *Nuclear Instruments and Methods in Physics Research B*, 123(1997), p. 97-101.

[45] Vogel, J.S., Nelson, D.E., and Southon, J.R., **^{14}C Background Levels in an Accelerator Mass Spectrometry System**, *Radiocarbon*, 29(1987), p. 323-333.

[47] Wild, E., Golser, R., Hille, P., Kutschera, W., Priller, A., Puchegger, S., Rom, W., and Steier, P., **First ^{14}C Results for Archaeological and Forensic Studies at the Vienna Environmental Research Accelerator**, *Radiocarbon*, 40(1998), p. 273-281.

Apêndice N

As cadeias de montanhas aparentam ter passado por uma compressão horizontal, e não por uma elevação vertical. Uma explicação normalmente encontrada nos livros é semelhante a dois blocos deslizando um sobre o outro, com uma força de deslocamento agindo sobre o corpo superior, como na figura abaixo. Tal mecanismo deveria ser o responsável pelo aparecimento das dobras nas cadeias de montanhas.

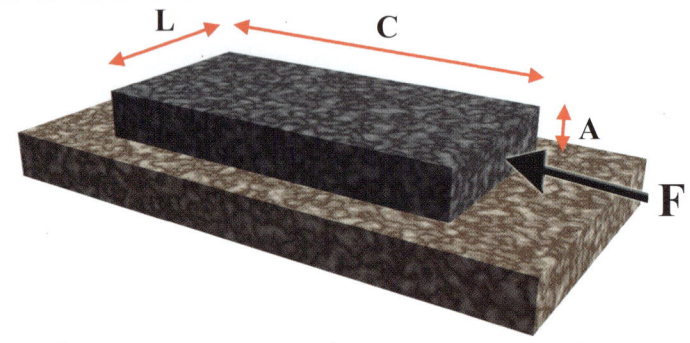

O bloco superior tem uma largura **L**, um comprimento **C** e uma altura **A**. Uma força **F**, ao empurrar o bloco superior, exerce uma pressão que não pode exceder o coeficiente de compressão σ_c do bloco. O coeficiente de atrito entre as duas superfícies é µ. O coeficiente de atrito estático é **a** e a aceleração da gravidade é **g** (9,8 m/s²). A densidade do bloco superior é ρ.

Portanto, para que o movimento ocorra, a força **F** necessita ser superior que a força de atrito F_a que resiste ao movimento:

$$F = \sigma_c \, L \, A > F_a = \rho \, g \, (L \, AC) \mu, \text{ portanto,} \tag{1}$$

$$C < \frac{\sigma_c}{\rho \, g \, \mu}. \tag{2}$$

Substituindo os valores com as propriedades do granito,

$$\rho = 2{,}7 \times 10^3 \text{ kg/m}^3 \quad \sigma_c = 1{,}3 \times 10^8 \text{ N/m}^2 \quad \mu = 0{,}6$$

$$C < \frac{1{,}3 \times 10^8 \text{ N/m}^2}{2{,}7 \times 10^3 \text{ kg/m}^3 \times 9{,}8 \text{ m/s}^2 \times 0{,}6} = 8.188 \text{ m} \tag{3}$$

Um bloco de granito com mais de 8,2 km de comprimento não suportaria a pressão de uma força tentando empurrá-lo sobre uma superfície sem lubrificação. Montanhas não se formaram por meio de um movimento horizontal das rochas sem uma lubrificação entre as superfícies de contato.

> Estes cálculos foram apresentados pelo Dr. Walt Brown, no seu livro *In The Beginning: Compelling Evidence for Creation and the Flood* (7ª edição), Technical Note 11.

APÉNDICES

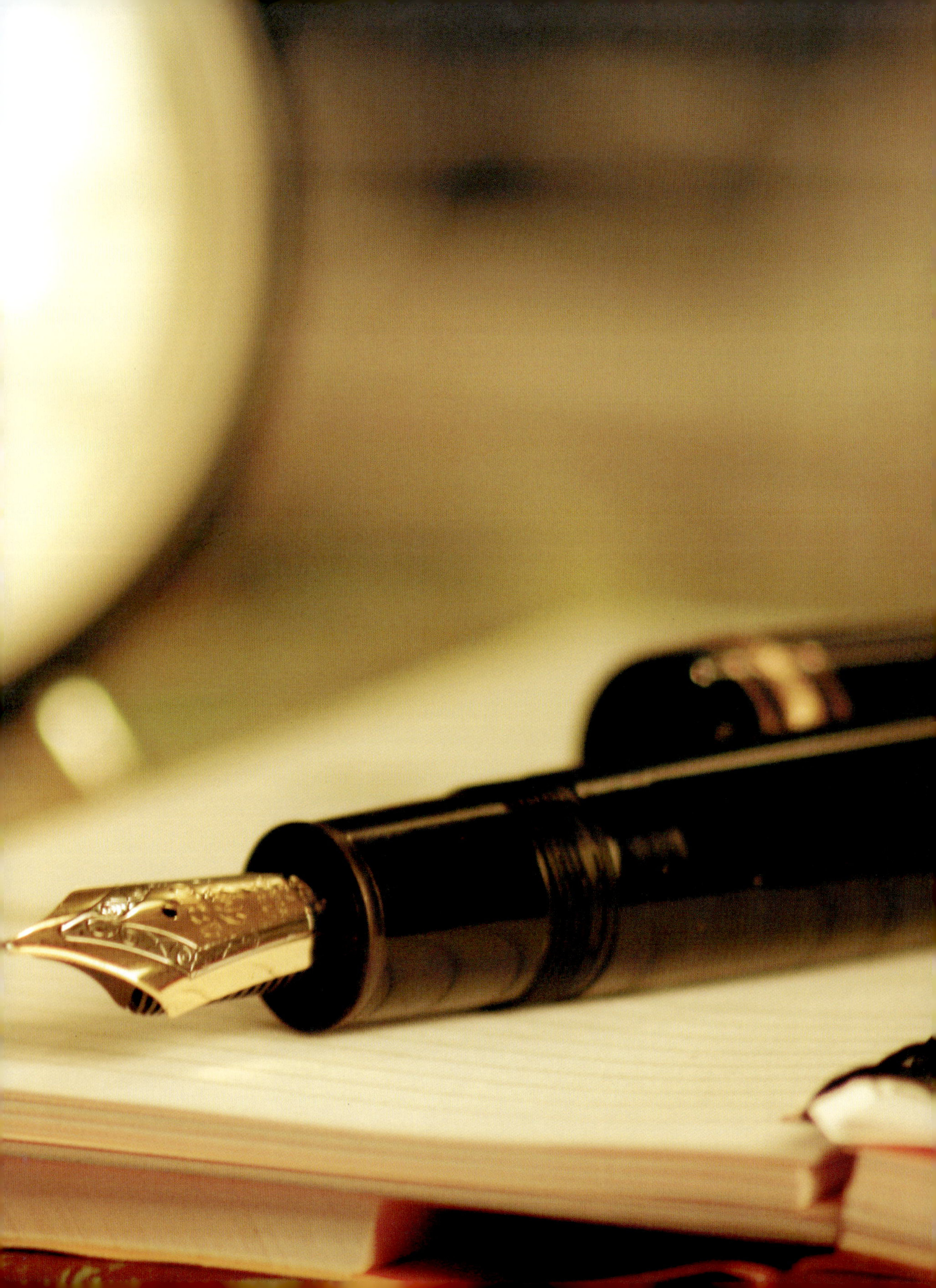

GLOSSÁRIO

As Palavras

EM OUTRAS PALAVRAS

"É UMA PROVA DE ALTA CULTURA DIZER AS COISAS MAIS PROFUNDAS DO MODO MAIS SIMPLES."
EMERSON

"O QUE NÃO SE COMPREENDE, NÃO SE POSSUI."
GOETHE

Alcatrão: substância produzida pela destilação destrutiva na ausência de ar da madeira, turfa ou carvão mineral.

Alelos: diversas formas de um mesmo gene.

Âmbar: é um mineralóide de origem orgânica, heterogêneo na composição, associado com uma substância insolúvel betuminosa, derivado de resinas de árvores coníferas e plantas leguminosas que, soterradas por um período de tempo, passaram por um processo de fossilização chamado de polimerização.

Ano-Luz: unidade utilizada para medir distância de objetos que se encontram no espaço sideral. Um ano-luz equivale a distância que a luz percorre em um ano: 9,46 trilhões de quilômetros.

Biogeografia: estudo da distribuição geográfica dos seres vivos.

Biosfera: parte do mundo em que pode existir vida. No nosso caso, o planeta Terra.

Campo Gravitacional: meio pelo qual a gravidade exerce a sua influência.

Carbonização: é o processo de fossilização no qual o tecido macio é preservado como uma película de carbono através da evaporação (volatização) do hidrogênio, oxigênio e nitrogênio.

Comprimento de Planck: o tamanho típico de uma corda proposto pela teoria das cordas, equivalente à pequena distância de 10^{-37} metro.

Catálise: aceleração de uma reação química por meio de uma substância.

Catastrofismo: proposta de que os aspectos atuais da geologia e da geografia do planeta Terra são resultados de catástrofes de grande proporção ocorridas no passado.

Constante Cosmológica: uma constante matemática utilizada por Albert Einstein nas suas equações para contrabalancear a força da gravidade. Esta constante agia como uma força repulsiva da matéria.

Corpo Negro: um corpo (considerado ideal) capaz de absorver toda a energia incidente que tenha sido irradiada sobre ele, em todos os comprimentos de ondas, emitindo a mesma quantidade de energia que absorve, estando assim em equilíbrio térmico com o meio ambiente.

Criacionismo: cosmovisão que propõe que a origem do universo e da vida são resultados de um ato criador intencional.

Criacionismo Bíblico (CB): proposição de que a natureza foi trazida à existência através de um ato criador de Deus, segundo o relato bíblico encontrado no primeiro capítulo do livro de Gênesis, da Bíblia.

Criacionismo Científico: propõe que a complexidade encontrada na natureza é resultante de um ato criador intencional. Esta proposta baseia-se no *design* inteligente encontrado na natureza. A comunidade científica criacionista baseia tal proposta na evidência científica, e não em relatos religiosos sobre a criação. Algumas variações do criacionismo científico são: L.A.C. (*Long-Age Creationism* - Criacionismo de Longas Eras), O.E.C. (*Old Earth Creationism* - Criacionismo da Terra Velha) e Y.E.C. (*Young Earth Creationism* - Criacionismo da Terra Jovem).

Criacionismo Religioso: proposta religiosa que aceita pela fé os escritos de uma determinada religião sobre a origem da vida e do universo como sendo verdadeiros. O relato bíblico da criação descrito em Gênesis 1:1-2:4a é um exemplo de Criacionismo Religioso. Estas formas de criacionismo são geralmente confundidas com as propostas científicas.

Códon: conjunto de três nucleotídeos na sequência do DNA que codificam um aminoácido.

Darwinismo: teoria evolucionista desenvolvida por Charles Darwin (e Alfred Russel Wallace) no século XIX. O darwinismo apresenta a seleção natural como o mecanismo básico da evolução. Sendo assim, o darwinismo é uma teoria que procura explicar como a evolução teria acontecido. O livro "A Origem das Espécies", publicado por Darwin em 1859, popularizou a teoria.

Dendrocronologia: método de datação incremental que avalia o número de anéis e a espessura de cada anel encontrados nos troncos das árvores.

Design Inteligente: estabelece que causas inteligentes detectáveis empiricamente são necessárias para explicar as estruturas biológicas ricas em informação e a complexidade encontrada na natureza.

Dorsal Meso-Oceânica: é uma cadeia de montanhas localizada no fundo dos oceanos, ininterrupta (cerca de 74.000 km de extensão) e simetricamente posicionada ao longo do leito dos continentes.

Embriologia: estudo das etapas de desenvolvimento pelas quais o embrião passa antes do nascimento ou durante a incubação.

Energia Negra: conceito teórico para explicar uma origem da possível expansão do universo através de uma força repulsiva que possa contrapor-se à força da gravidade.

Energia do Vácuo: energia presente até mesmo no espaço vazio (ver energia negra).

Entropia: medida do estado de desordem de um sistema físico.

Éon Geológico: é a divisão principal da escala geológica de tempo. Os três éons (do mais recente ao mais antigo) reconhecidos são: Fanerozóico, Proterozóico e Arqueano. Um quarto éon, o Hadeano, anterior ao Arqueano, tem sido mencionado na literatura científica. O conjunto de éons que antecede o Fanerozóico é conhecido como Pré-Cambriano.

Equilíbrio Pontuado (Pontualismo): teoria em que a especiação acontece em pequenas populações separadas geograficamente de outras populações de suas espécies, onde a evolução, nestes pequenos grupos, teria ocorrido rapidamente.

Era Geológica: é a divisão de um éon na escala de tempo geológico.

Evolução: (biologia) teoria naturalista que considera a mudança das características hereditárias de uma população através de sucessivas gerações (determinada pelo deslocamento nas frequências de alelos dos genes). Estas mudanças, somadas a longos períodos de tempo, teriam sido as responsáveis pelo aparecimento das novas espécies. Segundo esta teoria, todos os organismos vivos de hoje constituem o resultado cumulativo das alterações evolutivas através de bilhões de anos, estando relacionados por meio de uma ancestralidade comum.

Evolucionismo Teísta: teoria que propõe que Deus guiou a evolução, causando tanto o aparecimento das formas primitivas de vida como o desenvolvimento das formas de vida complexas.

Filogenia: genealogia de um grupo de organismos, geralmente espécies.

Fissão Binária (Divisão Celular): é o método pelo qual bactérias se reproduzem. Após a molécula do DNA ser duplicada, a célula divide-se em duas células idênticas, contendo cada uma cópia exata do DNA da célula original.

Fracionamento: é um dos processos de cristalização que opera tanto no manto quanto na crosta terrestre, onde ocorre a remoção e a segregação de cristais, alterando a composição dos principais elementos químicos do magma.

Estratigrafia: área da Geologia que, de forma relativa, estuda e classifica cronologicamente as camadas de rochas de acordo com as sequências de formação.

Estrato: uma camada sedimentar.

Ex Nihilo: (latim) do nada.

Efeito *Doppler*: a aparente mudança da cor da luz (radiação eletromagnética) em relação à velocidade do observador. Um exemplo deste efeito é o barulho da sirene de uma ambulância, quando esta se aproxima ou se afasta de um observador. O som da sirene que é sempre o mesmo, parece ser mais agudo quando a ambulância se aproxima e mais grave quando ela se afasta.

Feldspato: são minerais compactos que se cristalizam do magma e se desenvolvem em muitos tipos de rochas metamórficas. São encontrados também em algumas rochas sedimentares.

Fóssil Vivo: é a terminologia utilizada para seres vivos que são encontrados também no registro fóssil.

Gigante Vermelha: uma estrela com luminosidade entre cinquenta e mil vezes a luminosidade do nosso Sol. É chamada de vermelha por apresentar uma coloração entre o laranja-amarelado ao laranja-avermelhado.

Gneisse: é uma rocha de origem metamórfica, resultante da deformação de sedimentos de granitos. São consideradas as rochas mais antigas que existem. Sua composição é de diversos minerais, com feldspato potássico, plagiodásio, quartzo e biotita.

Icnofóssil: ou fósseis vestigiais, são impressões deixadas por animais tais como pegadas, rastros, ovos, tocas, esconderijos, resíduos e fezes.

Idade Aparente: idade associada a um objeto sendo esta diferente da idade real.

Isótopo: são átomos de um elemento químico cujos núcleos têm o mesmo número atômico Z, mas diferentes massas atômicas, A

Macroevolução: alterações do tipo qualitativo com o surgimento de novas estruturas, produzindo supostas melhorias. Exemplo: um peixe evoluindo para um animal anfíbio.

Microevolução: alterações do tipo quantitativo de estruturas de organização já existentes, criando variação e não melhoria. Exemplo: variações dentre as raças de cães.

Microfóssil: é o termo utilizado pela ciência da micropaleontologia que estuda fósseis de plantas e animais cujo tamanho é pequeno demais para uma análise a olho nu.

Moho: (Descontinuidade de Mohorovicic) é o limite entre a crosta e o manto terrestre, que varia em espessura e distância da superfície. A distância pode ser de 5 a 10 km no fundo dos oceanos e de aproximadamente

35 a 40 km abaixo dos continentes, podendo chegar até 60 km sob as cordilheiras de montanhas.

Morfologia: estudo da forma e configuração anatômicas dos seres vivos.

Mutações: modificações genéticas mínimas e esporádicas, em geral deletérias ou neutras.

Naturalismo: cosmovisão que propõe que o universo e a vida vieram à existência através de processos de geração espontânea (desprovidos de uma ação criadora) e que ambos teriam evoluído até a complexidade presente.

Nebulosa: formação que pode ser luminosa ou escura em relação ao plano estelar de fundo. São geralmente classificadas como difusas (gases ou poeira cósmica), planetárias (invólucro de gás ao redor de certas estrelas) e remanescentes de supernova (material que sobrou da explosão de uma estrela).

Neo-Darwinismo: teoria evolucionista que combina a teoria da seleção natural proposta por Darwin com a teoria da hereditariedade proposta por Gregor Mendel. Alguns autores consideram o Neo-Darwinismo e a **Teoria Sintética Moderna** como uma mesma teoria, a qual descreve a mudança.

Omatídeo: um conjunto de células fotorreceptoras rodeadas por células de suporte (células pigmentares). A parte exterior do omatídeo contém uma camada transparente, denominada córnea.

Onipotente: que tem poder para fazer tudo o que deseja.

Onisciente: que sabe todas as coisas.

Paleontologia: estudo das formas de vida encontradas no registro fóssil, podendo as mesmas serem extintas ou não.

Permineralização: é o processo de fossilização através do qual espaços porosos como os de conchas, madeira ou ossos são preenchidos com minerais geralmente transportados em soluções aquosas.

Petrificação: é um processo de fossilização semelhante a permineralização e a reposição, o qual ocorre geralmente com madeira.

Placas Continentais: rochas imensas sobre as quais se encontram os continentes.

Piritização: processo de fossilização por reposição no qual o material orgânico original é substituído ou coberto com pirita.

Polipeptídeos: combinação de três ou mais aminoácidos.

Proteinogênicos: participantes na construção de proteínas.

Poliploidia: duplicação ou multiplicação do material genético disponível num "*pool* gênico".

***Pool* Gênico**: soma de todos os genes e alelos de uma população (animais ou plantas).

Pseudofósseis: são padrões visuais encontrados em rochas que são produzidos por processos geológicos e não por processos biológicos.

Radiogênico: elemento resultante do processo de desintegração radioativa (o Chumbo, Pb, é um exemplo de elemento radiogênico).

Registro Fóssil: é a coletânea de vestígios preservados de animais, plantas ou outros seres vivos através dos processos de fossilização.

RNA: (ribonucleic acid) ácido ribonucleico, uma molécula em forma de cadeia, constituída de ribonucleotídeos.

RNAm: RNA mensageiro, é o portador da informação genética contida numa sequência do DNA.

RNAt: o RNA transportador (contém de 74 a 93 nucleotídeos) é que transporta um aminoácido específico para a sequência de polipeptídios que formarão uma proteína.

Reposição: é o processo de fossilização na qual existe a remoção do material estrutural original do organismo, ocorrendo simultaneamente à sua reposição, átomo por átomo, por outro mineral. Neste processo, a microestrutura interna original é geralmente preservada.

Ribossomos: equipamento metabólico celular, composto por proteínas e RNA, cuja função é a de traduzir o RNAm numa cadeia de aminoácidos que se enrolam formando uma proteína.

Rocha Metamórfica: termo usado pela geologia para qualquer tipo de rocha (ígnea, sedimentar e metamórfica) que tenha sido transportada para um ambiente diferente daquele em que ela se formou e tenha passado por transformações físico-químicas, quando submetida ao calor e à pressão.

Rocha Sedimentar: são rochas formadas por sedimentação (deposição de partículas originadas pela erosão de outras rochas), por deposição de materiais de origem biogênica e pela precipitação de substâncias em uma solução.

Seleção Natural: é definida como o processo pelo qual organismos com características favoráveis têm uma probabilidade maior de sobreviver e reproduzir, tornando tais características mais abundantes na próxima geração. Uma das implicações da seleção natural é que, dado um longo período de tempo, este processo lento e gradual resultaria em adaptações e especiação.

Taxonomia: sistema utilizado pela Biologia o qual descreve, classifica e organiza a diversidade das formas de vida.

Tempo de Planck: tempo que a luz demora para percorrer o comprimento de uma corda (comprimento de Planck), 10^{-43} segundo.

Teoria da Criação *(TC)*: teoria sobre a origem da vida e a sua diversificação, sobre o universo e a sua estrutura, partindo de pressupostos volitivos (planejamento e propósito).

Teoria da Criação Especial *(TCE)*: teoria sobre a origem da vida e a sua diversificação, sobre o universo e a estrutura, partindo de pressupostos volitivos (planejamento e propósito), características estas atribuídas a um Criador.

Teoria do *Design* Inteligente *(TDI)*: teoria científica que busca por sinais de inteligência, evidentes na estrutura da vida e na organização do universo. Evidências de *design* podem ser reflexos de uma inteligência racional e consciente. No entanto, a teoria do *design* inteligente não identifica nem faz considerações sobre a existência de um *designer*.

Teoria da Evolução *(TE)*: teoria sobre a origem da vida e o seu desenvolvimento partindo dos pressupostos naturalistas.

Teoria Especial da Evolução *(TEE)*: teoria naturalista sobre a origem da vida e o seu desenvolvimento através do processo de modificações biológicas limitadas, dirigidas pela seleção natural (microevolução — transformismo intraespécie), partindo de um ancestral comum.

Teoria Geral da Evolução *(TGE)*: teoria naturalista sobre a origem da vida e o seu desenvolvimento através do processo de modificações biológicas ilimitadas, dirigidas pela seleção natural através de mutações (macroevolução — transformismo interespécie), partindo de um ancestral comum.

Tripleto: grupo de três nucleotídeos que codificam um aminoácido.

Tipo básico: organismo vivo que contém toda a codificação genética que permite o aparecimento de variações nos seus descendentes.

Turfeira: tipo de solo feito de turfa (carvão vegetal), formado pela deposição e decomposição vegetal (especialmente de esfagnos), onde fósseis são encontrados em bom estado de preservação.

FIEL
MINISTÉRIO

O Ministério Fiel visa apoiar a igreja de Deus de fala portuguesa, fornecendo conteúdo bíblico, como literatura, conferências, cursos teológicos e recursos digitais.

Por meio do ministério Apoie um Pastor (MAP), a Fiel auxilia na capacitação de pastores e líderes com recursos, treinamento e acompanhamento que possibilitam o aprofundamento teológico e o desenvolvimento ministerial prático.

Acesse e encontre em nosso site nossas ações ministeriais, centenas de recursos gratuitos como vídeos de pregações e conferências, e-books, audiolivros e artigos.

Visite nosso site
www.ministeriofiel.com.br

Impressão e acabamento:
Gráfica CS
Capa: Supremo 250/gr
Miolo: Couche Fosco 90/gr
2024